CH. WILLEMS

MÉDECIN DE RÉGIMENT DE 1re CLASSE
PROFESSEUR AGRÉGÉ A L'UNIVERSITÉ DE GAND
CHIRURGIEN EN CHEF DE L'HÔPITAL « LA BILOQUE »

MANUEL

DE

CHIRURGIE

DE GUERRE

— 99 FIGURES —

DEUXIÈME ÉDITION

—— PARIS ——

A. MALOINE ET FILS, ÉDITEURS

27, RUE DE L'ÉCOLE-DE-MÉDECINE, 27

—— 1917 ——

MANUEL

DE

CHIRURGIE DE GUERRE

MANUEL

DE

CHIRURGIE DE GUERRE

PAR

CH. WILLEMS

Médecin Directeur de l'hôpital militaire d'Hoogstaede.
Professeur agrégé à l'Université de Gand.
Membre correspondant de l'Académie de médecine de Paris
et de l'Académie Royale de médecine de Belgique

DEUXIÈME ÉDITION

99 figures originales

A. MALOINE ET FILS, ÉDITEURS
27, RUE DE L'ÉCOLE-DE-MÉDECINE, 27
PARIS 1917

AVANT-PROPOS DE LA PREMIÈRE ÉDITION

L'idée de ce livre m'a été suggérée à la suite d'une série de conférences que j'ai faites à l'hôpital d'Hoogstaede, pour les médecins militaires du front belge.

Cet hôpital, qui est à peine à 7 kilomètres des tranchées, reçoit en majorité les blessés graves, jugés inévacuables à plus grande distance. Il m'a fourni un matériel important pour l'étude de la chirurgie de guerre d'urgence, celle qui doit, de toute nécessité, être faite sur le front même.

En Serbie, où j'ai dirigé une ambulance pendant la guerre des Balkans, j'ai vu surtout la chirurgie de l'arrière, si différente de l'autre.

C'est le fruit de la double expérience ainsi acquise, que je livre au public médical.

Je n'ai pas la prétention d'avoir écrit un traité. J'ai mis tout simplement dans ces pages ce que j'ai vu et ce que j'ai fait. On n'y doit rien chercher de plus. A défaut d'être complet, ce livre a du moins le mérite d'être personnel.

Je ne me flatte pas non plus d'avoir fait œuvre défi-

nitive. La campagne actuelle est en train de boule-
verser et de refondre bon nombre de notions que nous
avaient fournies les guerres antérieures, et que nous
croyions positives. Cette période de rénovation n'est
pas close et l'avenir se chargera sans doute de démen-
tir, sur bien des points, ce que nous pensons aujour-
d'hui être la vérité.

Mais peut-être, en attendant, aurai-je rendu quelque service aux médecins, en leur apportant un guide
dans leur tâche si rude, et, pour beaucoup d'entre
eux, si nouvelle.

Ce manuel ne contient aucune indication bibliographique, et pour cause : écrit dans un hôpital du front,
où règne jour et nuit la plus grande activité, sans
livres et presque sans journaux, il n'a rien d'un travail d'érudition.

J'ai obtenu, pour l'écrire, des encouragements et
des appuis.

M. le Dr Mélis, Inspecteur Général du Service de
Santé belge, attaché à la Maison militaire du Roi, a
bien voulu autoriser cette publication. Qu'il reçoive
ici l'expression de ma respectueuse reconnaissance.

M. le médecin de régiment de 2e classe Henrard,
le distingué radiologue de Bruxelles, m'a donné des
conseils qui m'ont été infiniment utiles.

Plusieurs de mes assistants m'ont prêté un concours
précieux. Je tiens à remercier en particulier M. le
médecin de bataillon de 1re classe Van Meenen, à qui

je dois les clichés radiographiques et la description des procédés de localisation des projectiles, ainsi que MM. les médecins-adjoints Bruyneel et Goormagh-tigh, qui se sont obligeamment chargés de l'exécution des photographies et des dessins.

M. le médecin-adjoint Weekers, chargé de cours à l'Université de Liége, a eu l'amabilité de me fournir une note sur les troubles oculaires observés dans certaines lésions du crâne et M. le Dr Rubbrecht, chargé de cours à l'Université de Gand, a bien voulu résumer les traitements modernes des fractures du maxillaire inférieur.

Mme Albert Boddaert, infirmière en chef, qui, malgré ses absorbantes fonctions, m'a rendu mille services pour la préparation et le classement des documents, a droit aussi à toute ma gratitude.

Je m'excuse de l'imperfection des radiographies. Elles ont été faites au moyen d'une installation rudimentaire, et l'encombrement du service n'a pas permis de donner à leur reproduction tous les soins désirables.

WILLEMS.

Avril 1916.

AVANT-PROPOS DE LA DEUXIÈME ÉDITION

La première édition de ce Manuel a été épuisée en quelques mois. Un accueil aussi bienveillant m'imposait le devoir de donner tous mes soins à la deuxième édition.

L'ouvrage a subi une refonte assez importante. Plusieurs chapitres, spécialement ceux consacrés au traitement des plaies et aux fractures, ont été remaniés. Dans un chapitre nouveau, j'ai exposé les indications et la technique des amputations.

D'autre part, l'illustration a été améliorée. *Toutes* les radiographies et bon nombre d'autres figures ont été remplacées par des clichés mieux venus et mieux reproduits. Je les dois au médecin de bataillon de 2ᵉ classe Duivepart, à qui j'adresse tous mes remerciements.

Willems.

Avril 1917.

MANUEL

DE

CHIRURGIE DE GUERRE

CHAPITRE PREMIER

PRINCIPES GÉNÉRAUX DU TRAITEMENT DES PLAIES DE GUERRE

Antisepsie. — On sait combien l'*antisepsie* a révolutionné la chirurgie depuis une quarantaine d'années, quels sont les prodiges qu'elle a permis de réaliser, et combien, grâce à elle, les complications des plaies et surtout la principale d'entre elles, l'*infection*, ont pour ainsi dire disparu de la pratique.

Avant Lister, de véritables épidémies d'infection sévissaient dans les hôpitaux. A certains moments, la septicémie, la pyoémie, la pourriture d'hôpital faisaient de tels ravages qu'il fallait fermer temporairement certains services de chirurgie où *toutes* les plaies s'infectaient, où *toutes* les fractures ouvertes emportaient les blessés.

Les hommes de notre génération n'ont pas connu ces déboires. Depuis l'antisepsie, nous voyons évoluer avec une simplicité parfaite les plaies opératoires et — par une conséquence naturelle — s'étendre tous les jours davantage le domaine des interventions chirurgicales.

Mais ce n'est pas tout. Les *plaies accidentelles*, qui — à l'encontre des plaies faites par le chirurgien, — n'ont pas été produites sous le couvert des précautions antiseptiques, ont néanmoins, elles aussi, bénéficié à un haut degré de la découverte de Lister. L'antisepsie a permis, sinon d'éviter toujours, du moins d'atténuer et souvent de combattre victorieusement les complications infectieuses si redoutables de ces plaies, qu'il faut considérer comme *infectées en principe*, de par leur origine traumatique.

Et voilà que, dans la guerre actuelle, nous voyons reparaître toutes ces vieilles infections des plaies, que nous ne connaissions presque plus que par ouï-dire. Voilà que nous voyons ces infections acquérir tout à coup une gravité et revêtir des formes inconnues en chirurgie civile, même avant l'antisepsie. Voilà que nous voyons, dans un grand nombre de cas, l'infection résister à tous les moyens mis en œuvre, poursuivre sa marche malgré tous nos efforts, et finir par emporter le blessé.

Que s'est-il donc passé ? L'antisepsie aurait-elle fait faillite et ce qui était vrai du temps de Lister, ne le serait-il plus maintenant ? Ou bien avons-nous affaire en ce moment à des modalités nouvelles de l'infection, contre lesquelles nos procédés antiseptiques ordinaires seraient impuissants ?

Presque tous les microbes que l'on trouve dans les plaies de guerre actuelles étaient connus avant la campagne. Leur virulence semble s'être exaspérée, et c'est uniquement à ce fait qu'il faut attribuer l'insuffisance de nos procédés ordinaires de désinfection.

Antisepsie et asepsie en chirurgie civile. — Pour bien comprendre le désarroi actuel des idées en matière de traitement des plaies de guerre, il faut se rappeler l'évolution qui s'est faite autrefois dans la doctrine de l'antisepsie, évolution qui a abouti, il y a quelque vingt-cinq ans, à l'avènement d'une méthode nouvelle, *l'asepsie*.

Ce fut d'abord, dans les premières années du listérisme, une suite ininterrompue de succès, merveilleux pour l'époque. Mais à certain moment, le doute commença à surgir, lorsque des expériences de laboratoire eurent la prétention de prouver que les antiseptiques chimiques auxquels on avait recours, *ou bien étaient dépourvus de toute action sur les microorganismes pyogènes, ou bien atteignaient les cellules en même temps que les microbes* et, par un véritable cercle vicieux, rendaient les tissus plus attaquables par ces derniers.

On ne pouvait cependant nier les résultats cliniques obtenus par l'antisepsie, ni les immenses progrès qu'elle avait permis d'accomplir dans la technique chirurgicale. Mais on tenta d'expliquer ces succès autrement que par l'action bactéricide des antiseptiques. On voulut n'y voir que les effets de la propreté minutieuse que comportait la méthode et qui n'était qu'une *asepsie avant la lettre*. On alla jusqu'à dire que les succès s'obtenaient, non pas grâce aux antiseptiques, mais malgré eux.

Ce sont ces expériences qui ont insensiblement diminué la confiance dans l'antisepsie, et qui ont fait la voie à une autre méthode, qui elle, n'avait plus la prétention de tuer les microbes dans les tissus, mais voulait simplement les empêcher de pénétrer dans la plaie. Cette méthode est fondée sur la destruction, par la chaleur, des microorganismes dans tous les objets qui doivent être mis en contact avec la plaie. C'est la stérilisation sans antiseptiques chimiques. C'est *l'asepsie*.

Tout le monde connaît la fortune rapide de cette méthode, fortune telle que très peu de chirurgiens d'aujourd'hui sont restés fidèles au listérisme.

Et cependant, pour peu qu'on y regarde de près, on s'aperçoit que l'asepsie, qui a, sans aucun doute, le pouvoir d'empêcher les microbes de pénétrer dans la plaie, est incapable de détruire ceux qui y sont déjà. Elle ne s'applique donc en réalité qu'aux plaies opératoires, et *non aux plaies accidentelles.*

Lorsque le chirurgien produit une plaie, il dépend de lui que cette plaie reste stérile. Il suffit pour cela qu'il ait stérilisé d'avance, par la chaleur à 120° ou 130°, ses gants, ses instruments, tout son matériel de pansement. Aucun microbe ne pourra pénétrer dans la plaie opératoire.

Mais dans une plaie accidentelle, il y aura toujours des microbes *avant* qu'on puisse la panser, puisque — même si l'on fait abstraction de l'infection secondaire due aux objets qui la frôlent — le corps vulnérant lui-même n'était pas stérile. Pour une telle plaie, il ne suffit donc plus de barrer la route aux microbes du dehors, il faut encore éliminer ceux qui y ont déjà pénétré.

Et alors on a vu, tout naturellement, les mêmes chirurgiens qui font exclusivement de l'asepsie pour les plaies opératoires, en revenir aux antiseptiques pour *désinfecter* ces plaies accidentelles.

Bien entendu, on n'a plus employé l'acide phénique, ni le sublimé, qui sont démodés et qui ont d'ailleurs beaucoup d'inconvénients, étant irritants et toxiques. Mais on s'est adressé à des antiseptiques plus modernes, dont le type est l'eau oxygénée.

Malheureusement pour cette renaissance de l'antisepsie, le laboratoire est venu de nouveau apporter des précisions. On a étudié expérimentalement et bactériologiquement la valeur microbicide de ces antiseptiques modernes, et on est arrivé à cette conclusion assez déconcertante que certains d'entre eux, comme l'iodoforme, n'ont aucun pouvoir microbicide, que nombre de microbes y colonisent même très bien, et que d'autres, comme l'eau oxygénée, ont, à ce point de vue, une valeur très surfaite.

En fin de compte, ces expériences ont conduit à substituer, pour la désinfection des plaies, le principe du *nettoyage mécanique* à celui de l'action microbicide. Puisque les antiseptiques, ou bien ne détruisent pas les microbes, ou bien détruisent en même temps les tissus, on a cherché à éliminer les microorganismes par action mécanique, aidée par des lavages abondants au moyen d'un liquide indifférent qui les entraîne. Du même principe est née la *désinfection par l'éther*, dont le mode d'action est probablement mécanique avant tout, et que beaucoup de chirurgiens préfèrent maintenant à toute autre substance chimique.

Antisepsie en chirurgie de guerre. — Il est extrêmement intéressant de constater que la même évolution de doctrine se produit, à l'heure actuelle, pour le traitement des plaies de guerre. Mais elle est moins avancée que pour la pratique civile et nous voyons ici les chirurgiens se partager encore en deux camps. Les uns pensent que les antiseptiques sont sans valeur microbicide suffisante pour les plaies de guerre et qu'ils sont nuisibles, parce qu'ils attaquent les tissus et les rendent plus vulnérables par les microorganismes. Les autres croient que l'on peut détruire les bactéries dans une plaie de guerre, la *stériliser*, à condition de s'y prendre de bonne heure et qu'en tout cas, si tous les microbes ne peuvent être tués, leur nombre peut être réduit dans une telle mesure que le danger en soit considérablement atténué.

Le seul point sur lequel on soit d'accord, c'est l'*insuffisance habituelle de l'asepsie*, aucune plaie de guerre — exception faite jusqu'à un certain point pour les plaies par balle de fusil — n'étant primitivement stérile.

Les deux camps opposés ne manquent pas de bons arguments pour étayer leur doctrine. Voyons les faits qu'ils invoquent.

Aucun antiseptique, disent les uns, ne peut stériliser une plaie déjà infectée, c'est-à-dire une plaie où les microbes ont colonisé dans les tissus. Aucun antiseptique, actif contre les microbes, n'est indifférent pour les cellules. « On vise les microbes, on tue les cellules. » La destruction des éléments cellulaires est plus nuisible que n'est utile la suppression d'un certain nombre d'agents pathogènes, de sorte que, par les antiseptiques, on a plus de chance d'aggraver les lésions que de les enrayer. D'ailleurs, il est impossible de tuer, même par les antiseptiques les plus puissants, tous les microbes qui infectent les tissus d'une plaie de guerre, et cela, pour deux raisons. D'abord, parce que la plupart de ces substances en solutions concentrées forment avec les albuminoïdes des composés insolubles et par conséquent inactifs contre les microbes placés plus profondément ou englobés dans les caillots, et ensuite parce qu'il faut un certain temps pour tuer les microbes *in vitro* par les antiseptiques les plus énergiques. Ce temps a été déterminé par l'expérience pour diverses espèces microbiennes.

Or, dans une plaie qui sécrète, toutes ces substances

seront éliminées avant d'avoir eu le temps d'agir utilement.

On doit tenir compte encore des propriétés toxiques de l'antiseptique employé en solution concentrée.

D'autre part, de nouvelles expériences ont confirmé le peu de valeur d'antiseptiques réputés comme l'iodoforme et l'éther. Quant à l'eau oxygénée, on lui reproche d'être plus dangereuse qu'utile, quand on l'injecte dans le tissu cellulaire, et cela parce que le décollement qui résulte du dégagement d'oxygène favoriserait l'extension du processus infectieux.

Méthodes modernes d'antisepsie. — Voyons maintenant les arguments de ceux qui sont restés partisans des antiseptiques dans le traitement des plaies de guerre.

Ils se refusent à admettre que le changement radical que l'antisepsie a produit dans l'évolution des plaies soit attribuable aux seuls soins de propreté, et que l'emploi des antiseptiques n'y soit pour rien. Les expériences de laboratoire ne peuvent primer les faits cliniques, et si certains antiseptiques ont une valeur surfaite, il ne s'ensuit pas que le principe de l'antisepsie doive disparaître.

Rien ne différencie en principe les plaies de guerre des autres plaies accidentelles, si ce n'est la précocité et la gravité des infections qu'elles subissent.

Or, il y a un laps de temps pendant lequel la désinfection d'une plaie fraîche peut encore se faire utilement, et au delà duquel la colonisation en profondeur rendra l'emploi des antiseptiques illusoire.

Précisément, dans les conditions de la guerre actuelle, les plaies nous arrivent souvent assez tard, alors que la période utile pour la désinfection est passée.

De là est née la légende de l'insuffisance des antiseptiques en chirurgie de guerre. Mais ce n'est qu'une légende, car, même à cette période retardée, l'antisepsie bien faite peut encore *atténuer beaucoup la gravité de l'infection*, en réduisant le nombre des microorganismes qui infectent la plaie.

Cela ne veut pas dire qu'il faille, comme autrefois, recourir à des solutions concentrées d'antiseptiques puissants. Ces solutions fortes peuvent en vérité nuire aux cellules. Ce qu'il faut, c'est s'adresser à des antiseptiques peu irritants et les employer en *solutions diluées*, mais en grande quantité, de manière à ajouter à l'action antiseptique le nettoyage mécanique.

On peut aussi, comme on l'a fait, essayer de *retarder le moment à partir duquel les microorganismes auront colonisé* dans les tissus et où la désinfection complète cessera d'être possible. Ce retard, on prétend l'avoir obtenu en introduisant dans la plaie, au moment du premier pansement, certaines pâtes ou poudres, à base d'acide phénique et de crésol, mélanges qui auraient la propriété de traverser les caillots sanguins et de pénétrer dans toute la profondeur de la plaie, où elles empêcheraient, au moins temporairement, les microbes de coloniser.

De cette manière, on aurait des chances de ne plus venir trop tard pour la désinfection définitive.

MÉTHODE DE CARREL. — L'antiseptique dont il a été le plus question pendant la campagne actuelle est *l'hypochlorite de soude*, qui forme la base du *liquide de Dakin*, employé par Carrel, liquide qui est tout simplement de l'eau de Labarraque additionnée à l'origine d'acide borique, pour neutraliser l'alcali libre, et titrée à 0,5 p. c.

Pour préparer ce liquide, on dissolvait **140** grammes de carbonate de soude sec, ou **400** grammes de sel cristallisé dans **10** litres d'eau ordinaire, et on ajoutait à la solution **200** grammes de chlorure de chaux. On filtrait et on ajoutait alors seulement **40** grammes d'acide borique. La solution qui contenait 0,5 p. c. d'hypochlorite de chaux, ne devait pas être conservée plus d'une semaine.

Dans la dernière formule utilisée par Carrel, l'acide borique est supprimé et l'alcali caustique libre est évité par l'addition de bicarbonate de soude au mélange de chlorure de chaux et de carbonate de soude [1].

D'après Carrel, cette solution a un pouvoir germicide élevé, sans être irritante. Il faut cependant prendre des précautions pour garantir la peau, qui lui résiste mal. (lint vaseliné).

---

1. Il faut commencer par doser le chlore dans le chlorure de chaux dont on dispose, afin d'en employer une quantité calculée d'après son titre.

Pour un chlorure de chaux titrant 25 p. c. de chlore actif, les quantités de réactifs pour préparer 10 litres de solution sont les suivantes :

Chlorure de chaux	200 grammes
Carbonate de soude sec (Solvay) . . .	100 —
Bicarbonate de soude	80 —

Introduire dans un flacon de 12 litres les 200 grammes de chlorure de chaux et 5 litres d'eau ordinaire ; agiter quelques minutes et laisser en contact pendant cinq à douze heures.

En même temps, faire dissoudre à froid dans 5 litres d'eau ordinaire le carbonate et le bicarbonate de soude.

Verser en une seule fois la solution de sels de soude dans le flacon contenant la macération de chlorure de chaux, agiter vivement pendant quelques instants et laisser reposer pour permettre au carbonate de chaux formé de se déposer. Au bout d'une demi-heure, siphoner le liquide clair et le filtrer sur un double papier, pour obtenir un produit limpide, qui sera conservé à l'abri de la lumière.

La solution titre de 0,45 à 0,50 p. c. d'hypochlorite. Au-dessous de 0,45, elle est trop peu active, au-dessus de 0,50, elle est irritante (Daufresne).

Toute la surface de la plaie et toutes ses anfractuosités doivent être baignées par le liquide, qui doit être constamment renouvelé, parce que l'hypochlorite se détruit au contact des substances protéiques.

On peut arriver à ce but de manières différentes. On peut installer dans la plaie dès le premier pansement, un ou plusieurs tubes de 5 à 6 millimètres de diamètre, plongeant dans tous les culs-de-sac et sortant du pansement. Celui-ci est composé d'un tamponnement léger à la gaze et d'une couche d'ouate non hydrophile. Par les tubes, on injecte toutes les deux heures quelques centimètres cubes de la solution, au moyen d'une seringue.

Carrel a imaginé un dispositif plus commode. Il se sert d'un petit irrigateur installé à demeure et dont le tube, interrompu par un ajutage compte-gouttes, aboutit à un tube distributeur en verre d'où partent quatre ou cinq tubes en caoutchouc minces fermés par une ficelle à leur extrémité, mais percés vers leur terminaison d'un certain nombre de très petits trous latéraux, pratiqués à l'emporte-pièce. Ces tubes dont le segment perforé est revêtu ou non de tissu éponge, sont introduits jusqu'au fond des diverses anfractuosités de la plaie ou couchés à la surface. Tout autour d'eux, la plaie est tamponnée à la gaze et recouverte d'ouate non absorbante.

On peut maintenant régler l'appareil sous forme de goutte à goutte permanent, toujours très lent, ou mieux, n'ouvrir le tube que toutes les deux heures pour laisser passer quelques centimètres cubes du liquide.

Le débit doit être lent, il ne faut pas consommer plus d'un demi-litre en vingt-quatre heures, tout au plus un litre pour les très grandes plaies. Au fur et à mesure de son arrivée, le liquide est absorbé et évaporé ; il ne mouille guère le pansement.

L'examen bactériologique est inutile dans les deux premiers jours parce que l'abondance du sang et des sécrétions dilue trop les microbes. A partir du troisième jour, Carrel fait un examen tous les deux jours : simple frottis, coloration et numération des microbes, sans les identifier.

La stérilité presque complète s'obtient en moyenne après quatre à douze jours pour les plaies des parties molles, en treize à vingt-cinq jours pour les grands foyers de fracture.

Mais les plaies doivent avant tout être débridées très largement, les trajets excisés dans la mesure du possible, et les surfaces contuses ou dilacérées, avivées.

Les partisans de la méthode affirment que les plaies ainsi traitées ne suppurent pas, que la température reste basse, et que la réunion secondaire est possible dans les délais indiqués.

Méthodes dites physiologiques. — Telles sont les règles générales du traitement antiseptique des plaies, avec sa technique moderne.

Par contre, pour les adversaires de l'antisepsie, le traitement doit tendre surtout à respecter et à *soutenir les défenses naturelles* que l'organisme oppose à l'envahissement des microbes, défenses dont le principal moyen est la *phagocytose*, c'est-à-dire l'incorporation et la destruction des bactéries par les globules blancs. C'est à favoriser cette phagocytose que doivent tendre tous les moyens à mettre en œuvre.

Ce n'est plus ici à une substance chimique étrangère à l'économie qu'on demande d'aller tuer le microbe dans les tissus, ce sont ces tissus eux-mêmes qu'on charge de ce soin.

MÉTHODE DE WRIGHT. — Pour atteindre ce but, il faut se servir de liquides *hypertoniques*, lesquels ont un double mode d'action. Ils donnent lieu à un *flux abondant de lymphe*, qui entraîne mécaniquement les germes infectieux et en débarrasse les tissus.

D'autre part, les lymphatiques étant maintenus ouverts, les leucocytes arrivent dans la plaie, et la phagocytose y devient possible.

Le type de ces liquides hypertoniques est la *solution de chlorure de sodium* à 5 p. c. C'est sur son emploi qu'est fondée la *méthode dite physiologique* du bactériologue anglais Wright.

Le liquide peut être employé en *lavages répétés* ou en *irrigation continue*. On peut, comme pansement, bourrer légèrement la plaie au moyen de compresses trempées dans la solution salée à 5 p. c., ou supprimer tout pansement — il n'en est pas qui ne soit plus ou moins occlusif — et ne couvrir la plaie, dans l'intervalle des lavages, que d'une gaze. Nous verrons que le dernier mot n'est pas dit sur le meilleur mode d'application de l'eau salée.

Mais une condition essentielle de succès est, comme dans la méthode de Carrel, que la plaie soit, au préalable, *largement débridée*, de façon que le liquide atteigne facilement toute la surface et pénètre dans toutes les anfractuosités. C'est aussi le meilleur moyen pour que l'arrivée de la lymphe puisse se faire librement.

C'est donc la suppression de tout système de drainage simple et de tout tamponnement serré. Les liquides exsudatifs ne doivent pas séjourner dans la plaie. Ils doivent pouvoir s'écouler à mesure de leur production.

Mais il ne faut pas prolonger l'emploi des solutions hypertoniques, qui ont, d'après Wright, un double inconvénient. D'abord, elles *finissent par détruire les glo-bules blancs* et produisent ainsi un excellent milieu de culture dans lequel les microbes pullulent de nouveau. Ensuite elles exercent sur les leucocytes une *action chimiotaxique négative*, c'est-à-dire qu'elles les refoulent vers la profondeur, privant ainsi l'organisme de ses meilleurs moyens de défense. De sorte qu'après une courte période de stérilité, la plaie se réinfecte.

Par conséquent, dès que l'ouverture des lymphatiques est réalisée et que la lymphe coule librement, — soit en moyenne après 10 à 15 jours —, il faut remplacer la solution hypertonique par une *solution isotonique*, le *sérum physiologique à* 8,5 p. m.

Le sérum physiologique a une *action chimiotaxique positive* sur les globules blancs. Au lieu de les refouler, il les amène — spécialement les polynucléaires — à la surface de la plaie où ils ne sont plus détruits, mais phagocytent les microbes [1].

Pendant les premiers jours, il faut veiller à ce que la solution à 5 p. c. ne se dilue pas par la lymphe. Pour cela Wright incorpore des comprimés de chlorure de sodium dans les pièces de pansement et même en introduit dans la plaie. Sans cette précaution, la dilution du liquide amènerait l'arrêt de l'écoulement de la lymphe et sa coagulation dans les vaisseaux [2].

---

1. On a cherché des solutions dont le pouvoir stimulant de la phagocytose serait supérieur à celui de l'eau salée, et l'on a recommandé entre autres une *solution d'iodure de calcium* à 1 p. 100.000.

Delbet prône la *solution de chlorure de magnésium* à 12,1 p. 1000, qui exalterait les propriétés phagocytaires des globules blancs dans une proportion considérable. Elle donnerait 75 p. c. plus de phagocytose que le chlorure de sodium.

2. Pour s'opposer à la coagulation de la lymphe dans les trajets, il est bon d'ajouter à la solution 0,5 p. c de citrate de soude : cette pré-

Par la méthode physiologique, on parvient donc à stériliser une plaie, mais ce n'est là qu'une situation temporaire, car les leucocytes qui ont phagocyté meurent et se transforment ainsi en milieu de culture.

Pour obvier à ce danger, il faut faire des irrigations fréquentes ou l'irrigation continue, afin d'entraîner au fur et à mesure de leur production tous les résidus de la destruction leucocytaire.

Un autre moyen recommandé par Wright pour empêcher la réinfection de la plaie est la *suture secondaire*, appliquée au moment précis où la plaie se montre stérile.

Carrel et Wright prétendent donc tous les deux arriver à la stérilisation et leurs méthodes tendent toutes deux à la réunion secondaire.

Choix de la méthode. — Voilà les deux méthodes en présence. Laquelle faut-il choisir ?

Il semble *a priori* qu'il soit très simple de trancher le différend, en laissant la parole aux faits. Il devrait suffire d'expérimenter les deux méthodes sur une double série de cas comparables et de noter les résultats obtenus de part et d'autre.

Mais les plaies de gravité moyenne guérissent également bien par l'une et l'autre méthode, et quant aux plaies très graves, il n'est guère possible de prévoir de quelle façon elles évolueront au point de vue de l'infection, et de les classer en groupes comparables. Cliniquement, il est même impossible de savoir d'avance quel sera le degré de gravité d'une infection qui commence.

caution devient moins nécessaire quand on pratique des irrigations fréquentes.

Pierre Delbet a cherché à se renseigner sur ce pronostic de l'infection, en faisant ce qu'il a appelé la *pyoculture*, c'est-à-dire en cultivant les microbes de la plaie dans ses propres sécrétions. Dans le cas où le malade est incapable de lutter contre les microbes, ceux-ci se montreront nombreux et coloniseront abondamment dans le pus de la plaie. Là au contraire où le malade est en état de lutter, les microbes cultiveront peu ou pas. Et enfin, lorsque le malade a déjà triomphé de l'infection, les microbes ne cultiveront plus du tout et seront même détruits dans le liquide d'exsudation.

On aurait ainsi dans la pyoculture un moyen de se renseigner sur le pouvoir défensif du blessé et de prévoir en conséquence la tournure que prendra sa lésion.

Mais cette méthode, pour ingénieuse qu'elle soit, n'a pas fait toutes ses preuves. Elle ne tient pas compte de tous les éléments du problème et il s'agit là de recherches de laboratoire qui ne seront jamais à la portée de tous les chirurgiens, sans compter que bien des plaies auront tourné mal avant que la recherche soit terminée.

Ce n'est donc pas encore la pyoculture qui nous fournira le moyen simple et pratique de prévoir l'évolution d'une plaie de guerre et nous permettra par conséquent d'essayer les deux méthodes de traitement sur des cas de gravité comparable.

Ces deux méthodes, dont la base théorique est tout à fait différente, se résument dans leur application en une modalité du pansement humide avec un liquide différent. Toutes les deux ont remplacé l'irrigation continue, qu'elles utilisaient au début, par des lavages répétés. Wright emploie des quantités importantes de liquide, Carrel de très petites quantités, estimant que tout ce qui n'est pas retenu dans la plaie est de nulle utilité. En raison de cette différence, la méthode de Carrel est d'application plus simple, ne mouille pas le blessé, exige moins de personnel infirmier.

Cliniquement les plaies fraîches évoluent à peu près de la même manière, qu'elles soient traitées par l'une ou l'autre méthode. Pendant les premiers jours, la surface se couvre plus ou moins complètement d'une sorte de fausse membrane d'un blanc jaunâtre, indépendamment des lambeaux de tissus nécrosés. Au bout de huit à dix jours, la surface s'est détergée et est devenue rouge vif. C'est le moment, dans la méthode de Wright, de remplacer la solution salée forte par le sérum physiologique.

Nous ne sommes pas entièrement édifié sur la question de savoir laquelle des deux méthodes procure le plus rapidement, et dans le plus grand pourcentage des cas, la stérilité relative nécessaire pour la réunion secondaire. Nous avons surtout appliqué la méthode physiologique de Wright à une époque où, faute du contrôle bactériologique, nous ne pouvions pratiquer la suture secondaire. Nous avons eu depuis lors l'impression que cette stérilité relative ne s'obtient pas constamment dans les délais utiles avec le Wright, et c'est ce qui nous a déterminé à y introduire les modifications dont nous parlerons plus loin.

Au demeurant, il est probable que la nature du liquide utilisé a moins d'importance que la manière dont il est utilisé. Il s'agit de deux *méthodes*, et non de deux recettes.

Nous avons expérimenté d'autre part que le traitement physiologique possède une action beaucoup moins puissante et moins constante sur les plaies anciennes, où l'infection s'est déjà installée. Il n'en est pas de même, semble-t-il, pour le traitement au liquide de Dakin, dont nous avons constaté la réelle efficacité contre les suppurations anciennes. Mais les deux méthodes se montrent d'autant plus actives qu'elles sont appliquées plus tôt. Elles doivent l'être dès le premier pansement.

A l'heure actuelle donc, après avoir obtenu d'excellents résultats par la méthode physiologique modifiée comme nous le verrons, nous avons repris concuremment le traitement de Carrel, dans le but de nous éclairer définitivement sur la valeur relative des deux traitements.

Nous employons de moins en moins les antiseptiques autres que l'hypochlorite. Le seul auquel nous restions fidèle est la *teinture d'iode*, et elle nous sert plutôt à désinfecter la peau autour de la plaie que la plaie elle-même.

Cela ne veut pas dire que nous renoncions à toute tentative de désinfection de la plaie au moment du premier pansement, mais nous demandons plutôt cette désinfection à l'*action mécanique* de certaines substances, comme l'*éther*, qui entraînent fort bien toutes les impuretés.

Nous n'avons pas complètement renoncé non plus à l'*eau oxygénée*, dont on a dit, depuis la guerre, tout le bien et tout le mal possible. Nous pensons que, sans lui reconnaître une action en quelque sorte spécifique, on ne peut nier, dans certains cas, son utilité contre des *suppurations profuses et malodorantes*. Dans de tels cas, nous n'avons pas aperçu sur les tissus l'action délétère dont on nous a fait peur.

Réunion secondaire. — Nous venons de voir que Carrel et Wright recommandent tous les deux la suture secondaire, dans le but incontestablement avantageux, de raccourcir la durée du traitement et de procurer au blessé une cicatrice linéaire ayant presque tous les avantages des réunions *per primam*.

La condition primordiale du succès est que la plaie soit aseptique, sinon absolument — ce qu'il est impossible d'obtenir — du moins relativement.

Pour déterminer le moment où cette stérilité relative est obtenue, l'aspect clinique de la plaie ne suffit point. L'examen bactériologique est indispensable.

D'après Wright, le moment est arrivé lorsque les irrigations salines ont laissé très peu de microbes dans la plaie, et qu'elle contient au contraire une profusion de leucocytes. Laisser une telle plaie ouverte, c'est l'exposer à la réinfection par la dessication et la destruction des globules blancs. Ceux-ci au contraire seront mis dans de bonnes conditions pour phagocyter quand ils sont enfouis par la suture.

Carrel examine tous les deux jours un simple frottis coloré, et compte les microbes sans essayer de les identifier. Il estime, assez empiriquement, que la plaie peut être fermée dès qu'on ne trouve plus qu'un seul microbe sur 4 champs examinés.

Nous avons vu que, d'après son estimation, ce résultat est habituellement atteint après quatre à douze jours pour les plaies des parties molles, après treize à vingt-cinq jours pour les grands foyers de fracture.

Ces données sont encourageantes et la réunion secondaire, ainsi comprise, constitue certes un progrès, dont il y a lieu de faire bénéficier le blessé partout où l'on dispose d'une installation bactériologique même rudimentaire.

Réunion immédiate. — A ces traitements de longue durée, on a opposé la *suture immédiate*, après excision de tous les tissus contus et présumés infectés.

En principe, cette méthode est idéale, parce qu'elle tend à prévenir l'infection, au lieu d'avoir à la combattre, parce qu'elle procure une guérison rapide et qu'elle laisse une cicatrice linéaire.

Mais l'excision *complète* peut être difficilement réalisable, — là précisément où elle serait le plus utile, comme dans les plaies anfractueuses à foyer osseux, — et elle ne peut réussir que pratiquée avant la huitième heure, au delà de laquelle la plaie n'est plus seulement contaminée, mais infectée.

Il y a lieu cependant d'en recommander l'emploi, à condition de surveiller la suture et de la faire sauter en tout ou en partie, si des signes d'infection apparaissent. Il est bien rare que la réunion échoue sur toute la ligne, et qu'on n'obtienne pas en fin de compte un bénéfice appréciable.

CHAPITRE II

PLAIES DES PARTIES MOLLES

Fréquence et variétés. — Les plaies des parties molles forment la grande majorité des plaies de guerre,

Fig. 1. — Perforation de l'avant-bras par balle de fusil.
a, orifice d'entrée.

Fig. 2. — Perforation de l'avant-bras.
b, orifice de sortie.

au moins de celles qui sont évacuées. Elles vont nous servir de type pour l'exposé du traitement.

Elles varient à l'infini en étendue et en gravité, et vont de la simple « plaie en séton », ou traversée de la peau et des parties molles par un projectile de petit calibre qui n'a fait qu'y creuser un canal, jusqu'aux énormes brèches anfractueuses produites par les gros éclats d'obus,

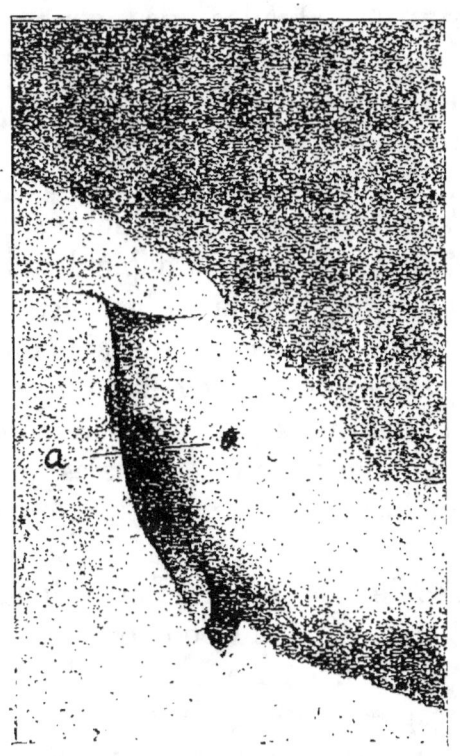 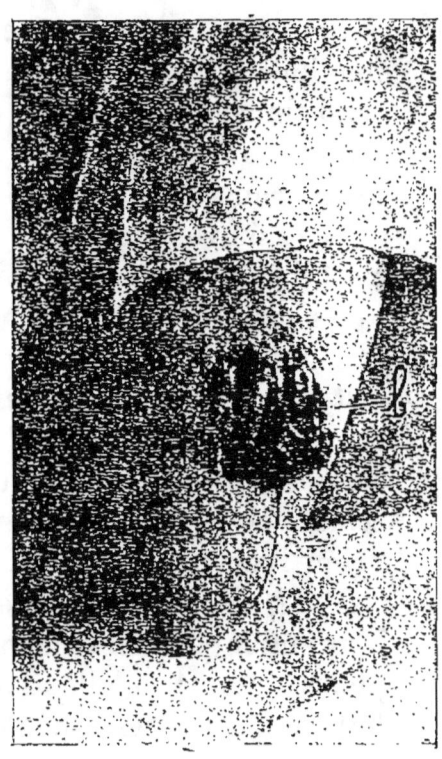

Fig. 3. — Perforation du bras par balle de fusil.
a, orifice d'entrée.

Fig. 4. — Perforation du bras par balle de fusil.
b, orifice de sortie.

où les tissus sont broyés et arrachés à des distances considérables. Entre ces deux extrêmes, il y a tous les intermédiaires, et notamment les traversées avec petit orifice d'entrée et orifice de sortie large, à muscles déchirés et éversés (fig. 1, 2, 3, 4).

Nous prendrons la plaie au moment où elle est produite, et nous distinguerons trois étapes dans son traitement, correspondant aux étapes réelles par lesquelles le blessé doit passer. Nous aurons à envisager : le *premier pansement*, l'*évacuation du blessé*, le *traitement définitif*.

I. — Premier pansement. — Quelles que soient les modifications qui ont dû être apportées, par suite des conditions actuelles de la guerre, à la répartition et à l'organisation des formations sanitaires de l'avant, le premier pansement a conservé l'importance primordiale qu'on lui avait reconnue dans les guerres précédentes, et c'est de la manière dont il est appliqué que dépend toujours, comme autrefois, l'avenir, sinon la vie du blessé.

Y a-t-il lieu, pour le premier pansement, de faire une distinction entre les *plaies par balles de fusil* et les *plaies par projectiles autres* ? Les premières peuvent être considérées comme aseptiques, tandis que les plaies par éclat d'obus, par bombes et par grenades sont toujours primitivement infectées.

Malgré l'énorme différence de gravité qui résulte de là, le premier pansement doit être le même pour toutes les plaies, quelles qu'elles soient. Il n'a, en effet, pas d'autre but que d'arrêter l'hémorragie et de garantir la plaie contre une infection secondaire, jusqu'au moment où l'évacuation est faite. Or ces deux nécessités sont également importantes pour toute plaie, qu'elle soit présumée déjà infectée ou non.

A. Arrêt de l'hémorragie. — L'hémorragie est d'importance très variable. Tantôt le sang suinte en nappe de toute la surface de la plaie, tantôt au contraire il s'échappe en jet d'une ou de plusieurs artères. Le médecin dispose d'un moyen d'hémostase différent pour ces deux variétés d'hémorragie. Contre l'hémorragie artérielle, il appliquera le *garrot*, contre l'hémorragie en nappe, il fera la *compression*.

Un garrot composé d'une courroie non élastique et d'une pelote destinée à comprimer directement l'artère principale du membre doit être rejeté. Il a l'inconvénient de serrer trop les tissus et d'exposer à un placement imparfait ou à un déplacement ultérieur de la pelote.

Le seul garrot qui soit bon est un simple tube en caoutchouc, solide. Il n'exige pas la recherche de l'artère principale, et s'applique par conséquent sans difficultés. Mais, s'il doit serrer suffisamment pour arrêter le sang, il ne doit rien faire de plus. Une constriction plus forte est inutile, et peut être nuisible en compromettant la nutrition des parties molles et la fonction des gros troncs nerveux.

D'autre part, un serrage insuffisant détermine une stase veineuse et une augmentation de l'écoulement sanguin. Nous avons vu souvent l'hémorragie en nappe s'arrêter immédiatement après l'enlèvement d'un garrot trop peu serré.

Il ne faut pas abuser du garrot, en l'appliquant pour les moindres suintements sanguins. Nous avons, pour les hémorragies en nappe, un moyen très simple, très efficace, et sans aucun des inconvénients du garrot, c'est la compression. On applique par-dessus le pansement une couche d'ouate supplémentaire, sur laquelle on roule une bande énergiquement serrée.

Pour toutes les hémorragies en nappe, la compression suffit pour permettre l'évacuation.

B. TRAITEMENT DE LA PLAIE. — Garantir la plaie contre l'infection secondaire est aussi important pour les plaies par projectiles d'artillerie et par bombes que pour les plaies par balles.

Si on ne les couvre pas immédiatement d'un pansement, le contact des vêtements, le contact du sol ou d'un objet quelconque aura bientôt fait d'infecter les plaies par balles de fusil, ou d'ajouter une infection secondaire à l'infection primitive des plaies par balles de shrapnell, par éclats d'obus ou de bombes.

Avant l'application du pansement, *toute exploration instrumentale ou digitale de la plaie doit être absolument évitée*. Il faut proscrire aussi toute espèce de lavage ou de nettoyage avec un liquide quelconque et, en particulier ne jamais laver au savon la peau environnante. L'emploi de liquides ne peut qu'entraîner dans la plaie des germes de la surface cutanée voisine.

Mais il ne faut pas seulement s'interdire de toucher la plaie, il faut encore que le pansement qui sera appliqué puisse l'être, sans qu'il faille toucher la pièce qui viendra en contact avec la plaie. De cette nécessité sont nés les divers modèles de *paquets individuels*, que le soldat porte sur lui. Il y en a de composition différente et de valeur inégale. Les meilleurs sont des pansements aseptiques qui s'ouvrent par simple traction sur des bouts de bande qui y sont attachés, et qui peuvent donc être appliqués sur la plaie sans qu'ils aient dû être touchés en aucune manière.

Auparavant, la peau aura été badigeonnée dans une grande étendue autour de la plaie, au moyen d'une *teinture d'iode à* 5 p. c. La teinture officinale à 10 p. c. produit souvent des brûlures, surtout lorsque la bouteille a été mal bouchée, et que la solution s'est concentrée par évaporation de l'alcool.

Le premier pansement se borne donc à la protection

aseptique de la plaie. La *désinfection* ne doit être faite que dans la formation fixe sur laquelle le blessé sera évacué.

Nous ne parlons pas ici des plaies compliquées de fracture, qui demandent évidemment un appareil d'immobilisation provisoire, ni de certaines hémorragies menaçantes, ni des plaies du tube laryngo-trachéal. Ces complications peuvent nécessiter une intervention immédiate, sur place. Nous en parlerons à propos des régions qu'elles concernent.

II. — Évacuation du blessé. — En nous plaçant au point de vue chirurgical, et en tenant naturellement compte des nécessités d'ordre militaire, nous devons faire tous nos efforts pour obtenir qu'après le premier pansement, le blessé soit évacué rapidement et sans autres étapes, sur l'hôpital de front le plus proche. L'idéal serait qu'au moment de son arrivée à l'hôpital où il doit recevoir son traitement définitif, le *blessé n'ait reçu qu'un seul pansement*. Le renouvellement du pansement dans des formations intermédiaires ne constitue pas seulement une perte de temps qui reculera la désinfection définitive, mais est contraire au but poursuivi, en augmentant les dangers d'infection.

III. — Traitement définitif. – A. Hémorragie. — Au moment de l'entrée du blessé à l'hôpital, il importe de se préoccuper avant tout de *l'hémorragie*. On enlève le garrot et souvent à ce moment aucun gros vaisseau ne donne plus. Il y a un grand intérêt pour la vitalité des tissus à ne pas laisser le garrot en place plus longtemps qu'il n'est strictement nécessaire. Cependant si une grosse artère recommence à saigner, il faut réappliquer le garrot jusqu'après la désinfection.

L'hémorragie peut être réduite à peu de chose au moment de l'entrée, parce que la pression sanguine est tombée à zéro ou à peu près. Mais lorsque la topographie de la plaie rende possibl la lésion d'un gros vaisseau, il ne faut pas se fier à cet arrêt du sang, qui peut n'être que momentané. Au moment où on enlève définitivement le garrot, il ne faut donc pas se contenter de lier les vaisseaux qui donnent, il est prudent d'aller aussi à la recherche de ceux qui peuvent être ouverts dans la plaie, sans qu'ils saignent pour l'instant. Faute d'avoir pris cette précaution, on s'expose à des hémorragies secondaires.

Les nombreux agents hémostatiques recommandés contre les hémorragies, la gélatine, le chlorure de calcium, la pituitine, l'émétine ne trouvent ici guère d'applications. Il faudrait peut-être faire une exception pour le sérum de cheval qui pourrait rendre des services dans certains cas, et pour l'adrénaline dont l'addition à la solution physiologique est certainement utile, comme nous allons le voir.

B. Shock. — Il y a lieu ensuite de s'inquiéter de *l'état général du blessé*. Cet état général est souvent mauvais. Toutes choses égales, les blessures de guerre s'accompagnent, beaucoup plus fréquemment que les blessures ordinaires, des phénomènes du *shock*.

Le shock est, bien entendu, indépendant de l'hémorragie. Il peut exister à un très haut degré, sans que le malade ait perdu une quantité notable de sang. Mais, d'autre part, une hémorragie abondante donne lieu à un état d'anémie aiguë dont les symptômes sont très voisins de ceux du shock, à tel point que la distinction est maintes fois difficile. Il n'est d'ailleurs pas indispensable de la faire, puisque le traitement des deux états est le même.

On admet généralement que les blessures par projectiles d'artillerie et par bombes s'accompagnent de shock plus que les blessures par balles de fusil. Cela est vrai dans une certaine mesure, en ce sens que les projectiles d'artillerie produisent des plaies larges, déchirées, déchiquetées. Mais la règle n'est pas absolue et lorsque la balle de fusil donne lieu à des effets explosifs, on constate le shock, absolument comme pour les plaies par éclats d'obus.

Ce qui détermine donc le shock, ce n'est pas la nature du projectile, ce sont les caractères des lésions qu'il a produites.

Lorsqu'une balle, ou un petit éclat d'obus, a traversé les parties molles sans y occasionner de grands délabrements, le shock sera minime ou absent. Lorsqu'au contraire, un gros éclat a labouré les muscles, ou qu'une simple balle de fusil a dévié par ricochet, la plaie sera vaste, déchiquetée, anfractueuse, et le shock sera prononcé.

Tous les degrés s'observent dans le shock. Tantôt, c'est un peu de pâleur, avec petitesse du pouls. Tantôt au contraire, le blessé est blanc, froid, sans pouls et plongé dans une sorte de stupeur, ou en proie à une grande excitation.

Pourquoi les plaies de guerre s'accompagnent-elles de shock, plus que les plaies de la pratique civile?

Est-ce simplement parce que ces plaies sont plus étendues, plus déchirées, les tissus plus contus? Il est probable qu'il en est ainsi pour une part. Mais un autre élément intervient sans doute, c'est la violence que met le projectile à traverser les tissus, violence incomparablement plus grande que celle des traumatismes ordinaires. Il est probable aussi que l'état antérieur du blessé joue un rôle, par la fatigue, l'épuisement moral et physique.

Bien que nous ne connaissions encore rien de positif au sujet de la pathogénie du shock, il est certain que ces phénomènes se rattachent à des troubles de l'innervation vasomotrice, révélés par la chute de la pression sanguine, et dans lesquels intervient le système sympathique. On conçoit donc qu'un épuisement nerveux préexistant puisse s'ajouter à la violence du traumatisme pour produire l'ébranlement et le dérèglement du système nerveux splanchnique qui est à la base des symptômes du shock.

Sérum physiologique. Stimulants. — Lorsque ces symptômes ne sont pas très accentués, on peut attendre de les soigner jusqu'après le pansement. Aussitôt que le blessé est mis au lit, incliné en arrière pour retenir le sang dans les parties supérieures du corps, on le réchauffe au moyen de cruchons et on lui administre du *sérum physiologique sous-cutané.* Il est utile d'ajouter à la solution saline une petite dose d'adrénaline (20 gouttes au litre).

Il faut donner le sérum à forte dose, 1 à 2 litres en une fois et le répéter aussitôt que le pouls fléchit de nouveau, et cela autant de fois qu'il est nécessaire. Il ne faut pas craindre d'arriver en vingt-quatre heures à administrer ainsi plusieurs litres de liquide. Nous n'en avons jamais constaté aucun inconvénient, si ce n'est une hydrémie avec œdème passager.

Si l'on veut aller plus vite, on combine au sérum souscutané le *sérum intrarectal,* donné goutte à goutte, auquel on peut ajouter de l'eau-de-vie, et qui s'absorbe au fur et à mesure de son entrée dans l'intestin.

Mais lorsque le shock est profond, que le blessé est sans pouls, il ne faut pas attendre que le pansement soit terminé, il faut s'occuper en même temps de la plaie et de l'état général. Dans ce cas, comme la circulation est quasi abolie, le sérum sous-cutané n'est pas absorbé. Il faut alors s'adresser au *sérum intraveineux.*

De préférence additionné d'adrénaline (10 gouttes par litre), il est injecté à dose massive, et au lieu de faire la ponction sous-cutanée de la veine avec une canule pointue, ce qui est souvent difficile par suite de l'affaisse-

Fig. 5. — Canule pour l'injection intraveineuse du sérum physiologique, grandeur naturelle.

ment des vaisseaux, nous employons une canule large de 2 millimètres et mousse, qu'on introduit dans une petite incision pratiquée à la veine mise à nu. La pénétration du liquide est ainsi très rapide et en un quart d'heure on peut en introduire 1 1/2 à 2 litres (fig. 5).

L'effet est immédiat, et l'on sent le pouls revenir à mesure de l'entrée du liquide. Si, au bout de quelques heures, les accidents se reproduisent, on revient à l'infusion intraveineuse et ainsi de suite, jusqu'à ce que la circulation soit définitivement rétablie. Il faut évidemment se servir d'une solution parfaitement stérile.

L'injection intraveineuse est un moyen héroïque. Rien n'égale son efficacité, à condition qu'on donne de fortes doses et qu'on les répète autant de fois qu'il est néces-

saire, mais il ne faut pas lui demander plus qu'elle ne
peut donner. Il est pour le moins inutile d'y avoir recours avant que l'hémorragie ne soit arrêtée. Dans certains cas, en augmentant brusquement la pression sanguine, l'injection pourrait déplacer un caillot, et faire
recommencer la perte de sang. Au demeurant, il y a lieu
de ne pas perdre de vue que l'action stimulante que le
sérum intraveineux exerce sur le fonctionnement du cœur
est essentiellement passagère.

Il faut, bien entendu, combiner avec le sérum l'administration de tous les autres moyens propres à stimuler
l'action du cœur, notamment les injections sous-cutanées
d'éther, de strychnine, et surtout de camphre, que nous
injectons, sous forme d'huile camphrée, aux doses énormes de 10 et 20 centimètres cubes à la fois, plusieurs
fois par jour au besoin.

Transfusion du sang. — Les moyens que nous venons
d'indiquer pour le traitement du shock s'appliquent exactement et de la même manière au *traitement des états
hémorragiques*. On doit donc y avoir recours chaque
fois que le blessé, avant son entrée, a subi une perte de
sang abondante, et présente des symptômes d'anémie
aiguë.

Il est un autre moyen destiné à combattre l'anémie
aiguë, dont nous devons dire un mot, c'est la *transfusion
du sang*.

Cette opération, très ancienne, a été reprise dans ces
dernières années, et sa technique a été très améliorée.

On peut faire la transfusion *directe*, qui évite la coagulation, et consiste à faire passer directement le sang d'un
vaisseau dans l'autre, sans qu'il perde contact avec l'en-
dothélium vasculaire, ce qu'on obtient en introduisant

au moyen d'une canule spéciale, — la meilleure est celle
d'Elsberg, — le bout de l'un des vaisseaux, retourné en
doigt de gant, dans la lumière de l'autre.

On peut faire aussi la transfusion *indirecte*, en anasto-
mosant l'artère du « donor » avec la veine du « receptor »,
par un tube métallique *paraffiné*, qui ne coagule pas le
sang.

De ces deux méthodes, la dernière est incontestablement
la plus simple.

S'il était démontré que le danger de l'anémie résulte,
non de la chute de la pression artérielle par déperdition
de liquide, mais de la pénurie des globules rouges, il est
clair que la transfusion serait supérieure au sérum intraveineux. Mais c'est le contraire qui est probable, et le
sérum suffit donc dans la plupart des cas d'hémorragie.

Il suffit aussi quand le shock se combine à l'anémie,
comme il arrive fréquemment. Et quand il s'agit de shock
pur, la transfusion paraît inutile et même dangereuse.

Dans l'état actuel de la question, nous pensons que la
transfusion, moyen infiniment plus compliqué que le
sérum (technique délicate, difficulté d'avoir sous la main
des donneurs) doit être réservée aux cas assez rares où
le sérum reste impuissant. Réduite à ces indications, la
transfusion est une ressource qu'il faut connaître et savoir utiliser.

C. Traitement de la plaie. — a) *Désinfection de la
peau.* — Au point de vue des *soins à donner à la plaie
elle-même*, il y a une première règle générale à suivre,
quelles que soient l'importance et la gravité du cas. Il
faut toujours commencer par *désinfecter la peau environnante*. Ceci est capital, si l'on veut éviter que pen-

dant les manipulations, la plaie ne soit contaminée par ses alentours.

La désinfection de la peau comprend : 1° Le *rasage a sec* et sans savon, dans une grande étendue autour de la plaie.

2° Le *décapage* au moyen de compresses imbibées d'éther, pour enlever toute la graisse et la crasse de la peau. A défaut d'éther, qui est, à notre avis, le meilleur dissolvant des graisses cutanées, on pourrait employer la benzine ou le pétrole.

Il faut surtout *ne jamais employer de savon*, comme on le faisait autrefois et comme on le fait encore de nos jours. L'eau savonneuse a l'inconvénient de gonfler les cellules épidermiques, de les serrer plus étroitement les unes contre les autres et de rendre plus difficile la pénétration de la teinture d'iode entre leurs interstices.

Le décapage doit comprendre toute la région qui sera couverte par le pansement, c'est-à-dire qu'en cas de plaie d'un membre, toute sa circonférence devra être désinfectée.

b) *Toilette de la plaie.* — Il s'agit maintenant de faire la *toilette de la plaie* elle-même.

Avant de commencer cette toilette, le chirurgien doit se brosser les mains au savon et à l'eau chaude et *mettre des gants* de caoutchouc. Cette précaution est d'autant plus nécessaire, qu'on est souvent encombré de blessés et qu'on n'aurait pas le temps de se désinfecter suffisamment les mains après chaque pansement. On sait d'ailleurs qu'une désinfection complète des mains est chose impossible à obtenir en pratique. Il est donc beaucoup plus simple et plus sûr de changer de gants pour chaque blessé. Ces gants doivent avoir passé à l'autoclave ou tout au moins avoir été bouillis assez longuement.

La conduite à tenir varie maintenant d'après l'importance et la nature de la plaie qu'il s'agit de panser.

1° *Perforation par balle de fusil.* — Quand on a affaire à une *simple perforation par balle de fusil,* avec un orifice d'entrée et un orifice de sortie, ou avec un orifice d'entrée seulement, il suffit de désinfecter ces orifices en les débarrassant au moyen de compresses imbibées d'éther, de toutes les souillures qu'ils peuvent présenter : caillots et corps étrangers.

Comme la balle de fusil est présumée stérile, sinon absolument, du moins en pratique, et que cette balle, par suite de sa force de pénétration et de sa forme, procède plutôt par écartement des tissus que par déchirure en traversant les parties molles, il n'y pas lieu de s'occuper du trajet très simple et très étroit qu'elle a produit. Une exploration quelconque est superflue et pourrait être nuisible, parce qu'elle risquerait d'y introduire des impuretés arrêtées près des orifices et de produire des décollements.

2° *Perforation par balle de shrapnell ou petit éclat d'obus.* — Lorsque la *perforation est le fait d'une balle de shrapnell ou d'un petit éclat d'obus,* les choses se présentent autrement. Ces projectiles sont toujours infectés et ils entraînent habituellement avec eux des corps étrangers, infectés aussi, et notamment des fragments de vêtement. Leur forme fait qu'ils ne procèdent plus par écartement en traversant les tissus, mais par déchirure et arrachement, et, leur force de pénétration étant ordinairement moindre que celle de la balle de fusil, ils restent maintes fois inclus dans les tissus, où ils n'ont produit qu'un orifice d'entrée et un trajet borgne.

En présence d'une plaie de ce genre, nous commen-

çons toujours par explorer le trajet au doigt, après avoir
au besoin débridé l'orifice d'entrée. Quand nous trouvons
derrière l'orifice une cavité plus ou moins anfractueuse,
nous débridons davantage et nous remontons quelquefois
ainsi jusqu'au projectile que nous enlevons. Mais lorsque le doigt explorateur ne rencontre qu'un trajet, et
non une cavité, nous renonçons au débridement immédiat, et nous nous contentons de nettoyer la plaie d'entrée et le trajet, nous réservant d'extraire le projectile
après localisation par la radiographie.

Cette manière de faire nous permet, en cas de longs
trajets, d'extraire le corps étranger par une incision spéciale et de ménager toute la partie restante du canal, souvent profond, et dont le débridement complet donnerait
lieu à des plaies énormes qui mettraient un temps fort
long à se cicatriser.

Mais il est bien entendu que ces projectiles doivent
toujours être enlevés, quand ils occupent les parties
molles. Il ne faut pas compter pour eux sur une tolérance
définitive, observée quelquefois, mais dont la possibilité
ne compense nullement le danger des infections qu'ils
provoquent en règle générale.

Il sera même prudent de ne pas attendre que leur présence ait provoqué la suppuration de la plaie, qui est
presque inévitable pour les petits éclats d'obus, très fréquente pour les balles de shrapnell.

3° *Grande plaie avec déchirure musculaire*. — Supposons maintenant le cas d'une *plaie assez vaste avec
déchirure des muscles*, produite par un gros éclat d'obus.
Ici il n'y a plus d'hésitation possible : un *débridement*
et une *toilette minutieuse* so nt nécessaires.

On commence par explorer au doigt toute l'étendue de

la plaie, pour reconnaître les décollements, les déchirures musculaires, les anfractuosités. Au moyen de compresses imbibées abondamment d'éther, on débarrasse la plaie avec le plus grand soin de tous les corps étrangers qu'elle renferme : caillots, terre, débris de projectiles, d'étoffes, de bois, etc.

Lorsque cette toilette préliminaire est faite, on *débride* tous les décollements, toutes les anfractuosités, tous les trajets, et cela complètement, jusqu'au bout, de manière à étaler la plaie dans toute son étendue. La suppression du m.indre clapier n'est pas seulement indispensable pour qu'on puisse compléter le nettoyage, mais aussi en vue du libre écoulement ultérieur des sécrétions. Il ne faudrait pas hésiter, le cas échéant, à réséquer les lambeaux de parties molles contus et semblant voués à la gangrène, et surtout les parties de muscles fortement contuses, auxquelles le nettoyage le plus soigneux ne restitue pas l'aspect du muscle sain.

Au besoin, on ne reculerait pas devant la section complète des ponts musculaires ou cutanés, pour extérioriser mieux toute la plaie.

Il est encore préférable de réséquer en bloc toute la paroi, peau, aponévrose et muscles. Il ne faut s'abstenir de cette pratique que pour des raisons d'ordre anatomique.

Si l'on a l'impression d'être parvenu à un décapage complet, on termine, sans pratiquer aucune irrigation, par la réunion immédiate sans drainage ou, si on ne l'ose, par un *pansement sec, épais*, après avoir badigeonné de nouveau les alentours à la teinture d'iode. Ce pansement comportera comme toujours un tamponnement exact de la plaie au moyen de gaze stérile, recouverte d'une couche d'ouate également stérile, le tout fixé par une bande.

Un tel pansement est destiné à n'être levé qu'après plusieurs jours.

Mais il faut reconnaître que les lésions qui se prêteront à un tel pansement sont rares.

Lorsqu'on a affaire, comme c'est presque toujours le cas, à une plaie tellement souillée par des impuretés de toute espèce, ou tellement déchiquetée que le nettoyage mécanique le plus minutieux ni l'excision ne donnent de garanties suffisantes, il faut renoncer au pansement sec et *appliquer le traitement à l'eau salée ou à l'hypochlorite.*

Quand on choisit le traitement de Wright, on pratique une irrigation abondante et prolongée. La solution doit pénétrer dans tous les recoins, et il ne faut cesser l'irrigation que lorsque le liquide revient absolument clair.

On remplit ensuite la plaie de compresses fortement imbibées de la solution salée forte, à 5 p. c. et le tout est recouvert d'une toile imperméable et d'une bande.

Ce pansement humide doit être renouvelé au moins deux fois par jour, et même toutes les quatre heures, d'après l'évolution. Chaque fois, une nouvelle irrigation doit être faite, aussi abondante qu'au premier pansement.

Nous avons renoncé à l'*irrigation continue* au moyen de la solution salée. Elle nous a paru manifestement inférieure à l'*exposition à l'air et à la lumière*, telle que nous la réalisons. Mais, comme nous n'appliquons cette dernière méthode dès le début du traitement qu'à titre tout à fait exceptionnel, et que nous l'utilisons surtout pour les complications septiques graves, nous en parlerons plus loin.

Quand on veut appliquer le traitement de Carrel, il faut installer l'irrigation dès le premier moment, aussitôt que la plaie a été débridée et que les tissus contus et souillés ont été excisés. Goutte à goutte permanent, ou instillation toutes les deux heures d'une petite quantité de liquide.

D. Prévention du tétanos. — Il y a lieu, au moment du premier pansement, de pratiquer une *injection préventive de sérum antitétanique*.

La plupart des chirurgiens qui ont expérimenté ce sérum, lui reconnaissent une haute valeur comme moyen préventif. Des observations comparatives faites dans certains hôpitaux n'ont laissé aucun doute à cet égard : le tétanos disparaissait dans les services où tous les blessés recevaient l'injection préventive, et continuait à se montrer dans les autres.

Si, dans la chirurgie civile, le sérum préventif est indiqué pour toutes les « plaies de rue », et toutes celles qui sont souillées de terre, il l'est à plus forte raison pour les plaies de guerre qui, plus que d'autres, renferment toutes sortes de malpropretés et en particulier de la terre. Or les cantonnements de chevaux qui couvrent toute l'étendue du front infectent à un haut degré le sol par le bacille de Nicolaïer.

L'idéal serait que tous les blessés fussent immunisés aussitôt la blessure reçue. Cette mesure excellente est appliquée sur le front britannique, dans la tranchée même, ou au poste de secours. Nous l'avons adoptée pour tous les blessés qu'on amène à l'hôpital. Si le sérum existait en quantité insuffisante pour une application générale, il faudrait tout au moins injecter tous les blessés par projectiles d'artillerie, par bombes et par grenades.

Une autre mesure permettrait peut-être de généraliser le sérum préventif. Ce serait de donner à chaque blessé une quantité moindre que les 10 centimètres cubes employés d'ordinaire. Quelques essais tendent à faire croire qu'une dose de 5 centimètres cubes et peut-être même de 2 centimètres cubes serait suffisante. Il faut, bien entendu, répéter la dose après huit à dix jours.

S'il était démontré que ces faibles doses sont vraiment suffisantes, il y aurait là un moyen de faire profiter un plus grand nombre de blessés des bienfaits de l'immunisation. Malheureusement, cette preuve n'est pas encore fournie d'une manière rigoureuse et, en attendant, nous continuons d'employer la dose de 10 centimètres cubes.

Les accidents sériques, assez fréquents, mais toujours bénins, deviennent insignifiants si l'on administre du chlorure de calcium pendant quelques jours.

IV. Evolution de la plaie. — Nous avons laissé le blessé muni de son premier pansement. Voyons maintenant quelle sera l'évolution de la plaie, et en quoi doit consister le traitement consécutif.

A. *Marche aseptique.*— Supposons d'abord le cas d'une réunion immédiate ou d'un pansement sec appliqué sur une simple perforation ou sur une plaie plus ou moins vaste, mais dont le nettoyage mécanique a pu être fait de façon satisfaisante. Un tel pansement est, en principe, un pansement rare, c'est-à-dire destiné à n'être levé qu'après plusieurs jours. La plaie, en effet, est présumée aseptique, et la levée intempestive du pansement l'exposerait à l'infection secondaire.

Mais, comme il n'y a qu'une présomption d'asepsie, il faut qu'une surveillance attentive puisse, le cas échéant, dépister l'infection dès son début.

Cette surveillance doit s'exercer avant tout par l'*observation stricte de la température.* Il faut placer le thermomètre au moins deux fois par jour, matin et soir, et dans les cas graves, toutes les quatre heures.

Les indications que fournit le tableau de température sont multiples. Si la température est le matin aux environs de 37 et que l'ascension vespérale n'atteint pas et, en tout cas, ne dépasse pas 38, on peut affirmer que tout va bien au point de vue de l'asepsie, à condition, bien entendu, qu'il y ait concordance avec le pouls, qui ne doit pas dépasser 80 à 85 pulsations, à condition aussi que le blessé n'accuse pas de douleur très vive. Dans ce cas, le premier pansement peut et doit rester en place six, huit, dix jours et lorsqu'on l'enlève au bout de ce temps, on trouve la plaie cicatrisée ou bourgeonnante, avec, de-ci de-là, des lambeaux gangrénés en voie d'élimination.

Pour l'enlèvement de ces pansements, souvent collés par suite de l'insignifiance de la suppuration, on peut avantageusement irriguer à l'eau oxygénée, liquide que les bourgeons charnus supportent parfaitement, et qui détache très bien les pièces de pansement.

Dès ce moment, la plaie étant protégée par une couche de granulations, l'infection grave n'est plus guère à craindre et la guérison s'obtient en un minimum de temps, sous des pansements secs qu'on continue de renouveler de loin en loin, à mesure qu'ils se percent ou gênent par la dessiccation.

B. *Infection.* — Cette évolution en quelque sorte idéale est, en somme, assez rare pour les plaies de guerre traitées par le pansement aseptique sec. Elles deviennent encore, bien que moins fréquemment qu'au début de la campagne, le siège de *phénomènes infectieux*, qui changent le tableau. L'infection présente les formes les plus variées et la gravité la plus différente.

Pour la facilité de l'exposé et en schématisant un peu les choses, nous distinguerons des *phénomènes infectieux purement locaux*, sans symptômes généraux autres que la fièvre, et des *phénomènes infectieux accompagnés de symptômes généraux plus ou moins graves*, Nous ne disons pas infection locale et infection générale, car dans les cas où les symptômes généraux sont les plus graves, il est fréquent de ne pas trouver de microorganismes dans le sang. Dans les deux groupes, il y a lieu de distinguer des degrés et des modalités différentes.

INFECTIONS SANS SYMPTOMES GÉNÉRAUX GRAVES

a) *Infection légère*. — Dès les premiers jours, on voit la température du soir monter au delà de 38 et souvent dépasser 37° le matin. Si au bout d'un jour ou deux, l'ascension ne s'arrête pas, il faut enlever le pansement. On constate alors que la plaie a un aspect terne, est couverte par place d'une sorte d'exsudat grisâtre, et donne un liquide séro-purulent, dont l'odeur peut être mauvaise dès l'abord. L'indication est formelle de remplacer immédiatement le pansement sec par le traitement physiologique, et de faire toutes les quatre heures d'abondantes irrigations dans tous les recoins de la plaie, de manière à entraîner toutes les sécrétions et les lambeaux gangrénés à mesure qu'ils se détachent. Après chacun de ces nettoyages, la plaie est remplie de compresses trempées dans la solution salée forte à 5 p. c., et le pansement complété comme il est dit plus haut.

Il va sans dire que si la plaie a été réunie primitivement, il faut sur-le-champ faire sauter la suture.

Souvent, après quelques jours de ce traitement, la température est retombée à la normale et la plaie a pris le caractère bourgeonnant.

Au lieu du traitement physiologique, on peut recourir dans les mêmes circonstances à la méthode de Carrel, qui s'y montrera souvent plus active.

b) *Forte fièvre passagère*. — Il arrive, surtout quand la lésion est très vaste, que la température atteigne pendant quelques jours 39 et même 40°, tandis que la plaie se nettoie régulièrement sous l'influence du Wright ou du Dakin, et ne présente rien d'anormal. Cette fièvre élevée fait naturellement craindre une infection grave. Mais on n'observe pas d'accélération excessive du pouls, qui atteint à peine 100 et la fièvre ne présente pas de rémission matinale ni d'ascension vespérale régulières. L'état général, à part une certaine agitation et parfois un état saburral des voies digestives, reste très bon. Le teint, en particulier, ne change pas.

Après quelques jours de cette fièvre à marche irrégulière, tout rentre dans l'ordre. La température retombe au-dessous de 38, sans que rien puisse expliquer ces incidents, dus peut-être à des phénomènes de résorption.

Il n'y a, en pareil cas, qu'à continuer le traitement et à attendre la chute de la température. Ce qui doit écarter l'idée d'une infection grave, ce sont les caractères des tracés de température qui montrent un plateau plutôt que des crochets, c'est la faible fréquence du pouls malgré une forte ascension thermique (fig. 6 et 7), et c'est le maintien de l'état général. Dans les infections graves, comme nous le verrons plus loin, on constate le contraire : la discordance du pouls et de la température est en sens inverse, c'est-à-dire qu'avec une fièvre peu élevée, on observe une accélération considérable des pulsations.

c) *Suppuration.* — Le traitement à l'eau salée ou à l'hypochlorite peut ne pas éviter l'ascension de la température ou ne pas la faire tomber, ne pas éviter ni arrêter

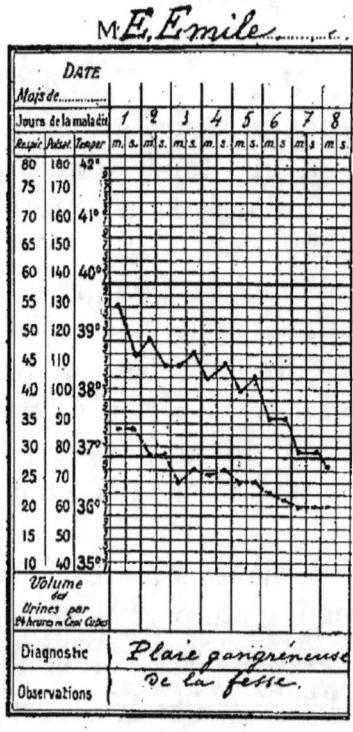 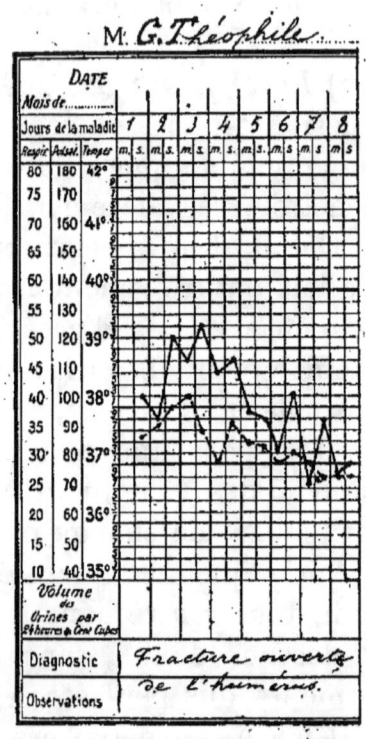

Fig. 6. — Plaie gangréneuse de la fesse. La température (ligne pleine) dépasse 39 le premier jour, mais le pouls (ligne pointillée) n'atteint pas 90 pulsations. Pronostic favorable. Guérison rapide.

Fig. 7. — Fracture ouverte de l'humérus. La température (ligne pleine) dépasse 39, mais le pouls (ligne pointillée) atteint à peine 100. Bon pronostic. Guérison.

la suppuration. On voit se marquer une tendance au décollement de la peau et à la formation de trajets intermusculaires. Si on laisse aller les choses, la plaie se transforme en une véritable cavité suppurante, avec des clapiers et des décollements. Le pus peut présenter de l'odeur. La température reste élevée.

Dans les formes légères de la suppuration, il suffit quelquefois, pour la tarir, de pratiquer quelques irrigations à l'eau oxygénée. D'autres fois l'enlèvement d'un corps étranger fera tout rentrer dans l'ordre.

Mais pour peu que la suppuration soit abondante, il faut recourir immédiatement à un nouveau débridement de la plaie et de tous ses diverticulums, pour obéir de nouveau au principe de transformer la cavité en une surface plane. Il faut aussi rechercher les projectiles et les débris de vêtements qui auraient pu échapper lors du premier débridement, et qui sont souvent la cause des suppurations tenaces. Puis le Carrel sera réinstallé.

Dans certains cas cependant, lorsqu'un trajet traverse le membre de part en part, il peut être préférable de pratiquer une ou plusieurs contre-ouvertures, à condition de les faire larges. On y place de très gros drains. Ce n'est que dans ces cas de suppuration simple que nous employons le drainage.

Une fois que la suppuration est suffisamment réduite et qu'il ne se forme plus de nouveaux décollements, on peut revenir au pansement sec.

Quelquefois on voit la suppuration envahir les environs de la plaie et s'y propager rapidement, en y produisant un véritable phlegmon, plus ou moins envahissant. Ces phlegmons doivent être largement débridés et poursuivis dans toutes leurs extensions.

d) *Gangrène simple*. — D'autres fois, et sans que la température s'élève beaucoup, on voit la surface de la plaie et ses bords prendre l'aspect gangréneux. Il n'y a, malgré cela, aucune altération notable de l'état général, ni aucune modification de la peau ni du tissu cellulaire environnants. La gangrène résulte ici, non d'une infection, mais de l'intensité de la contusion.

Lorsqu'elle est superficielle, il suffit ordinairement de continuer le traitement physiologique ou le traitement de Carrel pour voir la surface se déterger et se couvrir de bourgeons charnus. Quelquefois cependant, d'épais lambeaux de parties molles s'éliminent en bloc, et laissent des pertes de substance qui mettent des mois à se combler. Si la surface de la plaie tarde à se nettoyer, et si le bourgeonnement reste sans vivacité, on peut remplir la plaie de gaze imbibée de baume du Pérou, excellent stimulant de la cicatrisation.

Traitement général. — Toutes ces infections ont cela de particulier, qu'elles n'altèrent pas sensiblement l'état général, dont il n'y a pas à se préoccuper. Il faut cependant prendre certaines précautions.

Les blessés doivent être tenus au lit pendant les premiers jours, jusqu'à ce que l'évolution de la plaie se dessine comme devant être favorable. Le régime sera réglé comme celui de tout blessé ou de tout opéré. Il y aura lieu de soigner pour des évacuations régulières. Il est recommandable aussi de faire systématiquement l'examen de l'urine pour y dépister le sucre et l'albumine.

Une fois les premiers jours passés, et si tout va bien, il est bon de ne pas immobiliser absolument le membre. De petits mouvements actifs sont utiles pour éviter l'enraidissement des articulations.

Sans compter les soins à donner à la peau, un massage léger au-dessus et au-dessous de la plaie aidera à maintenir en état le système musculaire. Il n'est pas rare que, malgré cela, de simples plaies de parties molles laissent des épaississements fibreux profonds et des rétractions musculaires, qui exigeront un traitement mécanothérapique et la rééducation fonctionnelle.

Les complications infectieuses avec symptômes généraux graves seront étudiées dans le chapitre suivant.

V. Petites plaies multiples de la peau. — Certains blessés ont la peau de toute une face du corps comme criblée par un nombre considérable de toutes petites plaies. Certaines d'entre elles sont de simples éraflures, mais quelques-unes se prolongent en un trajet sous-cutané ou même un véritable décollement. Elles sont produites par de petits éclats de grenades, de bombes ou d'obus, qu'on trouve souvent dans la peau ou dans le trajet profond.

La plupart des projectiles qui les produisent étant percutants, et par conséquent souillés de terre, ces plaies minuscules sont très sujettes aux infections, bien que d'apparence bénigne.

Il faut explorer très soigneusement ces petites plaies, débrider toutes celles qui conduisent dans un trajet, enlever tous les corps étrangers révélés par la radiographie et toutes les malpropretés. Malgré cela, on n'évitera pas toujours des complications infectieuses quelquefois graves.

D'ailleurs ces petites plaies peuvent être la porte d'entrée de projectiles volumineux, qu'on trouve dans la profondeur, et dont on ne peut expliquer la pénétration que par la grande élasticité de la peau (J.-L. Faure).

VI. Réveil de l'infection. — Après une opération pratiquée dans une région qui a été le siège d'une infection,

guérie en apparence, les phénomènes infectieux peuvent
se réveiller brusquement, avec une grande violence, comme
si des microorganismes, emprisonnés dans les tissus,
étaient mis en liberté et produisaient une nouvelle ino-
culation.

Ces faits qui font supposer un état de *microbisme la-
tent,* se sont montrés, depuis la guerre, dans des conditions qui ne permettent pas de les contester, malgré la
difficulté d'éliminer toujours l'hypothèse d'une infection
exogène.

Ils doivent rendre circonspect quand il s'agit de rouvrir
un ancien foyer d'infection, ou d'intervenir, même tardivement, dans son voisinage.

CHAPITRE III

INFECTIONS GRAVES, GANGRÈNE GAZEUSE

A. — **Tétanos**

Lorsqu'on utilise systématiquement le sérum antitétanique préventif, on ne voit que rarement le tétanos compliquer les blessures de guerre.

La valeur de cette immunisation est encore mise en lumière par les faits de *tétanos tardif* et de *tétanos localisé* à la région blessée, observés au cours de cette guerre, et qui sont autant d'exemples d'infection *atténuée*, où l'injection préventive, bien que faite trop tard, a eu encore un effet partiel.

En revanche, le sérum ne jouit pas d'un grand crédit comme moyen curatif. On admet qu'une fois le tétanos déclaré, les toxines sont fixées rapidement par les cellules nerveuses, et que l'antitoxine arrive trop tard. Cependant, dans quelques essais, des résultats encourageants ont été obtenus en associant au sérum le sulfate de magnésie, et en les injectant à forte dose par voie intrarachidienne.

Le sulfate de magnésie a du reste été utilisé seul. Une solution à 15 %, en injection dans les veines ou dans le canal rachidien, aurait, comme le curare, la propriété d'interrompre la conductibilité nerveuse et modérerait les contractures. Ces injections pourraient être répétées impunément plusieurs fois par jour.

Parmi les autres moyens recommandés comme spécifiques, nous estimons que les injections d'eau phéniquée par la méthode de Bacelli, qui n'ont certes pas la valeur que leur attribuent les auteurs italiens, peuvent cependant rendre des services. Il faut injecter sous la peau une solution aqueuse de 2 ou 3 % d'acide phénique. La dose doit correspondre à 1 centigramme d'acide phénique par kilogramme de poids et par jour. Un homme pesant 70 kilogrammes recevra donc 70 centigrammes d'acide phénique en vingt-quatre heures.

Cette dose énorme est renouvelée tous les jours, en deux fois, pendant quinze jours et plus, jusqu'au moment où les contractures rétrocèdent suffisamment.

Elle est toujours admirablement supportée et ne produit que rarement un peu d'irritation locale. Elle ne donne jamais lieu au moindre symptôme d'intoxication ; il n'y a même pas de coloration de l'urine.

Il semble donc y avoir une tolérance spéciale pour l'acide phénique chez les tétaniques, bien qu'on n'ait pas expérimenté ces injections sur l'organisme sain. Quant à son action curative, il faut être prudent pour l'apprécier, et surtout tenir compte de ce fait que le tétanos est d'autant moins grave que sa période d'incubation a été plus longue. Nous avons cependant l'impression que plusieurs des blessés auxquels nous avons appliqué ce traitement, lui doivent leur guérison.

Il est bon d'ailleurs d'y ajouter l'administration des sédatifs du système nerveux, surtout le chloral, dont les tétaniques supportent de très fortes doses, ainsi que les injections de morphine.

B. — **Septicémie**

Les infections locales dont nous avons parlé dans le chapitre précédent peuvent, dans certains cas, s'accompagner de symptômes généraux graves et aboutir à la *septicémie* vulgaire. Tandis que la plaie, malgré tous les moyens mis en œuvre pour la modifier, suppure de plus en plus, que de nouveaux décollements continuent à se produire, que de nouvelles collections se montrent à distance, que le pus devient de plus en plus fétide, la fièvre prend le caractère des grandes oscillations, avec frissons et transpirations profuses. L'état général s'altère, l'amaigrissement est rapide, et finit par atteindre les extrêmes limites de l'émaciation. Le teint est terreux, sub-ictérique ou ictérique, les urines albumineuses, toutes les fonctions languissantes, et le blessé finit par succomber à la cachexie, avec des désordres locaux, qui ont abouti à la désorganisation complète des tissus de la région.

Nous avons dit que dans beaucoup de cas où existent les signes cliniques de la septicémie, la recherche des microbes dans le sang est négative. L'infection n'en évolue pas moins vers une issue fatale.

S'il est juste d'imputer quelquefois la responsabilité de cette évolution à l'insuffisance des moyens employés pour la combattre, il ne dépend pas toujours de nous de l'arrêter. Certaines formes de cette infection sont si virulentes que, ni les débridements répétés les plus larges, ni les excisions, ni l'eau salée, l'hypochlorite, l'eau oxygénée, le permanganate, ne parviennent à enrayer son extension. Nous n'avons qu'un seul moyen de lui barrer la route, c'est l'amputation. Et encore faut-il que nous sachions y recourir à temps.

Nous devons savoir nous résoudre au sacrifice du membre avant que l'extension des lésions au tronc ne rende toute intervention impossible, avant que la perte des forces ne soit telle qu'aucune intervention ne puisse plus être supportée. Une amputation faite à temps pourra sauver le blessé ; faite trop tard, elle ne pourra plus que charger injustement les statistiques des interventions opératoires.

C. — Gangrène gazeuse

De toutes les infections graves qu'on rencontre chez les blessés de la guerre actuelle, la plus redoutable de beaucoup est la *gangrène gazeuse*. Elle est par excellence l' « infection de guerre », presque inconnue en chirurgie civile, et dont on commence à peine à dégager la physionomie clinique et le traitement.

Étiologie. — Certaines blessures exposent plus que d'autres à la gangrène gazeuse, et nous savons à peu près quels sont les cas dans lesquels nous devons être en garde contre elle.

Ce sont les projectiles autres que la balle de fusil qui semblent avoir le monopole de provoquer la gangrène gazeuse, et particulièrement dans deux conditions : lorsque le projectile est resté dans les tissus, et lorsqu'il existe des broiements musculaires. Nous savons en effet que la bouillie de muscles constitue un excellent milieu de culture.

Ce sont particulièrement les gros éclats d'obus, de bombes ou de grenades qui donnent lieu à cette complication, peut-être par suite des débris de vêtements, de la terre et des autres corps étrangers qu'ils entraînent toujours avec eux.

Les blessures multiples, les grands délabrements des parties molles, les fracas osseux sont les lésions qui y exposent le plus, surtout quand ils occupent le membre inférieur, et particulièrement *la cuisse* et *la fesse*.

L'infection gazeuse, assez rare au début de la campagne, a notablement augmenté de fréquence depuis la guerre de tranchées, sans doute par suite des souillures multiples qui imprègnent les vêtements.

La gangrène gazeuse est surtout fréquente pendant les périodes de grande activité sur le front, alors que les blessés encombrent les hôpitaux, et que le manque de temps ne permet pas toujours la désinfection immédiate, dont nous allons voir la nécessité.

L'éclosion des accidents est presque toujours précoce. Ils deviennent rares après deux ou trois jours, parfois il suffit de quelques heures, et ce sont là les formes les plus graves, celles dont la marche est souvent foudroyante.

Il importe de signaler ici le danger de transmission des infections des plaies, dans les hôpitaux, par l'intermédiaire des mouches. La chasse à ces insectes et l'emploi de moustiquaires constituent des précautions qui ne peuvent être négligées.

Les microbes habituels de la gangrène gazeuse sont le *vibrion septique* de Pasteur et d'autres bacilles anaérobies, le *Bacillus aerogenes capsulatus* de Welch, le *Bacillus phlegmonis emphysematosæ* de Frænkel, qui ne seraient eux-mêmes que des variétés du *Bacillus perfringens* de Veillon et Zuber. Depuis la guerre, on a découvert d'autres anaérobies dans la gangrène gazeuse.

Sacquépée en a décrit une espèce qu'il considère comme spécifique d'une forme de la maladie. Weinberg et Séguin ont isolé dans un certain nombre de cas une variété, à laquelle ils donnent le nom de *Bacillus œdematiens*, et un autre microbe qu'ils appellent *Bacille histolytique*, parce qu'il détermine la liquéfaction rapide des tissus.

La plupart des microbes de la gangrène gazeuse seraient d'origine tellurique. Ils seraient entraînés dans la plaie par le projectile avec la terre, les débris de vêtements et autres malpropretés qu'il emporte.

Il règne encore beaucoup de confusion dans l'étude de la riche flore anaérobie qu'on trouve dans les infections gangréneuses. On commence seulement à en dénombrer les espèces et il semble qu'il soit trop tôt pour décider lesquelles d'entre elles jouent le rôle étiologique le plus important. Il est surtout trop tôt pour pouvoir affirmer qu'à des formes différentes de la maladie correspondent des espèces déterminées, comme on a essayé de le démontrer. Pour le chirurgien, il suffit d'ailleurs de savoir que les microbes propres à là gangrène gazeuse sont des anaérobies.

Mais ces microorganismes ne sont pas les seuls qu'on trouve dans les infections à forme gangréneuse, et très souvent on a affaire à des associations microbiennes dans lesquelles interviennent divers staphylocoques, des streptocoques, le colibacille, le bacille pyocyanique, etc.

Anatomie pathologique. — La lésion initiale, dans les formes graves, est un *foyer de gangrène profonde* occupant un muscle, transformant celui-ci en une bouillie molle, brun chocolat, ou en une masse noirâtre d'apparence desséchée. Ce foyer musculaire profond apparaît souvent moins de vingt-quatre heures après la blessure, toujours dans les premiers jours. Il s'étend rapidement et amène une sorte de fonte, de déliquescence musculaire. D'autres fois, la gangrène musculaire est *diffuse d'emblée*, la déliquescence est primitive.

Il est habituel que le foyer musculaire profond soit accompagné, dès l'abord, de *production de bulles gazeuses* dans son voisinage. Ce sont des gaz de putréfaction.

Presque en même temps apparaît l'*œdème*, d'abord au voisinage du foyer, envahissant le tissu cellulaire interstitiel et sous-cutané, progressant au-dessus et au-dessous de la plaie, et dégénérant rapidement en un œdème total dur et crépitant. Le liquide de l'œdème est brun sale au voisinage de la lésion, incolore à distance, et dégage, comme tous les tissus atteints, une *odeur spéciale*, cadavérique, tout à fait différente de celle de la gangrène simple, et tellement caractéristique qu'elle suffit au diagnostic. Le tissu cellulaire envahi et la graisse prennent une coloration vert sale.

De la plaie partent, en suivant de préférence la direction des lymphatiques, des traînées bronzées ou vert-bronzées, se dirigeant spécialement vers la racine du membre et couvrant quelquefois toute la région œdématiée. C'est la *lymphangite bronzée*. La peau tout entière du membre peut prendre une teinte cuivrée foncée.

L'infection gazeuse est donc caractérisée anatomiquement par un foyer de gangrène profonde aboutissant rapidement à la putréfaction, dont les liquides et les gaz infiltrent le tissu cellulaire du membre. Ces gaz sont ordinairement inflammables, ce qui permet de les distinguer de l'emphysème ordinaire.

Symptômes et formes cliniques. — Il existe encore de grandes divergences d'idées au sujet des formes cliniques qu'il y a lieu de distinguer dans la gangrène gazeuse. On a essayé de les classer d'après la prédominance de l'œdème ou de l'emphysème, d'après la profondeur de la lésion, d'après l'importance des symptômes généraux, etc.

Toutes les classifications ont le tort de venir trop tôt, à un moment où il n'est pas encore possible de rattacher chaque forme clinique à une lésion déterminée.

La classification que nous adopterons, puisqu'on est bien obligé d'en choisir une, préjuge, comme les autres, certaines données insuffisamment démontrées, mais elle a l'avantage d'être simple, et elle nous permettra de nous orienter assez bien pour les indications thérapeutiques.

Nous ne l'adoptons d'ailleurs qu'à titre provisoire.

Nous distinguerons des *formes bénignes ou superficielles*, et des *formes graves ou profondes*.

I. FORMES BÉNIGNES OU SUPERFICIELLES. — Elles se caractérisent par l'apparition, autour de la plaie, d'un œdème crépitant limité, avec ou sans lymphangite bronzée. Il n'y a ni le foyer gangréneux musculaire, ni les symptômes généraux graves, ni l'odeur caractéristique des gangrènes profondes.

Ces formes sont au nombre de deux, la *forme cutanée* et la *forme sous-cutanée*.

1° *Forme cutanée*. — Il s'agit ici du développement autour d'une plaie, d'une zone d'œdème dur, bosselé, rappelant par sa surface inégale l'aspect de la pelure d'orange. La zone œdématiée présente de la crépitation gazeuse (neige écrasée), et une résonnance spéciale sous la lame du rasoir. Il peut y avoir des traînées ou des plaques bronzées.

La plaie elle-même ne présente rien de particulier. La fièvre est modérée et l'état général reste excellent.

Au bout de quelques jours, la tuméfaction, les placards bronzés et les gaz disparaissent, et tout rentre dans l'ordre.

2° *Forme sous-cutanée.* — Dans cette forme, on a affaire à une plaie qui prend le caractère phlegmoneux, présente des décollements, et autour de laquelle se développe une zone toujours assez limitée de crépitation gazeuse, avec ou sans traînées ou placards de lymphangite bronzée.

On a appelé cette forme *phlegmon gazeux* ou *cellulite gazeuse.*

Ce qui distingue encore une fois cette variété des formes graves, c'est l'absence de foyer gangréneux profond. Les lésions sont superficielles, n'occupent que le tissu cellulaire sous-cutané, et les gaz qui se forment dans ce tissu n'ont aucune tendance à infiltrer profondément le membre.

Dans cette forme, pas plus que dans la précédente, il n'y a de symptômes généraux graves.

On doit connaître ces formes bénignes, parce qu'il semble bien qu'on a été parfois trop pressé d'amputer, dès que des bulles de gaz apparaissaient dans une plaie. Il faut que l'on sache qu'il existe des infections gazeuses qui, non seulement ne réclament pas l'amputation, mais n'offrent aucune gravité réelle et guérissent toujours par les moyens ordinaires.

II. FORMES GRAVES OU PROFONDES. — Elles se caractérisent par un œdème crépitant, non plus limité, mais étendu et envahissant, avec lymphangite bronzée, par l'existence constante d'un foyer gangréneux musculaire

GANGRÈNE GAZEUSE

I. — FORMES BÉNIGNES [SUPERFICIELLES]

Œdème crépitant avec ou sans lymphangite bronzée. Pas de foyer gangréneux profond. Pas de symptômes généraux graves. Pas d'odeur.

1° FORMES CUTANÉE

Œdème dur, bosselé [pelure d'orange] avec crépitation gazeuse, sans lymphangite bronzée.

Œdème dur, bosselé [pelure d'orange] avec crépitation gazeuse, avec ou

2° FORMES SOUS-CUTANÉE

Phlegmon gazeux ou cellulite gazeuse, avec ou sans lymphangite bronzée.

II. — FORMES GRAVES [PROFONDES]

Œdème crépitant étendu et envahissant avec lymphangite bronzée. Foyer gangréneux profond. Symptômes généraux graves. Odeur caractéristique.

1° SEPTICÉMIE GAZEUSE [Sacquépée]
[Vibrion septique.]

Gangrène musculaire diffuse. [Muscles diffluants.]

Gaz abondants.

Œdème modéré et limité.

L'œdème est, mou, ordinairement bronzé par trainées ou placards [lymphangite bronzée.]

Marche très envahissante.

Mort par septicémie.

2° ŒDÈME GAZEUX MALIN [Sacquépée].
[Bacille anaérobie spécial; Sacquépée].

Gangrène musculaire en foyers circonscrits.

A. *Forme à foyer unique.*
Gazeuses.

B. *Forme à foyers multiples.*
Gaz abondants.

Œdème étendu.

Œdème étendu.

L'œdème est dur et se limite par un bourrelet. Il est généralement bronzé au-dessus de la plaie et blanc au-dessous.

Cette forme s'observe en cas de délabrements musculaires étendus. Elle ressemble à la septicémie gazeuse, mais l'œdème est plus développé et pins dur. L'abondance des gaz s'explique par la multiplicité des foyers de gangrène. Ordinairement le bacille spécifique est associé à d'autres microbes.

Marche peu envahissante.

Marche très envahissante.

Mort par intoxication.

Mort par septicémie ou par intoxication.

profond, par des symptômes généraux graves, et par une odeur *sui generis*.

Les symptômes généraux sont dominés par une fièvre à ascensions brusques, tandis que le pouls augmente de fréquence, devient petit et rapidement incomptable.

Il n'est pas rare de constater une discordance manifeste entre le pouls et la température, et cette discordance est inverse de celle qu'on observe dans certaines infections bénignes. La température qui est élevée au début, peut baisser au bout de quelques heures ; la fréquence du pouls, au contraire, augmente jusqu'au bout, de sorte qu'on voit des températures inférieures à 38 être accompagnées de 150 pulsations et plus (fig. 8 et 9).

Le blessé prend rapidement un teint plombé, subictérique, plus rarement ictérique vrai. Il est plongé dans un état de somnolence, entrecoupé de périodes d'agitation. Il s'installe du subdélire, ordinairement tranquille, et la mort arrive dans le collapsus, très rapidement, parfois en quelques heures.

L'aspect de la plaie s'est modifié dès le premier moment. Si on explore le fond, on trouve en un point d'un muscle, les caractères de la gangrène. A cet endroit il est noirâtre, brun chocolat, ou blafard, s'en allant en bouillie ou s'effritant au toucher en fragments desséchés. Il s'écoule de la plaie une sérosité brune, répandant l'odeur spéciale que nous avons signalée.

En même temps, il se développe autour de la plaie un œdème dur, présentant à sa surface des traînées ou des plaques bronzées, qui remontent vers la racine du membre et même sur le tronc.

Dans la partie œdématiée et ordinairement au delà, on reconnaît une crépitation gazeuse. Les gaz précèdent ordinairement les liquides dans leur extension.

Dans certains cas, il se forme dans la région œdématiée des phlyctènes et des escharres. Le membre peut même présenter l'apparence de la gangrène en masse.

La marche de ces formes graves est toujours rapide. Dans les cas, assez rares, où l'évolution n'est pas fatale,

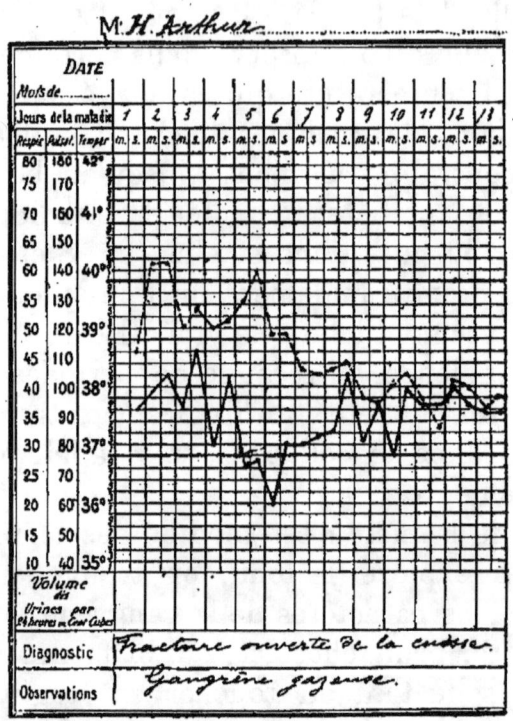

Fig. 8. — Fracture ouverte de la cuisse. Grangrène gazeuse. La température (ligne pleine) n'atteint pas 39. Mais le pouls (ligne pointillée) dépasse 140 dès le deuxième jour.

on voit les choses changer brusquement, les marbrures bronzées disparaître en quelques heures, ainsi que l'emphysème et l'œdème, et la plaie reprendre bientôt son aspect antérieur.

Dans ces formes graves, on a voulu distinguer, d'après

la prédominance de certains symptômes, deux variétés cliniques auxquelles on a donné le nom. de *septicémie gazeuse* et d'*œdème gazeux malin* (Sacquépée).

Voici quels seraient leurs signes distinctifs.

La *septicémie gazeuse* serait ordinairement causée par

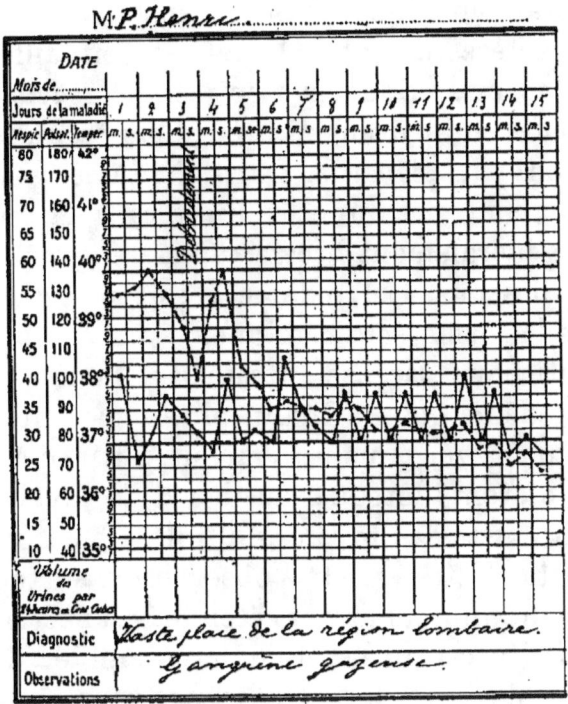

Fig. 9. — Vaste plaie de la région lombaire. Gangrène gazeuse. La température (ligne pleine), n'a guère dépassé 38. Le pouls (ligne pointillée) atteint à plusieurs reprises 140 pulsations.

le vibrion septique de Pasteur : l'*œdème gazeux malin*, par un bacille anaérobie spécial.

Dans la septicémie gazeuse, la gangrène musculaire serait diffuse, les muscles seraient diffluants, tandis que dans l'œdème gazeux malin, on trouverait la gan-

grène musculaire profonde sous forme d'un foyer circonscrit.

Même différence au point de vue des symptômes. Dans
la septicémie gazeuse, l'œdème serait modéré et limité,
mais il y aurait beaucoup de gaz. Dans l'œdème malin au
contraire, comme son nom l'indique, c'est l'œdème qui
l'emporterait sur l'infiltration gazeuse.

Les caractères de cet œdème seraient différents dans
les deux formes. Dans la septicémie gazeuse, l'œdème
serait mou et ordinairement bronzé par traînées lymphan-
gitiques ou par placards. Dans l'œdème gazeux malin,
il serait au contraire dur et se limiterait par un bourrelet.
Il serait généralement bronzé au-dessus de la lésion et
blanc au-dessous. Cet œdème serait moins envahissant
que dans la forme septicémique.

La septicémie gazeuse entraînerait la mort par septicémie, l'œdème gazeux malin plutôt par intoxication.

L'œdème gazeux malin pourrait offrir des caractères
un peu différents lorsque, au lieu d'un foyer musculaire
unique, il existe des foyers multiples, bien que toujours
circonscrits. Cette variété s'observerait surtout quand le
délabrement musculaire est étendu. L'affection prendrait
alors des allures qui la feraient ressembler assez bien à
la septicémie gazeuse, en ce sens que les gaz seraient
plus abondants que dans la forme à foyer unique ; mais
l'œdème serait toujours plus développé et plus dur que
dans la forme septicémique. Il serait aussi envahissant
que dans cette dernière.

Dans cette variété à foyers gangréneux multiples, on
trouverait ordinairement le bacille spécifique associé à
d'autres microbes. La mort aurait pour cause soit la septicémie, soit l'intoxication.

Le tableau pages 56 et 57, dans lequel nous avons mis

en regard les symptômes appartenant à chacune des variétés que nous venons d'étudier, fera bien saisir les différences qui les séparent. Nous ne le donnons du reste qu'à titre documentaire.

Traitement. — I. TRAITEMENT PRÉVENTIF. — Un grand principe domine le traitement préventif de la gangrène gazeuse. C'est la nécessité de la *désinfection immédiate de toute plaie par éclat d'obus, de bombe ou de grenade.*

Nous avons affirmé cette nécessité dans le chapitre précédent. C'est surtout contre la gangrène gazeuse qu'elle acquiert toute sa signification.

La rapidité avec laquelle évoluent ses formes graves, montre combien il est indispensable que la désinfection soit immédiate, puisqu'après quelques heures, il peut être trop tard, et combien, par conséquent, il est important que l'évacuation soit faite sur l'hôpital le plus proche. Il est évident que ces blessés ne doivent pas être évacués à longue distance, où ils arriveraient déjà en pleine infection.

Nous avons dit ce que devait être la désinfection primitive. Nous avons dit qu'elle exigeait d'abord le débridement large, sans autre limite que l'étalement complet de la plaie par la suppression de la moindre anfractuosité. Nous avons dit qu'il fallait extraire le projectile et tous les autres corps étrangers, parce que ce sont les plaies où le projectile est resté inclus qui sont le plus exposées aux complications septiques et tout particulièrement à l'infection gazeuse. Nous avons dit enfin ce que devait être la désinfection proprement dite, à savoir l'excision de tous les lambeaux contus et dans la mesure du possible, l'avivement de toute la surface.

On a, d'autre part, fait quelques tentatives de vaccination contre la gangrène gazeuse.

Wright prépare des *vaccins antigangréneux* contre le staphylocoque, le streptocoque et le perfringens, qu'il recommande d'injecter le plus tôt possible après la blessure, de préférence au poste de secours.

Weinberg a préparé un vaccin en utilisant une culture de *perfringens* vieillie de vingt-quatre heures. Ce vaccin a été bien toléré, n'a provoqué aucune réaction, ni générale, ni locale, et la plaie a bien évolué.

Leclainche et Vallée ont cherché à réaliser la désinfection préventive des plaies par un sérum spécifique polyvalent opposable aux germes aérobies et anaérobies les plus répandus.

Ces tentatives sont restées isolées, et il est impossible de prévoir quel sera l'avenir de la vaccination préventive.

II. Traitement curatif. — On peut dire qu'il n'existe pas encore de traitement spécifique de la gangrène gazeuse, bien que quelques essais de sérothérapie aient été faits. Ainsi Weinberg a préparé un *sérum antiperfringens*. Il a pratiqué à un cheval des injections intraveineuses, d'abord de cultures mortes, puis de cultures vivantes des microbes qui lui avaient servi à préparer son vaccin. Pour le cobaye, ce sérum est préventif et curatif. Dans un cas grave, un malade en a reçu 22 centimètres cubes, et en a retiré une amélioration rapide.

Weinberg et Séguin ont préparé d'autre part un *sérum anti-œdematiens*, opposable à l'anaérobie qu'ils ont trouvé dans certaines formes toxiques de la gangrène gazeuse.

Le sérum polyvalent de Leclainche et Vallée a été

employé non seulement contre des infections locales, sous forme de pansements, mais aussi dans des cas d'infections graves, soit localement, soit en injections hypodermiques ou intraveineuses, et semble avoir donné des résultats encourageants. Dans ces derniers temps, plusieurs auteurs ont émis des appréciations très élogieuses sur son emploi, et le considèrent comme une arme puissante contre l'infection.

D'autre part, certains chirurgiens tiennent l'*oxygène* pour le spécifique de la gangrène gazeuse. Les microbes en cause étant des anaérobies, on devait naturellement songer à leur opposer l'oxygène. On a été jusqu'à dire que l'oxygène est à la gangrène gazeuse ce que le sérum spécifique est au tétanos, avec cette supériorité pour l'oxygène que son action est aussi bien curative que prophylactique.

On recommande d'injecter l'oxygène gazeux en grande quantité au-dessus de la plaie. Il faudrait gonfler le membre comme un ballon, injecter 2 à 8 litres toutes les vingt-quatre ou quarante-huit heures, en plaçant un lien serré à la racine du membre pour empêcher la diffusion du gaz.

Mais on n'a jamais produit un cas probant de guérison d'une infection profonde, à foyer musculaire, ce qui serait cependant nécessaire. Car on ne peut tirer aucune conclusion de succès obtenus dans la gangrène superficielle, où les gaz n'ont aucune tendance à infiltrer le membre, et qui guérit, pour ainsi dire, par n'importe quel traitement.

La plupart des chirurgiens qui ont utilisé les insufflations gazeuses les ont abandonnées, non seulement parce que la méthode n'a pas répondu à leur attente, mais parce que, ainsi que nous l'avons dit, ces injections peuvent être nuisibles en décollant le tissu cellulaire et en favorisant la propagation de l'infection.

Un autre reproche qu'on a fait aux injections oxygénées, c'est de ne pas permettre les larges débridements qui, comme nous allons le voir, sont le moyen le plus efficace dont nous disposions contre la gangrène gazeuse. Les partisans de l'oxygène recommandent d'éviter les longues incisions et de ne faire qu'une contre-ouverture suffisante pour le placement d'un drain.

Il faut donc, pour le moment tout au moins, faute du sérum de Leclainche et Vallée, renoncer à toute thérapeutique spécifique, et s'adresser aux moyens chirurgicaux ordinaires. Voyons comment il convient de les appliquer.

Formes bénignes. — Dans les formes superficielles, le traitement ne comporte aucune mesure spéciale. Il suffit de débrider largement la plaie jusqu'au bout de tous les décollements, et de la soigner à plat, pour voir les gaz disparaître presque aussitôt, et l'évolution se poursuivre normalement.

Formes graves. — Aussitôt que les symptômes de la gangrène gazeuse apparaissent, il faut débrider à nouveau la plaie pour découvrir et extérioriser le foyer musculaire.

Dans la forme à foyer limité, il est avantageux de réséquer largement ce foyer, en passant carrément dans les tissus sains, à la profondeur nécessaire.

Si des décollements se sont produits depuis le premier pansement, il faut les inciser tous jusqu'à leur extrémité. Il faut qu'après ce débridement secondaire, la plaie soit aussi complètement étalée qu'au premier jour du traitement (fig. 10 et 11). Une nouvelle excision des muscles atteints est à conseiller, si elle est possible.

On s'attaque ensuite à la région infiltrée du membre et on y pratique de grandes incisions parallèles, distantes de quelques centimètres, coupant dans le sens longitudinal toute la région œdématiée et s'étendant même au delà jusqu'aux limites de l'infiltration gazeuse. Ces incisions, qui peuvent être faites au bistouri ou au thermocautère, doivent aller en profondeur jusqu'au delà de

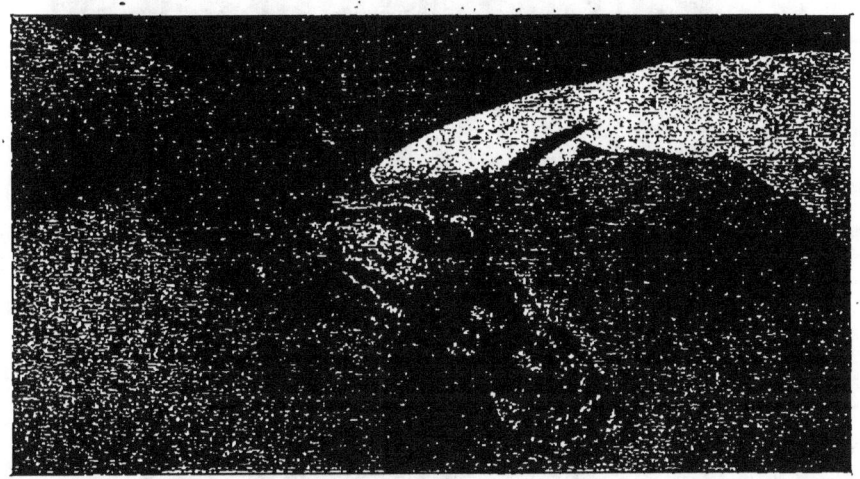

Fig. 10. — Plaie par éclat d'obus de la région lombaire, allant jusqu'au rein. Gangrène gazeuse. Etendue du débridement.

l'aponévrose. Elles laissent échapper les liquides et les gaz, et mettent les tissus à l'air. Elles sont destinées de plus à arrêter l'infiltration.

On a cru préférable, dans ce dernier but, de faire, au lieu d'incisions verticales, une incision circonférentielle audessus de la lésion. Nous pensons que les incisions verticales parallèles vident mieux le tissu cellulaire des liquides et des gaz qui l'ont envahi.

Il y a encore de grandes divergences d'opinion au sujet

du traitement à instituer après que le débridement a été pratiqué.

Les partisans de l'oxygène, en même temps qu'ils

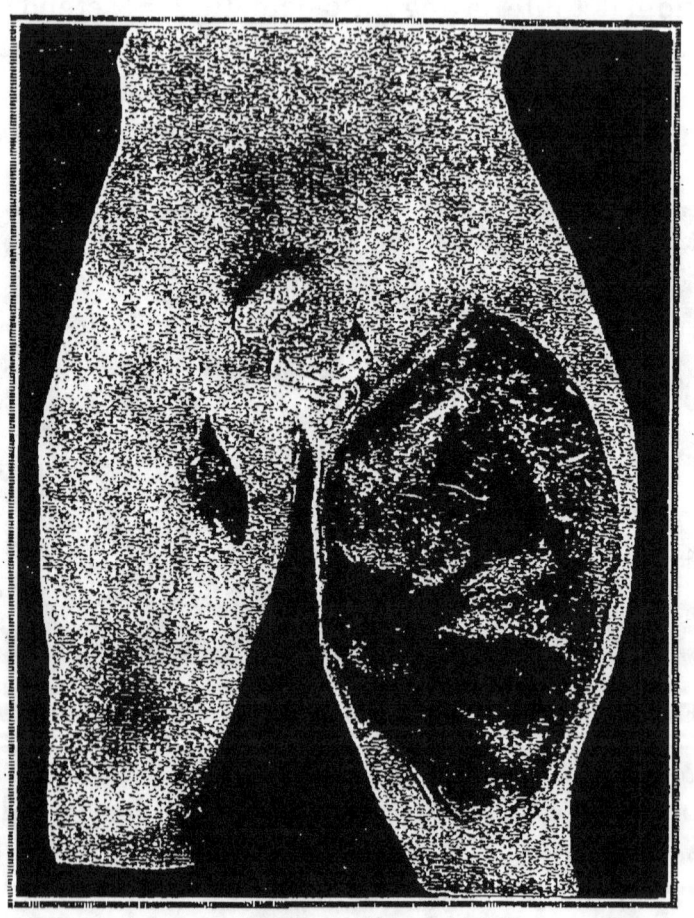

FIG. 11. — Fractures ouvertes des deux cuisses. Gangrène gazeuse à gauche. Etendue du débridement. Guérison.

recourent aux insufflations gazeuses, emploient pour le pansement force eau oxygénée.

On a eu recours à d'autres antiseptiques et on a recommandé surtout l'éther. On tamponne la plaie et toutes les incisions avec des compresses imbibées très largement d'éther, et on recouvre d'une toile imperméable. Ce pansement est renouvelé fréquemment. Il aurait donné des succès brillants. Nous l'avons utilisé, sans avoir constaté de résultats bien appréciables.

C'est de la méthode physiologique que nous avons retiré le plus d'avantages. Mais nous y avons associé *la suppression de tout pansement* Voici comment nous avons procédé d'abord.

On faisait toutes les quatre heures, comme nous l'avons dit à propos des infections moins graves, un large lavage de la plaie et des incisions cutanées parallèles au moyen de la solution de sel marin. Après cela, pour tout pansement, on couvrait les plaies de deux ou trois doubles de gaze qui les protégeaient contre les microorganismes de l'atmosphère.

La gaze n'empêchait guère l'accès de l'air et de la lumière, et cette méthode nous avait semblé donner des résultats bien supérieurs à ceux que nous avions obtenus jusqu'alors.

Mais nous avons maintenant l'habitude d'aller plus loin dans cette *exposition à l'air et à la lumière*. Nous plaçons le blessé dans une galerie ouverte, orientée au midi, et dans laquelle il séjourne nuit et jour (fig. 12). La plaie n'est recouverte que d'*une seule feuille de gaze* qui est humectée fréquemment au moyen de la solution salée. Une cage moustiquaire recouvre le membre. De temps en temps une irrigation entraîne les produits de sécrétion. s'ils séjournent à la surface de la plaie [1].

---

1. Nous n'avons pas jusqu'à maintenant utilisé le liquide de Dakin pour humecter la gaze qui recouvre la plaie.

Dans les cas heureux, cette exposition ininterrompue modifie très rapidement l'état local et l'état général.

Au bout de quelques heures déjà, les traînées et les plaques de lymphangite ont disparu, il n'y a plus trace ni d'œdème, ni de gaz, et la peau a repris son aspect normal. Les incisions de la zone infiltrée montrent une

FIG. 12. — Galerie ouverte pour le traitement de la gangrène gazeuse.

grande vitalité. Quant à la plaie elle-même, elle se déterge, mais plus lentement. Sa surface perd sa coloration brune ou gris sale, et, insensiblement, devient bourgeonnante.

En même temps, l'état général se relève. Dès les premières heures, la température a cessé ses grands écarts,

le pouls, de mieux en mieux frappé, est descendu bientôt
à moins de 100 pulsations. Point important, et qui peut
à lui seul faire bien augurer de la suite, le teint plombé
ou le subictère disparaît. Les forces reviennent assez rapidement.

Il arrive d'autres fois que l'infection gangréneuse se
transforme en suppuration simple, qui devient alors
justiciable du traitement que nous avons exposé plus
haut.

Malheureusement, on a beau instituer cette thérapeutique dès les premiers symptômes, elle peut rester impuis-
sante. L'infiltration séro-gazeuse continue de progresser
et l'état peut devenir si menaçant en quelques heures,
que l'amputation s'impose comme dernière ressource. Il
ne faut pas attendre, pour la pratiquer, que l'extension
à la racine du membre et au tronc, que l'aggravation de
l'état général, rendent bientôt toute intervention impossible.

C'est en pareil cas surtout, que le procédé d'amputation doit être élémentaire et rapide, qu'il faut sectionner
tous les tissus au même niveau, sans manchette, procédé sur lequel nous aurons l'occasion de revenir. C'est
aussi dans de tels cas qu'il ne faut pas vouloir à tout
prix dépasser les tissus infectés. On peut fort bien faire
porter la section immédiatement au-dessus de la plaie,
donc en plein tissu œdémateux ou même dans la plaie.
On laisse le moignon ouvert, et la plaie opératoire est
traitée comme l'était la plaie primitive.

Mais le sacrifice du membre peut être lui-même inopé-
rant et l'on voit des amputés pour gangrène continuer leur
infection, l'infiltation s'étendre, et le malade succomber
en quelques jours ou en quelques heures.

D'autres fois, on n'a même pas le temps d'opérer. Il y

a des formes foudroyantes dans lesquelles, après l'apparition d'une zone de crépitation gazeuse, et une ascension brusque de la température, le pouls tombe presque instantanément, et la mort survient avant que rien ait pu être tenté.

CHAPITRE IV

PLAIES DES GROS VAISSEAUX

Etiologie, mécanisme, gravité. — Nous n'aurons en vue ici que les plaies des gros troncs vasculaires. Ce qui concerne les hémorragies résultant de l'ouverture de vaisseaux de moyen et de petit calibre, a été étudié à propos du traitement des plaies.

Nous ne séparerons pas les artères des veines. Ce que nous aurons à dire s'applique presque exclusivement aux artères, dont les lésions sont beaucoup plus importantes et plus graves que celles des veines. Nous signalerons cependant, chaque fois qu'il le faudra, les particularités qui concernent les gros troncs veineux.

Les balles modernes ont modifié dans une large mesure les caractères et les conséquences des plaies des gros vaisseaux.

La différence ne concerne du reste que la balle de fusil. La balle ancienne donnait lieu, dans les parties molles, à des plaies et à des trajets relativement larges et si une grosse artère était ouverte dans cette plaie, le sang ne rencontrait aucun obstacle pour s'épancher au dehors. Une hémorragie extérieure immédiate, rapidement mortelle, en était la conséquence ordinaire.

Il en va autrement avec les balles pointues actuelles, qui ne creusent que des trajets étroits, dans lesquels une grosse artère ouverte ne peut déverser son sang que lentement. Ce sang s'infiltre dans les tissus et acquiert là, à un moment donné, une pression équivalente à la pression intra-artérielle : le débit cesse ou à peu près, et l'hémorragie est arrêtée provisoirement par une sorte de caillot extra-vasculaire, restant ou non en communication avec la lumière du vaisseau.

De là aussi, une grande différence de gravité. Autrefois les plaies des grosses artères étaient suivies de mort immédiate ; aujourd'hui, beaucoup de ces blessés font un anévrisme, au lieu d'une hémorragie, et guérissent [1].

Cela ne veut pas dire que la blessure d'une grosse artère ait cessé d'être une lésion grave. La balle de fusil a seule le privilège d'une moindre nocivité. Déjà la balle de shrapnell et surtout les éclats d'obus et de bombes font des plaies larges, tout comme les balles des anciens fusils, et plus qu'elles, et il est certain que les hémorragies par ouverture des gros vaisseaux continuent d'être la cause principale des morts immédiates.

La gravité d'une plaie artérielle sera d'ailleurs influencée par d'autres facteurs que la nature du projectile. D'abord l'étendue de la plaie vasculaire. Il est clair qu'une perforation étroite de l'artère aura une gravité immédiate moindre qu'une large déchirure. Ensuite le genre de blessure. Tout le monde connaît la rareté des hémorragies dans les *arrachements* complets des membres, où l'artère est étirée à tel point que les deux tuniques internes se rompent et se retroussent, pendant que la tunique externe s'allonge et s'effile avant de céder. La diminution de calibre et la rupture des tuniques profondes provoquent

---

1. La fréquence des anévrismes nous avait beaucoup frappé pendant la guerre des Balkans, chez les blessés Serbes, atteints par la balle pointue qu'employaient les Turcs.

presque instantanément la formation d'un caillot obturateur (fig. 13).

Un mécanisme à peu près identique empêche les hémorragies par les gros vaisseaux dans
les *écrasements* des membres.

Enfin, la gravité d'une plaie de
gros vaisseau dépendra de la rapidité
qu'on apportera à la soigner. Cette
gravité étant tout entière dans l'hémorragie, c'est de son arrêt plus ou
moins prompt que peut dépendre le
sort du blessé.

**Conséquences de la blessure
des gros vaisseaux.** — La blessure
d'une grosse artère peut avoir trois
conséquences différentes : la *thrombose*, l'*hémorragie*, l'*anévrisme*.

1° THROMBOSE. — Lorsqu'un projectile traverse un membre, il déchire
et arrache les parties molles, en laissant souvent l'artère intacte : la sou-
plesse, l'élasticité, la mobilité du vaisseau lui permettent de fuir en quelque
sorte devant le danger. Mais il n'é-
chappe pas toujours au traumatisme
et, sans être ouvert, il peut subir
une *contusion* plus ou moins profonde.

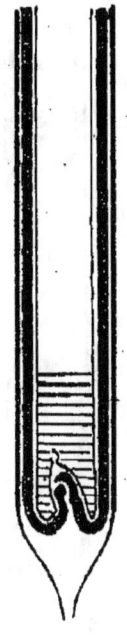

FIG. 13. — Arrache-
ment d'une artère.
Rupture et rétrac-
tion des deux tu-
niques internes.
Effilement de la
tunique externe.
Thrombose.

Delorme avait déjà décrit ces contusions des artères
et en distinguait trois degrés.

La thrombose se produit ici par un mécanisme identique à celui qui assure l'occlusion artérielle dans les
arrachements des membres. Au moment du passage du

projectile, l'artère est si violemment tiraillée, que ses tuniques interne et moyenne se rompent, tandis que l'externe résiste. La déchirure interne détermine la formation d'un caillot et l'obturation définitive de la lumière du vaisseau (fig. 14).

Les effets de cette occlusion seront les mêmes qu'après une ligature. Ou bien le système collatéral pourra rétablir la circulation dans le membre et tout se bornera à la *suppression du pouls distal*. On connaît plusieurs exemples de cette terminaison heureuse, notamment pour l'humérale.

Ou bien les voies collatérales seront insuffisantes, et la lésion artérielle se terminera par la formation d'une escharre ou par la *gangrène ischémique* du segment de membre sous-jacent.

En tout état de cause, la terminaison des lésions artérielles par thrombose est rare.

Fig. 14. — Contusion d'une artère. Rupture et rétraction des deux tuniques internes. Résistance de la tunique externe. Thrombose.

2° HÉMORRAGIE. — Dans l'immense majorité des cas, la blessure d'un gros vaisseau est suivie immédiatement d'une hémorragie profuse.

Il est facile de distinguer l'hémorragie artérielle de l'hémorragie veineuse. Dans l'hémorragie artérielle, le sang, d'un rouge vif, est lancé par jets isochrones avec le pouls et s'arrête par compression entre le point qui saigne et le cœur. Dans l'hémorragie veineuse, le sang est noirâtre, sort en jet ininterrompu ou en bavant, et s'arrête par compression distale.

Lorsque l'artère et la veine sont ouvertes en même temps, ces signes distinctifs font naturellement défaut.

Il va sans dire que la violence de l'hémorragie variera d'après les dimensions de la plaie vasculaire. Son importance pourra être masquée par l'état syncopal du sujet, par l'étroitesse et la sinuosité de la plaie extérieure. Dans ces conditions, on peut même voir l'hémorragie s'arrêter momentanément pour reprendre à l'improviste.

Les symptômes généraux qui accompagnent l'hémorragie sont ceux de l'anémie aiguë. Ce sont les seuls dont on dispose pour poser le diagnostic des hémorragies internes. Ils se résument en la pâleur, le refroidissement, l'absence de pouls, l'anxiété ou le collapsus, la syncope Ces symptômes sont superposables à ceux du shock, et la distinction est souvent difficile, sinon impossible, d'autant plus que les deux états peuvent coexister.

L'hémorragie par ouverture d'une grosse artère menace à bref délai la vie du blessé.

3° ANÉVRISME — *Pathogénie, variétés.* — C'est presque uniquement dans les plaies par balles pointues, qui ne produisent qu'une perforation de l'artère, qu'on observe l'anévrisme. Dans ce cas, comme nous l'avons dit, le sang ne sort pas du vaisseau à plein jet, et, au lieu de pouvoir s'écouler immédiatement au dehors, ne trouve devant lui qu'un canal étroit. Il s'infiltre dans le tissu cellulaire environnant, le refoule, le tasse insensiblement, et finit par former autour de l'artère lésée un hématome dont le centre reste en communication avec la lumière du vaisseau. Cette communication fait que de nouvelles quantités de sang tendent continuellement à distendre la poche, qui augmente de volume et finit par être entourée d'une sorte de coque.

Tel est l'*anévrisme artériel traumatique*, qui n'a donc rien de commun avec l'anévrisme vrai, formé par une

Fig. 15. — Anévrisme vrai
ampullaire.

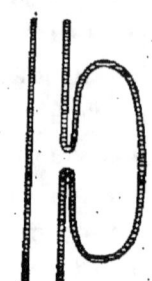

Fig. 16. — Anévrisme vrai
sacciforme.

dilatation de la paroi artérielle. Le terme d'*hématome anévrismal* conviendrait mieux à ces productions.

Lorsqu'il y a à la fois perforation de l'artère et de la

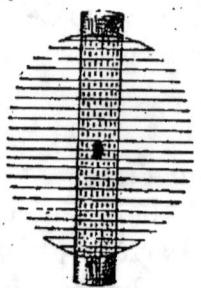

Fig. 17. — Anévrisme artériel
traumatique ampullaire.

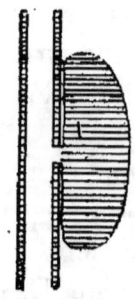

Fig. 18. — Anévrisme artériel
traumatique sacciforme.

veine, leur sang se mélange dans la poche, et l'on a affaire à l'*anévrisme artério-veineux*, constitué exactement comme l'anévrisme artériel, mais ayant en son centre les deux vaisseaux accolés et troués (fig. 15, 16, 17, 18, 19, 20). Comme les anévrismes vrais, les anévrismes traumatiques peuvent être *ampullaires* ou *sacciformes*,

c'est-à-dire que la poche peut entourer de toutes parts
l'artère qui occupe son centre, ou être greffée latérale-
ment sur elle.

La rapidité du développement des anévrismes traumatiques et leur degré d'extension sont variables. Il est en
rapport avec les dimensions de la fistule vasculaire.

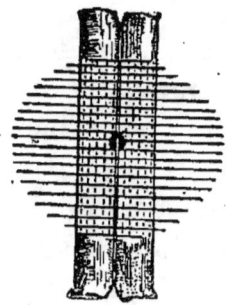

Fig. 19. — Anévrisme artério-
veineux ampullaire.

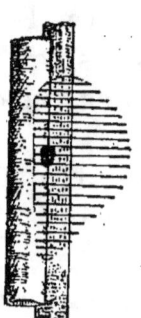

Fig. 20. — Anévrisme artério-
veineux sacciforme.

Il y a pour toutes ces tumeurs une période d'accroissement, pendant laquelle leur consistance reste molle,
pâteuse. Pour certaines d'entre elles, l'accroissement
cesse au bout de quelques semaines, la coque s'épaissit
et donne au palper la sensation d'une tumeur résistante
et assez bien limitée.

A partir de ce moment, sauf poussées brusques, la
tumeur conserve ses dimensions. Il peut même survenir
une sorte de tassement qui diminue son volume. Mais à
un moment donné, l'hématome peut se remettre à croître,
sans qu'aucune règle préside à ce phénomène.

Dans d'autres cas, surtout pour les anévrismes artério-
veineux, l'accroissement est ultra-rapide, l'hématome infiltre les tissus dans une étendue considérable et y crée
de tels désordres que l'amputation ne tarde pas à s'imposer.

Symptômes. — Le caractère distinctif de ces anévrismes faux, comme de l'anévrisme vrai, est d'être *pulsatile*. La main appliquée à leur surface est soulevée à chaque pulsation.

La tumeur est en plus le siège d'un *thrill*, c'est-à-dire d'un frémissement perceptible au palper léger.

Enfin, à l'auscultation, on entend un *souffle* puissant, isochrone avec le pouls.

Ces signes, qu'il ne faut jamais négliger de rechercher, sont en quelque sorte pathognomoniques, et ne permettent pas de confondre l'anévrisme avec l'hématome simple, ni avec aucune autre tumeur.

Mais l'anévrisme peut s'infecter, devenir douloureux, suppurer. Il prend alors quelquefois tout l'aspect d'un phlegmon, et l'erreur est d'autant plus difficile à éviter que les pulsations et le souffle peuvent être réduits au minimum.

Traitement des plaies vasculaires. — Nous envisagerons le traitement pour les trois conséquences des lésions des gros vaisseaux : la thrombose, l'hémorragie et l'anévrisme.

1° TRAITEMENT DE LA THROMBOSE. — Lorsque la topographie de la plaie, ses caractères et la manière dont elle s'est produite, peuvent faire craindre la contusion d'une grosse artère, il faut astreindre le blessé à un repos complet, afin de favoriser la formation du caillot et son adhérence, car la thrombose est de toutes les terminaisons des lésions artérielles, la moins grave.

L'oblitération artérielle une fois produite, la conduite à tenir dépendra des conséquences de cette oblitération. Il n'y aura rien à faire dans les cas heureux, où la circulation collatérale aura assuré la nutrition du membre.

Les escharres seront soignées de la manière habituelle, et quant à la gangrène massive, elle nécessitera l'amputation, d'après les règles ordinaires.

2° TRAITEMENT DE L'HÉMORRAGIE. — *Hémostase provisoire.* — Nous avons indiqué, au chapitre du traitement des plaies, de quelle manière doit être faite l'*hémostase provisoire* au moment de la blessure. Le *garrot* doit être appliqué immédiatement quand il s'agit d'artères des membres. Pour les gros vaisseaux du cou et les vaisseaux iliaques, la compression localisée sur un tampon, bien qu'elle ne soit qu'un pis aller, sera seule applicable. Si l'hémorragie résistait à ce procédé, il faudrait appliquer une pince à demeure sur le vaisseau, avant l'évacuation. C'est l'une des rares circonstances où le médecin du premier poste de secours doit intervenir activement. Le cas échéant, il ne faudrait même pas attendre jusqu'au poste de secours, et, si le danger est pressant, on devrait s'arrêter en cours de route, n'importe où, pour pincer le vaisseau qui donne. En pareil cas, on stérilisera la pince en chauffant simplement les mors dans une flamme quelconque.

Nous avons insisté sur les précautions à prendre pour éviter les inconvénients du garrot, et sur l'importance, dans les hémorragies graves, de l'évacuation directe sur l'hôpital de campagne.

Ligature. — En principe, toute hémorragie par une grosse artère doit être traitée par la *ligature*, aussitôt que possible, donc dès l'arrivée à l'hôpital.

Règle générale, il faut lier l'artère dans la plaie elle-même, et *lier les deux bouts*, afin d'éviter le retour du sang par voie collatérale. Pour faciliter la recherche, on peut faire relâcher temporairement le garrot, ce qui permet en outre de pincer et de lier tout ce qui donne, en dehors du tronc principal.

A titre exceptionnel, par exemple quand l'artère est rompue plus haut que la plaie ou quand ses parois sont très abîmées, on pourra être amené à lier le vaisseau au-dessus de la plaie. Certaines dispositions anatomiques peuvent également engager à recourir à la ligature à distance. Ainsi, lorsque l'artère axillaire est blessée tout à son origine, derrière la clavicule, nous avons préféré lier la sous-clavière en dehors des scalènes, plutôt que de sectionner la clavicule pour atteindre le bout supérieur.

Il faut à tout prix placer la ligature sur un segment intact du vaisseau, et ne pas s'exposer, en liant une paroi contuse, à la formation d'une escharre et au retour de l'hémorragie.

Il arrive, notamment en cas de plaie étroite des parties molles, que l'hémorragie soit arrêtée au moment de l'arrivée du blessé, tandis qu'il s'est formé un gros hématome dans le segment de membre atteint et que le pouls périphérique est absent. Il peut être difficile, en pareille circonstance, de savoir si l'artère principale a été vraiment blessée ou si elle est seulement comprimée par l'infiltration sanguine sous pression.

On est, dans ce cas, autorisé à surseoir à la ligature, tout en surveillant attentivement le blessé et en se tenant prêt à lier le vaisseau à l'instant, si l'hémorragie recommençait. Dans un certain nombre de cas, on verra, au bout de quelques jours, l'hématome diminuer et le pouls périphérique réapparaître.

Dans les cas favorables, les suites des ligatures artérielles sont très simples. La circulation collatérale assure la nutrition du membre. A peine, dans les premiers jours,

observe-t-on un peu de refroidissement et quelques four-
millements.

Mais les voies collatérales peuvent être insuffisantes
et la gangrène apparaît, soit sous forme d'escharres ou
de mortification de l'extrémité terminale du membre,
soit en masse, englobant toute la partie du membre sous-
jacent à la ligature. Aussitôt que la ligne de démarcation
est tracée, il faut amputer.

Suture. — En principe, la suture des plaies artérielles
est le traitement idéal de ces lésions, puisqu'elle rétablit
le cours du sang dans le vaisseau atteint et restaure les
conditions physiologiques. Du coup, le danger de gangrène auquel expose toujours la ligature se trouve supprimé, et les troubles fonctionnels qu'elle peut déterminer dans certains organes, comme le cerveau, n'entrent
plus en ligne de compte.

Mais la technique de la suture est délicate et demande
un certain entraînement, même chez des chirurgiens de
carrière. Disons à ce propos que, contrairement à ce
qu'on pourrait croire *a priori*, ce ne sont pas les perforations ou les déchirures partielles de l'artère qui constituent les conditions les plus favorables pour la suture.
Elles exposent à des coudures et à des rétrécissements.
La section transversale complète, qui se répare par une
suture circulaire typique, semble plus avantageuse.

Cependant la suture vasculaire n'a pas été beaucoup
pratiquée au cours de la campagne actuelle. Dans certains
cas, la disparition d'un segment de l'artère et dans la
plupart, les altérations de la paroi, s'y sont opposées.

Intubation artérielle. — Pour éviter les inconvénients
de la suppression brusque et totale de la circulation, on
a proposé de retarder la ligature et de réunir d'abord

les deux bouts sectionnés par un tube métallique paraffiné à paroi mince, qui, bien que rétrécissant le calibre du vaisseau, permet à la circulation de continuer pendant quelques jours, dans une certaine mesure. La ligature ultérieure ne serait plus suivie d'aucun trouble, l'interruption du cours du sang ayant été progressif (Tuffier).

3° TRAITEMENT DE L'ANÉVRISME. — Tout anévrisme diagnostiqué doit être opéré. Le diagnostic n'est en général pas difficile, si l'on recherche les signes caractéristiques, et c'est pour n'avoir pas suffisamment examiné le blessé, qu'on a ouvert des anévrismes, croyant ouvrir des hématomes simples ou des phlegmons.

Époque de l'opération. — Faut-il opérer l'anévrisme immédiatement après la blessure? Il y a avantage à le laisser d'abord s'organiser complètement, se limiter d'une sorte de coque qui le sépare de plus en plus nettement des tissus environnants. Si l'on opère plus tôt, pendant la période de formation, on tombe sur un hématome encore diffus, à limites imprécises, et les conditions de l'opération en sont rendues plus difficiles.

Il faut généralement attendre quelques semaines. Lorsqu'on constate que la tumeur a pris des contours assez nets, qu'elle est plus résistante et que son accroissement rapide est arrêté, le moment est venu.

Plusieurs méthodes opératoires peuvent être employées : la *ligature simple*, les *ligatures multiples*, avec ou sans *ouverture du sac*, l'*extirpation*, la *suture artérielle*.

Ligature. — La *ligature simple*, au-dessus de la tumeur, qui était seule utilisée autrefois, l'est peu actuellement. Elle passe pour être insuffisante, le sang pouvant revenir par les collatérales dans le bout inférieur. Nous avons néanmoins, pendant la guerre des Balkans, eu recours à maintes reprises à ce procédé, le plus simple de tous, et nous n'avons pas constaté son insuffisance.

C'est aux *ligatures multiples* qu'on s'adresse le plus volontiers de nos jours. Le procédé consiste à lier le vaisseau au-dessus et au-dessous de la tumeur. Pour l'anévrisme artériel, on fera ainsi une *double ligature*, et pour l'anévrisme artério-veineux, une *quadruple ligature*.

Ce procédé donne certainement plus de garantie que la ligature simple.

En tout cas, la ligature doit se faire contre le sac, et non pas à distance, où elle pourrait être inefficiente.

Beaucoup de chirurgiens ajoutent aux ligatures multiples l'*ouverture du sac*, soit qu'ils commencent par l'ouvrir pour le vider, et lier par l'intérieur de la poche tous les vaisseaux qui y débouchent, soit qu'ils fassent d'abord les ligatures et terminent par l'incision de la tumeur, afin de lier les branches accessoires qui pourraient y ramener le sang.

Extirpation. — Enfin, lorsque l'anévrisme est bien limité, on peut l'*extirper* en bloc, comme une tumeur, en liant au fur et à mesure les vaisseaux qui y pénètrent. L'*extirpation* est supérieure à la ligature en ce sens qu'elle est la plus radicale.

Mais elle n'est applicable qu'en cas de tumeur bien limitée, séparée des tissus voisins par une coque suffisamment différenciée et suffisamment séparable. Dans bien des cas, il n'existe pas de poche à proprement parler, et ce serait s'exposer à faire des dégâts importants que de vouloir enlever un hématome mal délimité.

Il en serait de même s'il fallait intervenir d'urgence pour un *anévrisme rompu*, ou s'il fallait opérer un *anévrisme infecté*, qui aurait naturellement contracté des adhérences intimes avec les tissus environnants. Pour de tels cas, les ligatures peuvent seules être utilisées.

Les circonstances sont encore plus défavorables, lorsque l'anévrisme prend un développement extrêmement rapide et détermine une infiltration diffuse, qui peut s'étendre à tout un segment de membre. Ici, les ligatures elles-mêmes sont inapplicables et c'est l'*amputation* qui s'impose.

Après les ligatures simples ou multiples, on voit, dans les cas qui évoluent bien, la tumeur se tasser, diminuer de volume, durcir et finalement disparaître. D'autre part, la circulation collatérale rétablit l'irrigation du membre et aucun trouble fonctionnel ne subsiste.

Mais la ligature de certaines grosses artères peut provoquer des désordres fonctionnels graves dans les organes qu'elles irriguent, telle la ligature de la carotide pour le cerveau. D'autre part, l'insuffisance des voies collatérales pourra donner lieu à la *gangrène* d'un segment du membre, absolument comme après la ligature immédiate du vaisseau blessé. Nous avons vu la mortification du pied et même de la jambe suivre la ligature de la fémorale pour anévrisme.

Il est vraisemblable que la ligature expose moins à la gangrène lorsqu'elle s'applique à de gros anévrismes que lorsqu'elle est pratiquée pour de petites tumeurs, parce que la compression plus forte aura favorisé le développement des voies collatérales.

Suture. — C'est le danger de gangrène qui a déterminé certains chirurgiens à remplacer la ligature pour anévrisme par la *suture* de l'artère. On ouvre la tumeur, on débarrasse le vaisseau des caillots qui l'entourent et on suture la solution de continuité. Quand il s'agit d'un anévrisme artério-veineux, on sépare les deux vaisseaux, on suture l'artère et on lie généralement la veine.

Nous avons signalé les difficultés de la suture immédiate en cas d'hémorragie. Ces difficultés sont encore accrues quand on a affaire à un anévrisme, par suite des altérations plus étendues de la paroi vasculaire. Ces altérations remontent souvent très haut. Dans l'anévrisme artério-veineux notamment, l'adhérence est très étendue et lorsqu'elle est rompue, la paroi de l'artère est peu propre à une réunion par suture.

On a cependant, dès la guerre des Balkans, obtenu des succès encourageants. Il est possible que l'avenir appartienne à cette méthode, qui est en principe la meilleure, parce que la plus physiologique.

Opération de Matas. — En attendant, on recourt plutôt à l'*opération de Matas*, ou endo-aneurismorraphie. Cette opération ne s'applique qu'aux tumeurs dont la coque est suffisamment organisée, et consiste, après avoir incisé et vidé le sac, à fermer par une suture en capiton d'abord l'ouverture artérielle, puis le sac lui-même. Cette opération se place entre la suture vasculaire simple et l'extirpation totale de la tumeur. Elle en a tous les avantages, sans en offrir les réelles difficultés d'exécution.

Hémorragies secondaires. — Un gros vaisseau a saigné. L'hémorragie a été arrêtée. Au bout d'un certain temps, le vaisseau saigne de nouveau. C'est une hémorragie secondaire.

Des causes diverses la provoquent, d'après qu'elle apparaît dans une plaie aseptique ou dans une plaie infectée.

Dans une plaie aseptique, une ligature mal serrée peut se détacher, la paroi trop contuse peut céder tardivement sous la pression du fil, un caillot obturateur peut se déplacer. Il suffit alors de repincer le vaisseau et d'appliquer une nouvelle ligature.

Mais le plus souvent, c'est dans une plaie infectée que se produit l'hémorragie secondaire, et par un mécanisme différent. Par le fait de la suppuration et de la désagrégation des tissus, le moignon artériel devient libre dans la plaie, et baigne dans le pus. La fonte purulente s'étend au caillot qui bouche la lumière, et qui finit par être expulsé. Ou, plus fréquemment, la plaie est le siège d'un processus gangréneux qui s'étend à l'artère et finit par trouer sa paroi.

Les plaies septiques au voisinage des gros vaisseaux doivent donc être surveillées. Si une hémorragie secondaire se produit, il est recommandable de lier l'artère au-dessus de la plaie, pour éviter de placer le fil sur une paroi friable ou exposée à être atteinte encore par les progrès de la gangrène.

Ouverture tardive des artères. — L'ouverture tardive des artères n'a rien à voir avec l'hémorragie secondaire, dont nous avons parlé plus haut. Dans l'hémorragie secondaire, l'artère a saigné dès l'abord, mais un caillot ou une ligature a arrêté le sang pendant un certain temps. Dans l'accident que nous envisageons maintenant, l'artère ne s'ouvre et ne saigne qu'après plusieurs semaines.

Plusieurs causes peuvent donner lieu à l'ouverture tardive des artères. Une esquille, en se déplaçant, peut piquer le vaisseau ; un projectile inclus dans les tissus peut user par frottement la paroi artérielle et finir par la percer. Mais en règle générale, il s'agira des suites de la contusion que l'artère a subie au moment de la bles-sure.

Nous avons vu que la contusion d'une grosse artère donne lieu parfois à la thrombose du vaisseau. Cette thrombose n'est pas toujours définitive. Le caillot peut être expulsé et l'artère s'ouvrir tardivement. Ou bien la contusion a produit une escharre de la paroi artérielle, qui ouvre la lumière au moment de sa chute.

Enfin un gros vaisseau disséqué par le pus dans une plaie phlegmoneuse ou gangréneuse, peut finir par avoir sa paroi rongée et ulcérée.

A part ce dernier cas, l'ouverture tardive des artères se distingue de l hémorragie secondaire en ce qu'elle apparaît en général, non dans une plaie infectée et an-fractueuse, mais dans une plaie petite et aseptique. Trois semaines, un mois après la lésion, alors que la plaie est en bonne voie de cicatrisation, l'accident se produit, ordi-nairement sans aucun prodrome (Grégoire).

Cet accident peut être, ou bien une *hémorragie tar-dive*, ou bien un *anévrisme tardif*.

Son traitement est celui de l'hémorragie ou de l'ané-vrisme immédiats. Mais l'habituelle petitesse de la plaie obligera ordinairement à la débrider, pour atteindre le vaisseau. Dans certains cas, on serait autorisé à placer la ligature au-dessus de la plaie.

On a été frappé de la bénignité des suites des ligatures dans les cas de l'espèce. Cette bénignité résulte sans doute de ce que la circulation collatérale a eu le temps de se développer, l'infiltration de la gaine conjonctive

vasculaire ayant, depuis la blessure, rétréci le calibre de
l'artère et amoindri son débit (Grégoire).

Il faut se préoccuper de prévenir l'ouverture tardive
des artères : surveiller les petites plaies qui siègent sur
le trajet d'artères importantes, éviter l'évacuation précoce
et toute autre occasion de mouvement.

CHAPITRE V

PLAIES DES TRONCS NERVEUX

Fréquence. — Les lésions des gros troncs nerveux des membres s'observent avec une fréquence très différente pour chacun d'eux. C'est le *nerf radial* qui tient, sous ce rapport, la première place, par suite de son accolement à l'humérus dans la gouttière oblique de cet os, si souvent fracturé dans la guerre actuelle.

Après lui, dans l'ordre de fréquence, vient le *plexus brachial*, qui est touché assez souvent dans les plaies du cou.

Déjà plus rare est l'atteinte du *nerf sciatique*, mieux protégé que le radial, mais exposé néanmoins à être touché en cas de fracture du fémur, ou même directement par le projectile, en raison de son volume et de la surface relativement grande qu'il offre aux corps vulnérants.

Puis vient le *nerf médian*, le *nerf cubital*, blessés beaucoup plus rarement, tout au moins au niveau de leurs troncs.

Le *plexus lombaire* semble jouir d'une immunité assez curieuse.

Enfin, il faut, dans cette énumération, faire une place à part au *nerf facial*, nerf purement moteur qui peut, comme nous le verrons, être intéressé dans certaines plaies de la face, mais dont les lésions ne rentrent pas dans la catégorie de celles que nous étudions ici.

Etiologie. — La lésion nerveuse peut être produite directement par le projectile, au moment où il traverse les parties molles. Cela semble être l'exception.

Le plus souvent, la blessure du nerf est indirecte, et produite par un des fragments ou une esquille d'une fracture concomitante.

L'atteinte du nerf peut aussi n'être pas contemporaine de la blessure du membre. On peut admettre que, dans certaines fractures, le déplacement intempestif des fragments ait pu déterminer secondairement l'accident. Mais bien plus fréquemment, le nerf sera englobé dans le cal, inclus dans le tissu osseux, qui aura formé un pont pour le recouvrir ou un canal pour le loger. Plus fréquemment encore, il sera collé à la surface du cal par une carapace fibreuse plus ou moins épaisse.

Il n'est pas rare non plus de trouver le nerf comprimé dans une gangue de tissu cicatriciel résultant d'une plaie musculo-aponévrotique, sans aucune lésion osseuse.

Enfin, lorsqu'un tronc nerveux baigne dans une plaie suppurante où il est dénudé et isolé, il peut être envahi par un processus destructif qui aboutit à la suppression de ses fonctions.

Anatomie pathologique. — Lorsqu'on découvre un nerf dans ces conditions, son aspect extérieur se montre fortement modifié. Sa surface, au lieu d'être blanche et lisse, est rouge, rugueuse et d'aspect cicatriciel. Ses limites sont souvent dificiles à reconnaître et en certains endroits, il est comme fusionné avec le tissu fibreux voisin. En cas de section complète, les deux bouts montrent une extrémité arrondie et renflée.

Que le nerf ait été sectionné complètement ou incomplètement, qu'il ait subi une simple compression ou un écrasement, les lésions histologiques qu'on constate sont toujours celles de la dégénérescence wallérienne ordinaire pour les tubes nerveux, et de la sclérose pour le tissu conjonctif interstitiel.

Dans les degrés extrêmes, les éléments nobles ont entièrement disparu et le nerf est réduit à un cordon fibreux, aminci, présentant souvent des renflements par places.

Il n'est pas rare que le nerf soit le siège d'un névrome plus ou moins nettement délimité, dont la dureté peut être telle qu'il en impose au toucher pour un corps étranger.

Symptômes, diagnostic. — L'*abolition de la sensibilité et de la motilité* dans le territoire d'innervation correspondant, est le symptôme capital de la lésion d'un gros tronc nerveux.

Dans les plaies de guerre, cette abolition est souvent complète. Elle est immédiate et totale quand il s'agit d'une section. Elle est au contraire tardive et progressive quand elle résulte de l'englobement dans un cal ou d'une compression par une gangue cicatricielle.

Dans d'autres cas, la paralysie et l'anesthésie, qu'elles soient immédiates ou tardives, sont et restent incomplètes, en ce sens qu'il s'agit d'une simple parésie ou d'une localisation sur un seul groupe musculaire.

Il est fréquent d'observer des *douleurs* et des sensations thermiques anormales dans le domaine du nerf. Il faut sans doute les attribuer à une névrite consécutive, de même que les *contractures* qu'on observe de temps en temps. -

La *cuisson douloureuse*, fréquemment observée, serait due à des désordres circulatoires dépendant de lésions des plexus sympathiques qui accompagnent les artères.

D'autres troubles accessoires sont à signaler. Le membre paralysé peut présenter de l'œdème, de la cyanose et certaines *lésions trophiques* (phlyctènes, ulcérations, escharres).

Ces troubles trophiques ne semblent pas, en général, être sous la dépendance du système nerveux. Ils paraissent, au contraire, relever des lésions vasculaires concomitantes, décelables par l'examen du pouls et de la pression sanguine (P. Marie).

L'*atrophie musculaire*, les *raideurs articulaires* et, ne cas de névrite, les *rétractions musculaires*, sont les conséquences fatales de la paralysie, si elle se prolonge.

Nous n'avons pas à exposer ici les méthodes d'électrodiagnostic, qui ont pour but de s'assurer du degré de dégénérescence du nerf, et qui peuvent être très utiles pour établir le pronostic. C'est là une exploration qui est de la compétence du neurologiste, et il est indispensable de faire toujours examiner le blessé par un spécialiste, avant de se décider à une intervention.

Malheureusement, ce moyen de diagnostic, dans l'état actuel des choses, est loin de permettre toujours des conclusions fermes et plus d'une fois, les prévisions auxquelles a conduit l'examen le plus soigneux et le plus compétent ont été démenties par la marche ultérieure de l'affection.

Marche, terminaison. — L'évolution clinique des paralysies par lésions nerveuses tronculaires est extrêmement variable et il n'y a pas lieu de s'en étonner, si l'on songe à la diversité des lésions qui peuvent atteindre le nerf.

Dans un premier groupe de cas, la paralysie et l'anesthésie sont totales et définitives et ne présentent à aucun moment la moindre amélioration. Ce sont ceux qui correspondent aux sections complètes ou aux destructions totales.

Dans une deuxième catégorie, l'abolition complète des fonctions n'est pas longue. Dès les premières semaines, voire les premiers jours, s'esquisse le réveil de la sensibilité et de la motilité. Mais les choses peuvent en rester là, et même l'amélioration n'être que transitoire.

Dans les cas les plus heureux, le retour des fonctions s'accentue et aboutit, sinon à la guérison complète, qui est peut-être plus rare qu'on ne l'a dit, du moins à des améliorations considérables. Ces cas correspondent sans doute à une compression simple, qui diminue par résorption du cal ou par tassement du tissu conjonctif.

Quel est le pourcentage de ces terminaisons heureuses ? Il est impossible de le savoir avec certitude, mais il semble bien que des évaluations trop optimistes ont été faites, et que l'évolution naturelle des lésions des gros troncs nerveux n'est pas assez constamment favorable, pour justifier une expectation prolongée.

Traitement. — 1° TRAITEMENT MÉDICAL. — Certains médecins estiment que, dans toute lésion d'un gros tronc nerveux, il faut commencer par le traitement médical, appliqué avec tous les soins et la persévérance voulus, et qu'on n'est autorisé à intervenir chirurgicalement que lorsque les moyens médicaux ont manifestement échoué.

Cette opinion se fonde sur la possibilité de voir reparaître les fonctions même très tard.

Cette règle ne peut être admise que pour les paralysies incomplètes et celles qui, d'abord totales, montrent au bout d'un certain temps des symptômes d'amélioration. On peut même concéder que des signes minimes de retour des fonctions suffisent pour justifier l'abstention provisoire.

Mais si rien n'indique un réveil fonctionnel au bout d'un temps donné, il est inutile d'attendre, parce que le temps ne peut qu'aggraver certains états du nerf, telle la compression, et risque de transformer en désordres irrémédiables ce qui n'est d'abord qu'un trouble fonctionnel. Il ne faut pas attendre non plus si une amélioration commencée ne progresse plus.

Il est cependant tout à fait contre-indiqué d'opérer tant que la plaie suppure, parce que c'est d'une asepsie rigoureuse que dépend le succès.

Il semble raisonnable de clore le délai d'attente au moment précis où la plaie est cicatrisée.

On doit, en particulier, opérer sans plus de retard, lorsque les phénomènes paralytiques sont apparus tard et qu'on a, par conséquent, des raisons de croire à la compression par du tissu cicatriciel.

Une autre indication opératoire urgente est fournie par l'apparition de fortes douleurs, ou d'autres signes de névrite.

2° TRAITEMENT CHIRURGICAL. — Il n'y a pas de contre-indications à l'intervention chirurgicale.

Le délai d'attente expiré, il faut toujours opérer, parce que la découverte du nerf pourra seule faire reconnaître la nature, l'extension et le degré de gravité de la lésion, et permettre de distinguer les cas réparables de ceux qui ne le sont pas. Pour ces derniers, l'opération aura été purement exploratrice, mais faite avec les précautions que nous allons exposer, elle est inoffensive.

Technique. — Pour mener à bien une opération sur un gros tronc nerveux, une première condition est indispensable : c'est une *asepsie rigoureuse*.

Il y a, en chirurgie de guerre, peu d'interventions qui exigent aussi impérieusement cette condition, non que son insuffisance risque de mettre la vie du blessé en danger, mais parce que l'infection ferait à coup sûr manquer le but, qui est la restauration fonctionnelle. Dans une plaie infectée, le nerf ne serait pas seulement incapable de réparation, mais serait détruit de plus en plus, par envahissement du névrilème et du tissu inter-fasciculaire.

Il faut, en second lieu, éviter l'emploi de tout antiseptique quelconque. Le moins irritant pourrait encore exercer une action fâcheuse sur la vitalité des tubes nerveux.

Il faut enfin recourir toujours à l'anesthésie générale, et ne pas se laisser tenter par la situation assez superficielle de certains nerfs, comme le radial, pour se contenter de l'anesthésie locale. Le sommeil anesthésique peut seul permettre au chirurgien d'opérer avec soin et d'y mettre le temps voulu, sans s'exposer à produire chez le malade des douleurs et de la défense au moindre attouchement du tronc nerveux.

a) *Découverte du nerf.* — On fait une incision rectiligne sur le trajet connu du nerf. Cette incision doit être *longue*, son milieu correspondant au point présumé lésé. C'est qu'il ne s'agit pas seulement de découvrir l'endroit du nerf qui porte la lésion, mais aussi un segment au-dessus et au-dessous de ce point.

A moins qu'on ne tombe directement sur le point malade et qu'il soit très circonscrit, on va d'abord à la recherche de la partie saine du nerf, aux deux extrémités de la plaie, parce que le nerf sain est toujours plus facile à reconnaître et à isoler. Et c'est de là qu'on remonte ou qu'on descend vers la lésion. Quand on l'a reconnue, la conduite à tenir dépend de l'état dans lequel on trouve le tronc nerveux.

b) *Traitement du nerf.* — Dans les cas les plus favorables, le nerf se montre collé aux tissus voisins par une gaine fibreuse d'une épaisseur et d'une résistance variables. On incise cette gaine verticalement, jusqu'à ce qu'on arrive sur le nerf ou sur ce qu'il en reste, et on l'en sépare à petits coups.

Cette dissection doit être faite avec une grande délicatesse. Il faut surtout éviter de serrer le nerf dans des pinces. Quand l'adhérence de la gaine fibreuse n'est pas trop forte, il est même recommandable de n'employer que des instruments mousses.

Lorsque le nerf est débarrassé de sa gangue, on peut se rendre compte de son état. Quelquefois il apparaîtra absolument normal. Mais souvent, il sera rétréci, aplati, présentant des inégalités à sa surface.

Il faut se garder de juger de l'état anatomique réel du nerf d'après son aspect extérieur. Même quand il paraît tout à fait sain, il peut être atteint de sclérose interstitielle, ou d'une autre lésion qui abolit sa fonction. Inversement, un nerf qui sort de sa gangue à l'état d'un misérable et mince cordon, écorné par endroits, à surface rugueuse d'aspect cicatriciel, n'est pas nécessairement privé de toute valeur physiologique, et peut contenir encore des fibres nerveuses intactes.

On ne doit donc jamais réséquer ces nerfs, si altérés qu'ils paraissent.

Dans d'autres cas, on ne trouve guère de tissu cicatriciel autour du nerf, mais le nerf lui-même semble profondément transformé. Il est épaissi, bosselé, et sa surface lisse a disparu. On ne peut reconnaître autour de lui aucune enveloppe fibreuse isolable. Il faut alors faire le « *hersage* » du nerf, c'est-à-dire pratiquer à sa surface une série de petites incisions verticales, parallèles, très superficielles, et destinées à décomprimer les tubes nerveux emprisonnés, à leur « donner de l'air ».

Le nerf peut renfermer une nodosité dure, plus ou moins bien limitée, fibrome ou névrome vrai, tantôt central, tantôt excentrique. Sa consistance peut trancher tellement sur celle du tronc nerveux, qu'elle donne au toucher la sensation d'un corps étranger. Il est indiqué d'inciser verticalement le nerf pour arriver sur la tumeur et tenter prudemment de l'énucléer. Si l'énucléation ne paraît pas possible sans s'exposer à léser les éléments nerveux intacts, il faut se contenter de faire cesser la compression excentrique produite par la tumeur, en faisant le hersage ou même des incisions verticales plus profondes.

Une autre disposition qu'on rencontre, c'est l'inclusion du nerf dans un cal de fracture. Il peut être littéralement englobé dans le cal osseux ; plus fréquemment, il est accolé à l'os par une couche de tissu fibreux parfois très épaisse. Nous nous trouvons ici devant l'indication absolue de libérer le nerf, au besoin à la gouge et au maillet et, s'il montre des traces de compression ou de transformation fibreuse, d'exciser son enveloppe conjonctive ou de faire le hersage.

On agirait de même si l'adhérence du nerf s'était produite, non avec l'os, mais avec les parties molles. Il faudra souvent, en pareil cas, sculpter le nerf dans une énorme masse de tissu cicatriciel, au milieu de laquelle il se trouve enfoui.

Ce sont là les cas les plus favorables, où la continuité du nerf n'est pas interrompue. Nous venons de dire que, sous aucun prétexte, on ne doit réséquer le segment compromis, encore moins procéder à des sections étagées jusqu'à ce qu'on rencontre des surfaces apparemment saines, dans le but de les rapprocher par la suture et d'escompter ainsi le retour fonctionnel. Il n'existe, à l'heure actuelle, que très peu d'exemples certains de restauration de la fonction à la suite d'une suture nerveuse. Tant que le cordon nerveux n'est pas interrompu, il faut donc se garder de l'interrompre.

On ne devrait même pas se laisser influencer par le résultat négatif d'une électrisation du nerf, faite directement dans la plaie, avec des électrodes stérilisés, comme on a recommandé de le faire. Cette exploration peut être utile pour nous renseigner sur la gravité du cas, mais son échec ne doit pas nous pousser à faire la résection nerveuse.

Les circonstances sont beaucoup moins favorables quand on trouve le nerf sectionné complètement et même quand il n'est qu'entaillé en partie. Dans ce cas, on n'a plus d'autre ressource que la suture nerveuse. Il faut la pratiquer, après avivement des deux bouts, en affrontant les surfaces aussi exactement que possible au fin fil de soie ou de lin. Des points en U sont recommandables ; ils déchirent moins les tissus.

Pour une section incomplète, il faut se contenter d'aviver et de rapprocher par la suture les bords de l'encoche, et bien se garder de compléter la section.

Si la perte de substance était trop étendue pour permettre la réunion des deux bouts sans tiraillement exa-
géré, le mieux serait de faire l'élongation du bout central
et, en cas d'échec, de greffer le bout inférieur sur un nerf
voisin, si les dispositions anatomiques de la région s'y
prêtent.

Il ne faut accorder qu'une confiance très limitée aux
procédés de suture à distance ou d'inclusion des deux
bouts dans des tubes (os décalcifié, lambeaux d'aponé-
vroses, veines), pas plus d'ailleurs qu'aux procédés plus
ou moins ingénieux de greffes, de dédoublements, qu'on
a imaginés pour combler les pertes de substance du tronc
nerveux.

c) *Protection du nerf isolé ou restauré*. — Lorsque
le nerf a été libéré des tissus qui l'emprisonnaient et le
comprimaient, il faut éviter que sa surface avivée ne contracte de nouvelles adhérences avec les tissus voisins et
que les phénomènes de compression ne se reproduisent.
Pour réaliser cet isolement, on dispose de plusieurs
moyens.

Le plus simple consiste à coucher le nerf dans un lit de
tissu musculaire. On taille un lambeau dans un muscle
voisin et on le suture autour du nerf, de manière à lui en
faire une gaine complète.

On peut se servir aussi de tissu graisseux, qu'on trans-
plante dans la plaie et dont on entoure le nerf, ou d'un
lambeau aponévrotique libre, emprunté par exemple au
fascia lata, et dont on habille le nerf libéré ou, mieux
encore, d'une membrane de péricarde de veau.

L'inclusion intramusculaire est certainement le procédé
le plus simple et il nous a paru toujours suffisant.

La protection du nerf par son isolement définitif est, en

tout cas, une précaution qu'il ne faut jamais négliger de
prendre.

d) *Traitement de la plaie.* — La plaie opératoire doit
être fermée complètement, par étages, de manière à rétablir les rapports normaux. Il faut, bien entendu, avoir
fait une hémostase parfaite, afin d'éviter toute rétention
de sang qui pourrait compromettre la réunion par première intention, si indispensable au succès.

Le membre est mis au repos jusqu'à la cicatrisation,
c'est-à-dire pendant dix à quinze jours. Mais il ne faut
aucun appareil d'immobilisation. Le séjour au lit suffit.

Une fois la cicatrisation obtenue, il est indiqué de
reprendre ou d'instituer un traitement électrique. Le
massage, l'hydrothérapie, la mécanothérapie seront employés utilement contre l'atrophie musculaire et les raideurs articulaires.

RÉSULTATS. — Il est tout à fait exceptionnel que les
fonctions se rétablissent immédiatement, même après
libération d'un nerf simplement comprimé. En général,
le retour fonctionnel se fait attendre.

C'est la sensibilité qui reparaît d'abord, mais l'inter-
prétation des phénomènes sensitifs est trop difficile et
prête à trop d'erreurs, pour qu'on puisse tabler beaucoup
sur leur réapparition.

Les renseignements fournis par la motilité sont plus
utiles. Elle est ordinairement plus lente à manifester son
retour, et peut tarder pendant des semaines et des mois
après l'opération. Il est donc bon que le médecin et le
malade soient avertis qu'ils ne doivent pas cesser d'espérer parce qu'aucun changement ne s'observe d'abord.
On a vu les choses s'arranger encore après un an et plus,

En attendant le retour des fonctions, il est fort à con-

seiller de recourir à des appareils de prothèse temporaire, pour prévenir et corriger les attitudes vicieuses et
les déformations qui pourraient devenir définitives.

L'action sur les douleurs, les contractures et les troubles trophiques, c'est-à-dire sur les symptômes névri-
tiques, est souvent rapide. Nous avons vu des douleurs
violentes céder immédiatement après libération du plexus
brachial dont les trois branches d'origine étaient com-
primées par du tissu fibreux. Nous avons constaté la
cicatrisation rapide d'ulcérations des orteils après résection d'une gangue conjonctive entourant le sciatique, etc.

Mais en ce qui concerne les troubles moteurs, il est
impossible de savoir, au moment actuel, quelle est la proportion des succès opératoires. Ce que l'on peut dire,
c'est que le pronostic des lésions nerveuses opérées est
favorable, et que si la neurorraphie pour section complète n'a pas encore donné beaucoup de résultats avérés,
les opérations libératrices ont à leur actif des guérisons
presque constantes.

Ce qui est certain d'autre part, c'est que l'opération,
comprise comme nous l'avons indiqué, ne sera jamais
nocive. On n'aura jamais rien perdu à avoir exploré *de
visu* l'état des lésions et à avoir supprimé les causes de
compression.

On ne peut pas en dire autant des résections nerveuses,
que des idées théoriques ont seules inspirées, et qui ne
sont nullement légitimes.

CHAPITRE VI

PLAIES DU CRANE ET DU CERVEAU

Fréquence. — Les plaies cranio-cérébrales comptent, dans cette guerre, parmi les plus fréquentes. Elles tuent souvent sur le champ de bataille. Elles représentent aussi une fraction importante du total des blessures observées dans les hôpitaux du front.

Nous ne voyons guère les plaies par gros éclats d'obus, qui enlèvent une partie de la boîte cranienne et de son contenu. Ce que nous voyons surtout, ce sont des perforations par balles de fusil ou par petits éclats, et des destructions cranio-cérébrales d'étendue moyenne.

Variétés anatomiques. — On peut diviser ces lésions en un certain nombre de catégories, d'après la variété de la fracture.

Il y a d'abord les *fractures bipolaires,* dans lesquelles il existe un orifice d'entrée et un orifice de sortie. Il y a, dans ce cas, traversée complète de la boîte cranienne, mais cette traversée est plus ou moins centrale ou périphérique, de sorte que les hémisphères cérébraux sont atteints à une profondeur variable.

Les *traversées centrales* sont rares dans les hôpitaux, parce que la lésion présente une gravité extrême qui ne donne guère au blessé le temps d'être évacué.

Les *traversées périphériques* varient beaucoup d'im-

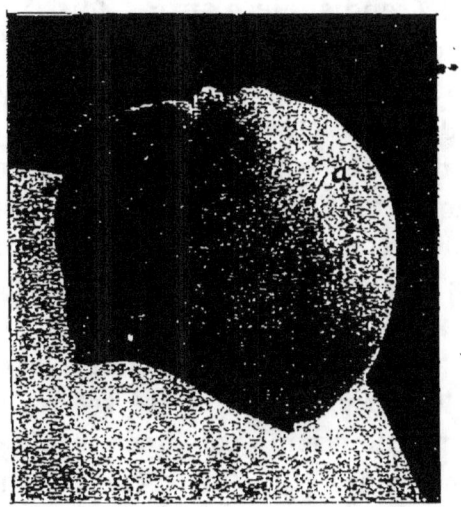

Fig. 21. — Perforation bipolaire par balle.
a, orifice d'entrée avant la trépanation.

portance d'après la profondeur de la pénétration. On peut

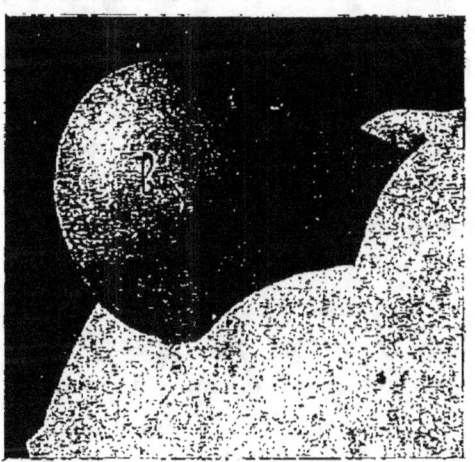

Fig. 22. — Perforation bipolaire par balle.
b, orifice de sortie avant la trépanation.

voir des traversées tout à fait superficielles, où les circonvolutions sont à peine entamées, le projectile ayant rasé les os, tandis que d'autres fois, il a traversé de part en part l'un ou les deux hémisphères.

Dans les fractures bipolaires, les deux orifices présentent des caractères différents qu'il faut connaître. L'orifice d'entrée est généralement assez petit, mais les lésions de la table interne sont plus étendues que celles de la table externe, et des esquilles sont souvent projetées dans le cerveau. L'orifice de sortie est ordinairement plus large, la boîte cranienne y a éclaté vers l'extérieur et s'il y a production d'esquilles, c'est sous le cuir chevelu ou le péricrâne qu'on les trouve (fig. 21 et 22).

Dans une deuxième catégorie, rentrent les *plaies uniques*, constituées par l'ouverture d'entrée du projectile, qui est resté inclus dans la cavité cranienne, ou par des pertes de substance intéressant le crâne et le cerveau dans une étendue et une profondeur variables. Ces plaies uniques forment la grande majorité des cas que nous avons l'occasion d'observer.

Une troisième catégorie comprend les *fractures tangentielles*. Le projectile a rasé la boîte cranienne en y creusant une gouttière perforante. La table interne a souvent éclaté plus loin que la table externe, rendant les lésions plus étendues qu'elles ne le paraissent à première vue.

Enfin, dans une quatrième catégorie, il convient de ranger les *fractures partielles*, dans lesquelles toute l'épaisseur osseuse n'est pas traversée. Ce peuvent être des gouttières creusées dans la table externe par des coups de feu tangentiels, ou des fractures quelquefois étendues de la table interne sans fracture extérieure appréciable.

Gravité. — La gravité des plaies cranio-cérébrales est extrêmement variable et dépend d'un grand nombre de facteurs qui sont : 1° l'état de la dure-mère ; 2° la variété anatomique de la fracture ; 3° son siège ; 4° la présence ou l'absence du projectile ; 5° l'étendue des lésions cérébrales ; 6° leur siège.

1° Etat de la dure-mère. — L'intégrité ou l'ouverture de la dure-mère est le facteur principal qui influence la gravité des fractures du crâne.

Règle générale, toute fracture sans déchirure de la dure-mère sera une fracture bénigne, toute fracture avec déchirure dure-mérienne sera une fracture grave. Cette différence de gravité est indépendante de l'état du cerveau. C'est le seul fait de l'ouverture des méninges qui aggrave singulièrement le pronostic, par suite de l'énorme danger d'infection qui en résulte.

2° Variété de la fracture. — Il est clair que les grands éclatements du crâne avec fissures lointaines et séparation complète de vastes fragments osseux, seront, toutes choses égales, plus graves que les perforations simples, à plus forte raison que les fractures incomplètes.

3° Siège de la fracture. — Le siège de la fracture peut influencer la gravité de deux manières, en ouvrant le sinus frontal, et surtout en ouvrant les sinus veineux.

De plus une fracture de la région temporale expose à la lésion de l'artère méningée moyenne, artère importante, dont la blessure peut entraîner la mort.

4° Présence ou absence du projectile. — Le pronostic immédiat n'est pas beaucoup influencé par le fait que le projectile est resté ou non dans la cavité cranienne. Dans les deux cas, on observe habituellement une guérison

immédiate également simple. Mais pour l'avenir, le pronostic est beaucoup assombri par le fait de la rétention
du projectile ou d'une esquille. Ce sont ces corps étrangers qui donnent lieu tardivement à la céphalalgie paroxystique, à l'épilepsie jacksonienne, à l'abcès cérébral,
à la méningo-encéphalite.

5° EXISTENCE DE LÉSIONS CÉRÉBRALES. — Aussitôt que le
cerveau est touché par le traumatisme, la lésion acquiert
une grande gravité. C'est que toute plaie du cerveau est
suivie immédiatement d'un écoulement plus ou moins
abondant de matière cérébrale, ce tissu friable s'en allant
en bouillie dès que la surface des circonvolutions est
entamée. La plaie anfractueuse qui en résulte en plein
tissu cérébral est extrêmement exposée à l'infection et à
la gangrène.

6° SIÈGE DES LÉSIONS CÉRÉBRALES. — La différence de
gravité résulte ici de la grande différence de valeur physiologique des diverses régions de l'écorce, et de l'importance très variable des centres détruits.

La zone de l'écorce qui a sous sa dépendance les fonctions physiologiques les plus importantes est la zone
rolandique, au voisinage de laquelle se trouvent les
centres moteurs de la moitié opposée du corps. On sait
que le centre du langage articulé occupe le pied de la
3° circonvolution frontale gauche. Or tous ces centres
sont assez superficiels et sont souvent intéressés dans
les fractures du pariétal.

Les autres régions du cerveau qui correspondent à la
voûte cranienne ont une importance physiologique beaucoup moindre, et nous voyons des pertes de substance
étendues du lobe frontal ou du lobe occipital n'être suivies immédiatement d'aucun trouble fonctionnel apparent.

Ces lobes sont, jusqu'à un certain point, des lobes indifférents. Il n'est pas certain qu'ils le sont au point que leur lésion n'aggrave pas les suites éloignées de la fracture.

Les lésions de la base, qui comprend l'isthme de l'encéphale et les noyaux d'origine des nerfs craniens, revêtent évidemment de ce chef une gravité extrême.

Symptômes. — 1° SYMPTÔMES LOCAUX. — La plaie cranio-cérébrale se présente sous les aspects les plus variés. C'est tantôt une large brèche osseuse, avec perte de substance étendue, d'autres fois une perforation faite comme à l'emporte-pièce, tantôt encore une fente de largeur variable, comme taillée à coups de hache, tantôt une étroite fissure osseuse qui demande une certaine attention pour être reconnue, tantôt enfin, une simple tache rougeâtre apparaissant par transparence et dénotant une lésion isolée de la table interne.

Dans toutes ces lésions, et spécialement dans les moins importantes en apparence, la table interne est fracturée dans une étendue plus grande que la table externe. Elle peut fournir à elle seule les esquilles. Mais en général, quand la fracture est complète, les esquilles comprennent toute l'épaisseur du crâne.

Les esquilles provenant de l'orifice d'entrée sont déprimées, déviées par leur pointe ou entièrement détachées et projetées vers l'intérieur de la boîte cranienne. Elles déchirent d'abord la dure-mère et pénètrent ensuite dans le cerveau, à une profondeur variable. Aussitôt il s'écoule de la plaie, avec le sang, une bouillie gris-rosée qu'on reconnaît facilement pour de la pulpe cérébrale. Dans les plaies larges, on voit quelquefois s'éliminer des lambeaux cohérents des circonvolutions.

Lorsqu'il existe un orifice de sortie, les lésions y sont

souvent, mais pas toujours, plus étendues qu'à l'orifice d'entrée, et les esquilles, s'il y en a, sont déviées ou projetées vers l'extérieur, et on les trouve souvent sous le cuir chevelu.

La lésion d'un sinus se reconnaît à un écoulement abondant de sang veineux, qui s'arrête par la compression sur l'os.

2º SYMPTOMES GÉNÉRAUX. — Ordinairement, le blessé est pâle et son pouls est lent. Le degré de conscience est variable. Il peut y avoir *coma* complet, définitif dans les cas qui doivent se terminer par la mort, passager dans les autres : au bout d'un ou de quelques jours, la lucidité revient lentement.

Dans d'autres cas, le blessé est plongé dans une *stupeur* dont on peut le tirer en l'interpellant. D'autres fois encore, la conscience est intacte. Fait à noter, le degré des troubles cérébraux n'est pas toujours en rapport direct avec l'étendue apparente des lésions.

On observe fréquemment des *phénomènes paralytiques*, sous forme d'hémiplégie croisée, plus rarement sous forme de monoplégies diverses. La paralysie du facial n'est pas rare. On sait que la branche inférieure a un noyau d'origine spécial. Aussi voit-on la paralysie isolée de chacune des branches du nerf.

Des *troubles de la parole* se constatent dans un certain nombre de cas, notamment l'aphasie sous ses formes diverses.

Des *amauroses* complètes, mais passagères, s'observent assez fréquemment dans les perforations bipolaires [1].

1. Les altérations de la vue survenant au cours des blessures du crâne, peuvent reconnaître comme cause une lésion des voies ou des centres optiques. Dans ce cas, ou bien les globes oculaires sont com-

Dès les premiers jours peuvent apparaître des *convulsions*. Elles sont d'un mauvais pronostic.

Au moment où les malades deviennent conscients, ils se plaignent généralement de *céphalalgie*. Ses caractères n'offrent rien de particulier. Elle persiste souvent, avec un *état vertigineux*, longtemps après la cicatrisation. Il en est de même de certaines *névralgies* dans le domaine du trijumeau.

Les phénomènes paralytiques peuvent être définitifs, mais ce n'est pas la règle. Ordinairement on les voit rétrocéder dans une mesure variable, comme nous le verrons plus loin. Il en est de même des troubles de la parole.

plètement respectés et l'examen ophtalmoscopique ne décèle aucune lésion, ou bien on observe une stase papillaire qui accompagne fréquemment les blessures du crâne et qui indique, soit une infection, soit une modification dans la tension du liquide céphalo-rachidien.

Les troubles visuels provenant d'une blessure du crâne intéressant les voies optiques sont variables suivant les cas. Quand les fibres optiques sont lésées, comme cela arrive le plus souvent dans leur trajet allant du chiasma à l'écorce, on observe du fait de leur semi-décussation au niveau du chiasma, une hémianopsie homonyme (perte de la vision dans les moitiés gauches ou droites correspondantes des deux champs visuels). Dans ce cas, on recherche le réflexe hémianopsique de Wernicke, qui peut exister lorsque la lésion est située entre le chiasma et le corps genouillé externe ; ce réflexe fait défaut quand la lésion est au delà du corps genouillé externe. En cas d'hémianopsie, la vision centrale est le plus souvent respectée, de sorte que le blessé ne se rend pas toujours compte spontanément de l'altération de sa vision. La persistance de la vision centrale s'explique par ce fait que les fibres maculaires ont une distribution spéciale et une topographie propre, au niveau du centre cortical.

Exceptionnelles sont les hémianopsies hétéronymes, les hémianopsies inférieure, supérieure, en quadrant, etc., l'hémianopsie double avec conservation de la vision maculaire, etc.

Suivant la nature et l'intensité des lésions, ces troubles visuels sont transitoires (compression par hémorragie) ou définitifs (destruction des fibres ou des centres) (Weekers).

Traitement. — 1° TRAITEMENT PRÉVENTIF. — Il existe des moyens préventifs contre les fractures du crâne et leurs complications. Nous avons insisté à plusieurs reprises sur les précautions à prendre pour atténuer la gravité de ces plaies. Le cerveau s'infecte avec une grande facilité et, une fois l'infection installée, elle marche presque fatalement vers la méningo-encéphalite, toujours mortelle.

D'autre part, quand on parvient à éviter l'infection, on peut voir des lésions graves, avec destruction étendue du tissu cérébral, évoluer de manière tout à fait bénigne, et on assiste, dans ces cas, à des restaurations fonctionnelles étonnantes.

Or les cheveux et les malpropretés du cuir chevelu sont évidemment entraînés par le projectile dans le cerveau, dont la désinfection à fond n'est pas possible, en raison de sa friabilité. C'est pourquoi nous avons demandé que les hommes aient les cheveux *tondus*.

Sans doute cette mesure a été prescrite, mais elle n'a pas été appliquée avec la rigueur nécessaire. Pour qu'elle ait toute son efficacité, il faudrait que la tonte fût périodique, et refaite à des intervalles de quelques jours. Cette simple précaution serait de nature à atténuer très sérieusement le danger d'infection.

Nous avons demandé que, de plus, le cuir chevelu tondu fût badigeonné à la teinture d'iode. Les plaisanteries qui ont accueilli cette proposition n'ont pas démontré son inutilité, et nous estimons qu'elle ne serait pas plus ridicule que les mesures que l'on prend maintenant contre les gaz asphyxiants.

On a objecté que, partant de ce principe de « préparer la région » aux blessures de guerre, il faudrait aussi préparer le ventre. Mais les conditions sont différentes.

Le danger d'infection des plaies abdominales est dans l'ouverture de l'intestin, contre laquelle aucune précaution ne peut être prise. Pour le cerveau, au contraire, le danger vient de l'extérieur, il est exogène, et nous pouvons tenter de l'écarter.

La guerre actuelle réalise du reste, par son immobilité, des conditions très favorables pour la mise en pratique d'une telle mesure. Il suffirait de passer le cuir chevelu à la tondeuse à chaque entrée dans les tranchées.

Dans un autre ordre d'idées, il faut signaler les essais faits en France, puis en Belgique pour garantir le crâne, dans la mesure du possible, contre l'atteinte des projectiles.

On a essayé d'abord une calotte métallique portée sous le képi. Elle a été abandonnée parce que le projectile pouvait faire éclater la plaque dont les débris atteignaient le crâne. Le contact du bouclier était trop direct.

Le modèle de casque métallique bas que les troupes françaises et les nôtres portent maintenant, semble plus recommandable. Evidemment il ne pourra opposer une résistance suffisante à une balle arrivant de plein fouet, et nous l'avons vue perforer de part en part à la fois le casque et le crâne. Mais il sera une barrière suffisante pour les projectiles animés d'une vitesse moindre, qu'il pourra arrêter ou faire dévier [1].

2° TRAITEMENT CURATIF. — Nous savions déjà, par les enseignements de la guerre de Mandchourie et de la guerre des Balkans, que les plaies cranio-cérébrales exigent la *trépanation précoce*. Cette loi n'a fait que se fortifier au cours de la campagne actuelle.

La nécessité de la trépanation découle de deux fac-

1. Les troupes britanniques ont adopté une coiffure analogue.

teurs : 1° de la souillure constante du foyer de fracture, et du danger d'infection qui en résulte pour le cerveau ; 2° de la fréquence des esquilles déprimées, ou projetées dans l'encéphale.

Que le fracture du crâne par projectile de guerre est toujours souillée, le fait ne demande pas à être démontré. Le projectile, avant d'entamer la boîte cranienne, a d'abord à traverser la coiffure, puis le cuir chevelu, et entraîne par conséquent avec lui toutes sortes de malpropretés qui s'accrochent aux aspérités osseuses ou pénètrent plus loin.

D'autre part, la force vulnérante agissant de dehors en dedans au niveau de l'orifice d'entrée, les éclats, notamment ceux de la table interne, seront projetés dans la cavité cranienne, s'ils sont libres, ou déprimés par leur pointe s'ils sont restés adhérents. Dans les deux cas, il importe d'en débarrasser le cerveau.

Précocité. — Que faut-il entendre par trépanation précoce ?

Il faut partir de ce principe que la trépanation est une opération de grande urgence, parce que l'infection est une question d'heures.

L'idéal serait de pouvoir trépaner immédiatement après la blessure. Mais il est évident que cela est impossible et que l'opération doit être remise jusqu'à l'hôpital du front. Ici donc se pose de nouveau cette importante question des évacuations rapides, sans étapes ou avec le minimum d'étapes.

Lorsque le blessé arrive à l'hôpital, il doit donc être opéré immédiatement. Nous ne pensons pas qu'il faille s'arrêter à des questions de shock ou d'état général, car les symptômes du shock sont difficiles à séparer des symptômes cérébraux que le blessé peut présenter en même temps, et le meilleur moyen de dissiper ces symptômes cérébraux, c'est précisément de faire cesser la compression de l'organe.

Indications — Pour les fractures dont le diagnostic est évident, la question de l'indication opératoire ne se pose même pas. Elle est formelle.

Mais la fracture peut être seulement probable. Supposons le cas d'un blessé dont le cuir chevelu a été ouvert par un projectile. On ne voit à la surface de l'os aucune trace de fracture, mais l'homme présente des phénomènes cérébraux, de l'inconscience ou même est plongé dans le coma complet, avec de la lenteur du pouls. Dans ces cas, la trépanation s'impose, pour dépister la fracture isolée de la table interne ou une hémorragie sous-méningée.

Dans d'autres cas, il n'y a aucun symptôme cérébral, mais on reconnaît à la surface du crâne une simple fissure de la table externe, sans dépression, et qui ne paraît pas perforante. Il faut trépaner encore, pour nettoyer la fissure, et aller à la recherche d'une lésion de la table interne, qu'on a beaucoup de chances de trouver.

Dans d'autres cas encore, l'examen le plus minutieux ne fait pas découvrir la moindre fissure, mais en un point on voit par transparence à travers la table externe, la tache rouge dont nous avons parlé, et qui est habituellement le signe d'une lésion de la table interne. Il faut trépaner encore.

On est allé plus loin, et on a voulu trépaner tous les blessés dont le cuir chevelu était sectionné, même quand la surface des os du crâne, mise à découvert, ne montre aucune lésion. On fonde cette opinion sur la possibilité de lésions intra-craniennes qui ne se révèlent par aucun symptôme local ou général. Nous pensons que c'est aller un peu loin et qu'il y a lieu de se tenir à la règle suivante : débrider largement toutes les plaies de tête, non seulement pour les nettoyer, mais pour inspecter avec le plus grand soin la surface osseuse, et trépaner si l'on découvre la moindre fissure, la moindre dépression, la moindre trace du passage du projetile sur le squelette, mais s'abstenir quand on ne découvre rien.

Contre-indications. — Il n'y a qu'une seule contre-indication à la trépanation, c'est l'état désespéré du blessé. Ce sera bien des fois le cas pour les perforations bipolaires qui, lorsqu'elles ne tuent pas immédiatement, laissent fréquemment le malade dans un état comateux dont il ne sort plus, et pour certaines plaies uniques avec coma, respiration irrégulière et pouls à peine perceptible.

Un blessé du crâne, considéré comme perdu et par conséquent non trépané, montre quelquefois, après un ou plusieurs jours, une amélioration inespérée. Dès ce moment, l'opération reprend ses droits et doit être pratiquée sans retard, bien que l'infection puisse avoir fait son œuvre, et que les chances soient moindres.

Technique. — La trépanation est une des opérations qui exigent le plus impérieusement une asepsie parfaite.

La moindre faute, la moindre négligence peuvent entraîner la méningo encéphalite, dont le pronostic est toujours fatal.

Il faut commencer par raser très largement le cuir chevelu autour de la plaie et préparer ensuite la région avec beaucoup de soin, par des lavages abondants à l'éther et un badigeonnage à la teinture d'iode. Il faut se rappeler que le cuir chevelu est une des régions les plus malpropres de la peau.

Il importe que l'opération soit faite rapidement, afin de ne pas augmenter le shock traumatique par le shock opératoire, et ne pas prolonger l'anesthésie.

L'opérationporteimproprement le nom de trépanation. C'est bien plutôt un simple nettoyage du foyer de fracture, une régularisation de la brèche cranienne. Il faut s'en tenir au strict nécessaire pour atteindre ce but et se garder des grandes ablations osseuses qui n'ajoutent rien au nettoyage et qui augmentent le danger de la hernie cérébrale.

Voici comment il convient de procéder :

La plaie est agrandie par une incision verticale assez longue, dont le milieu passe par son centre. Il ne faut faire ni incision transversale, qui coupe les vaisseaux en travers, ni incision cruciale, qui est inutile (fig. 23 et 24). Les deux lèvres de l'incision sont séparées de l'os à la rugine, de manière à bien exposer la surface cranienne. On explore ensuite avec soin la fracture, pour en reconnaître la variété et les caractères. Supposons qu'il s'agisse d'une fracture esquilleuse assez large.

Après avoir enlevé à la pince ou au davier toutes les esquilles libres ou peu adhérentes, et avoir débarrassé la brèche osseuse des malpropretés qui sont accrochées à ses aspérités, on égalise ses bords à petits coups, au moyen de la pince gouge, de manière à en faire une ouverture régulière dont tout le pourtour est avivé. Il ne faut sacrifier rien de plus du squelette, si ce n'est les esquilles de la table interne, qu'il faut aller chercher sous la brèche et qu'il faut extraire prudemment, pour éviter de blesser la dure-mère, si elle est intacte.

On agirait de même si la fracture n'était qu'une simple fente, qu'une fissure de la table externe, ou si celle-ci était simplement déprimée. Mais dans ce cas, il faut com-

mencer, pour frayer une voie à la pince-gouge, par traverser le crâne, soit au moyen d'une petite couronne de
trépan, soit mieux au moyen d'une fraise montée sur un
vilebrequin. On explore ensuite l'intérieur de la boîte
cranienne, on enlève les esquilles de la table interne, et

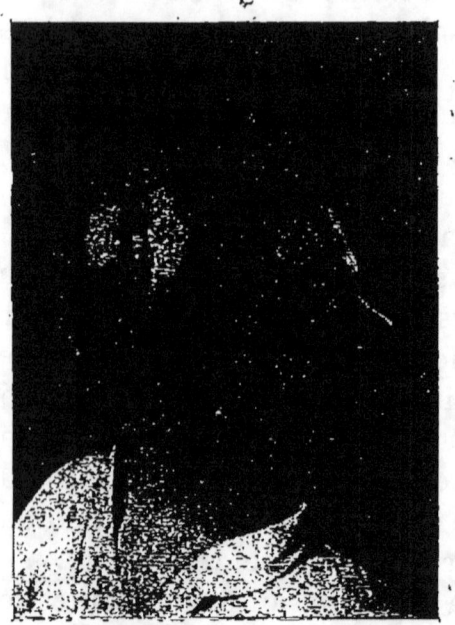 

Fig. 23. — Trépanation double
pour perforation bipolaire
postérieure Même cas que
fig. 22. Cicatrice droite mon-
trant direction de l'incision.

Fig. 24. — Trépanation double
pour perforation bipolaire
postérieure. Même cas que
fig. 21. Cicatrice gauche mon-
trant direction de l'incision.

on agrandit pour cela l'ouverture à la pince-gouge dans
l'étendue jugée nécessaire.

La pince-gouge est le meilleur instrument pour agrandir les orifices. Elle est préférable au ciseau et au maillet, parce qu'elle n'expose pas le cerveau à l'ébranlement.

Lorsque la dure-mère est ouverte, et qu'il y a écoulement de substance cérébrale, il faut s'assurer si des esquilles ne sont pas logées dans le cerveau. On sonde prudemment au moyen du doigt ou d'instruments mousses, et on retire avec précaution tous les corps étrangers qu'on rencontre. Il est essentiel de ne pas prolonger outre mesure cette exploration et de ne pas pénétrer dans le cerveau au delà de la partie détruite. Une grande légèreté de main est nécessaire, car le tissu cérébral, une fois entamé, n'offre qu'une très faible résistance. C'est cette faible résistance qui rend impossible une désinfection à fond de la plaie cérébrale, par les procédés qui nous servent partout ailleurs.

Tout cela doit être fait rapidement et ne durer que quelques minutes.

Il est nécessaire que la plaie tout entière soit laissée ouverte. Aucune suture ne doit être faite. La fermeture, même partielle de la plaie, expose à la rétention des liquides, à la compression cérébrale et à l'infection méningoencéphalique.

S'il existe une perte de substance du cerveau, on tamponne très légèrement la cavité au moyen d'une mèche de gaze. On fait de même pour la plaie pariétale. On couvre d'une épaisse couche d'ouate, en vue de l'hémorragie en nappe consécutive, qui est constante.

En cas de perforation bilatérale, on pratique successivement la même opération sur les deux orifices, en se souvenant qu'à l'orifice de sortie, il n'y a généralement pas d'esquilles profondes.

Dans les fractures du frontal, il y a lieu d'agir exactement comme pour les autres régions du crâne, c'est-à-dire ouvrir successivement les deux parois du sinus. On trouve souvent les lésions les plus étendues sur la paroi profonde, qui correspond à la table interne.

Il faut renoncer à rechercher le projectile par les moyens ordinaires, à moins que la radiographie n'ait pu le repérer au voisinage immédiat de la fracture. On l'enlèverait naturellement si on le rencontrait par hasard au cours de l'exploration intra-cranienne. Nous avons vu une balle de fusil implantée perpendiculairement dans le crâne, comme un clou, sa base affleurant le cuir chevelu, sa pointe piquant le cerveau.

Mais la question de l'extraction immédiate des projectiles intra-craniens a fait un grand pas par l'emploi d'un fort électro-aimant, agissant sur une tige métallique introduite dans le trajet cérébral jusqu'au contact du projectile. Celui-ci sort par le canal qu'il a creusé en entrant, sans produire aucune lésion nouvelle.

Complications opératoires. — La seule complication opératoire qu'on puisse rencontrer est l'hémorragie. Dans la majorité des cas, elle provient de la déchirure d'un sinus veineux. Pour l'arrêter, on recourt au tamponnement compressif un peu prolongé, qui est généralement efficace. Si la déchirure du sinus était large, il faudrait en faire la ligature après avoir, au besoin, élargi la brèche osseuse dans la direction voulue.

Dans la région temporo-pariétale, c'est l'artère méningée moyenne qui peut être ouverte, et dont il faudrait faire la ligature.

Suites opératoires. — 1° SUITES IMMÉDIATES. — a) *Evolution aseptique.* — Lorsque l'évolution doit être aseptique, la température n'atteint pas 38° et le pouls devient de moins en moins lent. Dans ce cas, le pansement ne doit être renouvelé qu'après huit à dix jours, et dès ce moment, la plaie commence à bourgeonner, sans qu'il y

ait la moindre suppuration. Souvent des lambeaux spha-
célés du cerveau sont en voie d'élimination, ou l'on constate déjà une tendance à la hernie cérébrale.

Quant aux symptômes cérébraux, leur évolution dépend
de l'étendue et de l'importance des régions détruites de
l'encéphale.

Le coma se dissipe après quelques jours, sauf dans
certains cas où la destruction cérébrale est sans doute
trop étendue, et où il persiste jusqu'à la mort, sans que
la plaie montre d'ailleurs aucun signe d'infection.

Même quand la conscience revient, ces blessés gardent
pendant longtemps dans leur habitus et dans leur façon
de s'exprimer, une sorte de naïveté d'enfant.

Très souvent, les paralysies rétrocèdent après quelques
semaines et cette régression s'accompagne ordinairement
de celle de la hernie cérébrale, si elle existe.

L'aphasie s'améliore également, mais avec lenteur. Il
en est de même de l'amaurose. C'est la céphalalgie qui
se montre la plus tenace, et quelquefois, les névralgies.

b) *Infection.* — Lorsqu'il y a plaie cérébrale, l'infection est fréquente, même après les trépanations les plus
soigneuses. Sa gravité est variable.

Vers le troisième jour, la fièvre s'allume et prend le
caractère des grandes oscillations. Il se produit de l'agitation et du délire, une lenteur progressive du pouls.
Insensiblement le sensorium s'obnubile et le malade
tombe dans le coma. Des convulsions éclatent, en accès
dont la fréquence et la violence s'accentuent. Souvent
la hernie cérébrale apparaît et s'accroît rapidement. La
ponction lombaire ramène un liquide cérébro-spinal louche. C'est la méningo-encéphalite, qui tue presque sûrement.

L'infection n'est pas toujours aussi grave. Elle peut se localiser aux environs de la plaie, et se borner à la suppuration du foyer de fracture. Des adhérences ont, dans ce cas, isolé l'espace méningé. En cas de hernie céré-

Fig. 25. — Hernie cérébrale un mois après trépanation.

brale, le bourgeon hernié peut contracter des adhérences avec les bords de la brèche osseuse, et une rétention de pus derrière cette barrière peut se révéler par une as-

cension thermique ou par de l'œdème palpébral. Il suffit de détruire les adhérences de la hernie pour que le
pus trouve à s'écouler et que tout rentre dans l'ordre.

La méningite purulente et même la méningo-encéphalite peuvent aussi s'arrêter dans leur évolution et après

Fig. 26. — Même cas que figure 25. Hernie cérébrale guérie six
    semaines après son apparition et deux mois et demi après la tré-
    panation.

quelques jours de symptômes généraux inquiétants avec
liquide céphalo-rachidien trouble, tout peut rentrer dans
l'ordre. Nous avons eu l'impression que les ponctions
lombaires répétées aidaient puissamment à ce résultat.

2' SUITES RETARDÉES. — La *hernie cérébrale* peut,
comme nous l'avons dit, s'annoncer dès les premiers

jours. D'autres fois elle est tardive et ne se dessine qu'au cours de la cicatrisation. Elle peut atteindre des dimensions énormes.

Quelquefois, spécialement quand elle est apparue dès les premiers jours, elle rétrocède de bonne heure, à mesure que les symptômes cérébraux (paralysies, etc.) s'améliorent eux-mêmes, et la cicatrisation complète trouve la hernie guérie (fig. 25 et 26).

D'autres fois, son développement s'arrête au moment où elle a acquis un certain volume et dès lors, elle est définitive. Le champignon qu'elle forme se couvre de tissu cicatriciel et sa base adhère aux bords de la brèche osseuse.

Enfin la hernie qui accompagne la méningo-encéphalite ou l'abcès cérébral, qu'elle existât ou non avant la complication septique, s'accroît indéfiniment jusqu'à la mort. Elle disparaît au contraire avec les autres symptômes dans les rares cas qui évoluent favorablement.

La brèche osseuse constitue, après guérison, un point faible qu'il faut protéger contre les heurts et les chocs. Le port d'une plaque métallique satisfait certains de ces blessés. Mais l'ostéoplastie et la prothèse peuvent faire mieux. On a utilisé un lambeau ostéo-périosté taillé dans le voisinage. On a transplanté sur la brèche une omoplate fraîche de lapin, et on s'est adressé à la prothèse au moyen de plaques métalliques, argent, or ou aluminium. La transplantation de lames cartilagineuses taillées dans les cartilages costaux est très recommandable. Nous reviendrons sur cette méthode à propos des plaies de la face. Cependant, pour les larges pertes de substance, la cranioplastie par plaque métallique doit être préférée.

Il arrive quelquefois que des blessés, après avoir été trépanés, passent d'abord plusieurs semaines sans pré-

senter aucune complication, et qu'ensuite, après cicatrisation régulière de la plaie, ils commencent à se plaindre
de vertiges et de céphalalgie sans caractère bien défini,
en même temps que le pouls devient lent. Ces symptômes sont souvent l'indice de l'évolution d'un *abcès
cérébral*, qui peut déterminer la mort subite. A l'autopsie,
nous avons trouvé des abcès volumineux, ayant désorganisé tout un lobe cérébral. Nous avons vu d'autre part
un énorme abcès du lobe frontal, avec hernie, guérir par
l'ouverture et le drainage, après trépanation décompres-
sive pour symptômes cérébraux persistants avec forte
stase papillaire bilatérale.

Quelques trépanés font de l'épilepsie jacksonienne.
Cette complication oblige à rouvrir le crâne pour supprimer l'épine qui irrite l'écorce : corps étranger métallique ou osseux, cicatrices fibreuses, adhérences, etc. On
termine par la cranioplastie.

3° SUITES ÉLOIGNÉES. — Autant les résultats immédiats de la trépanation sont encourageants, autant les
suites éloignées sont décevantes, surtout lorsqu'il y a eu
de vastes délabrements du cerveau, et tout particulièrement quand des corps étrangers, projectiles ou esquilles,
sont restés inclus dans la boîte cranienne.

Des mois, quelquefois un an et plus après une guérison
en apparence radicale, il n'est pas rare de voir s'installer
sournoisement des symptômes cérébraux d'abord bénins,
qui s'aggravent lentement et conduisent à la méningo-
encéphalite diffuse, auquel le malade finit par succomber.

Cette complication tardive semble être assez fréquente
pour justifier le pronostic le plus réservé, même après
les plus belles guérisons immédiates. Elle ne doit cependant pas nous détourner de la trépanation systématique,

mais nous pousser à la recherche primitive du projectile, que l'emploi de l'électro-aimant nous permet dès maintenant d'entreprendre avec de grandes chances de succès.

L'extraction tardive après éclosion des accidents, est très laborieuse, parce que le corps étranger s'est entouré d'une coque souvent épaisse, à laquelle il peut être fixé lui-même par une sorte de pédicule fibreux.

CHAPITRE VII

PLAIES DU RACHIS ET DE LA MOELLE ÉPINIÈRE

Fréquence. Variétés. — Les plaies du rachis et de la moelle épinière, qui étaient considérées comme exceptionnelles dans les guerres précédentes, ont été assez nombreuses dans la guerre des Balkans. Dans la campagne actuelle, leur nombre s'est accru encore. Contrairement à beaucoup d'autres, ces plaies ne sont jamais mortelles immédiatement, et la fréquence que nous observons dans les hôpitaux correspond à la fréquence réelle.

Les lésions de la colonne sans atteinte de la moelle ne sont pas très rares, mais elles n'ont pas grand intérêt pour nous. Bien des fois, elles ne sont pas diagnostiquées ou ne sont reconnues que par hasard.

Ainsi, on trouve le corps vertébral perforé par des projectiles qui ont traversé le ventre ou le thorax. Ces perforations ne donnent lieu à aucun symptôme. Ce sont les lésions abdominales ou thoraciques qui occupent la scène.

D'autres fois, on trouve des fractures d'apophyses épineuses ou de lames vertébrales produites par un coup de feu tangentiel, ou compliquant des plaies des parties molles. Ces blessures sont encore sans intérêt.

La seule lésion importante est celle qui s'accompagne de troubles médullaires. Elle est presque toujours produite par une balle de fusil et, très souvent, l'orifice d'entrée est loin de la colonne.

Aussi n'est-il pas rare de constater, en même temps que la lésion de la moelle, soit une plaie de la face ou du cou, soit une perforation du poumon avec hémothorax, soit une perforation abdominale.

Symptômes. — La plaie d'entrée et, quand elle existe, la plaie de sortie, n'offrent en général aucun caractère spécial. Ce sont des orifices étroits, comme en font presque toujours les balles de fusil.

Il n'est pas habituel de trouver localement la trace du passage du projectile par la colonne, et de percevoir une mobilité anormale ou une déviation d'une apophyse épineuse, ou une crépitation localisée. Quelquefois ce sera l'écartement de deux apophyses épineuses par section du ligament interépineux. Mais en général, il n'existe, à l'endroit présumé atteint, ni déformation, ni aucun signe reconnaissable au palper.

Le symptôme capital, qui domine tous les autres, est la *paralysie*. Au moment même où l'homme est frappé, ses jambes se dérobent sous lui et il tombe, atteint de paraplégie immédiate, plus rarement de paralysie des quatre membres. Cette paralysie est complète et elle peut intéresser en plus les muscles abdominaux et les muscles thoraciques.

Dans l'immense majorité des cas, il y a *abolition de tous les réflexes*. Quelquefois certains réflexes cutanés, peuvent être conservés, ordinairement d'un seul côté. On observe aussi, à titre exceptionnel, l'exagération des réflexes.

En même temps que la paralysie, s'établit l'*anesthésie*, qui est également totale et occupe toute l'étendue de la région paralysée. Dans quelques cas, il subsiste une ou plusieurs petites zones cutanées sensibles, ou même hyperesthésiques, sans que la distribution de ces zones puisse donner aucune indication sur la nature ou le degré de la lésion médullaire.

Dès le premier moment, il y a *paralysie de la vessie et du rectum*.

Marche et complications. — Au bout d'un certain temps, quelquefois très rapidement, apparaissent des signes de *décubitus* au niveau du sacrum, des fesses, des talons, des coudes. Les altérations de la peau prennent un caractère grave, et s'étendent en surface et en profondeur, d'après qu'on prend ou non des mesures préventives. Elles vont de la simple rougeur à la destruction complète de la peau et des tissus sous-jacents et à la dénudation du squelette. Elles peuvent être évitées dans une certaine mesure, comme nous le verrons.

On considérait généralement ces escharres comme des lésions trophiques d'origine nerveuse. On revient actuellement de cette opinion et on tend à admettre que l'action trophique nerveuse ne joue qu'un rôle accessoire. Ce serait d'une part la compression permanente de la peau sur un lit trop dur, d'autre part la souillure par l'urine et les déjections, qui seraient les causes principales des excoriations de la peau, premier stade des ulcères (P. Marie.)

L'infection des voies urinaires, attribuable à la stagnation de l'urine, et aussi à des cathétérismes faits sans précautions suffisantes, ne tarde pas à aggraver la situation.

Une *cystite* s'installe, révélée par un trouble croissant de l'urine, qui devient bientôt franchement purulente et dégage une odeur âcre caractéristique. Fréquemment la cystite devient hémorragique, et nous avons trouvé à l'autopsie la muqueuse vésicale transformée en une membrane rouge sombre, tomenteuse et saignant au moindre contact.

En même temps, la rétention peut s'être transformée en *incontinence*, d'abord par regorgement, puis en incontinence totale. A partir de ce moment, l'humidité qui trempe constamment le malade active l'extension des escharres.

L'infection vésicale gagne l'uretère et le rein, et la *pyélo-néphrite ascendante* peut entraîner la mort rapidement, par accidents urémiques.

Mais en général, la marche est plus lente. La *fièvre* qui s'est allumée dès le début de la cystite, monte peu à peu, à mesure que s'aggrave l'infection des organes urinaires. Elle finit par prendre les allures de la fièvre hectique et le malade maigrit, s'épuise et succombe à la cachexie. Cela dure des semaines, même des mois.

Des complications pulmonaires peuvent, du reste, amener le dénouement beaucoup plus tôt, et l'on voit certains de ces blessés être emportés en quelques jours par des bronchopneumonies hypostatiques ou infectieuses.

Enfin, dans les lésions cervicales, la mort survient parfois en quelques heures, par paralysie des muscles respiratoires.

La terminaison est donc habituellement fatale, quand la lésion est abandonnée à elle-même et que les soins ne sont pas suffisants. Mais cette règle n'est pas absolue et lorsque ces blessés sont traités convenablement, on les voit s'améliorer à tel point que, lorsqu'il s'agit notamment de lésions hautes, cervicales, les mouve-

ments peuvent revenir suffisamment pour permettre la
marche.

Le médecin ne doit donc pas considérer une paraplégie
par fracture de la colonne comme étant au-dessus de ses
ressources, et abandonner le blessé à son sort. Il est certain que la terminaison fatale peut être reculée pendant
longtemps par des soins appropriés.

Il faut surtout veiller à éviter les escharres et la cystite. Ce n'est pas facile, mais on y arrive, et si ces complications apparaissent malgré tout, on est encore en
mesure de s'opposer à leur extension. A ce prix, l'état
général restera bon, la marche sera apyrétique, et on
assistera peut-être à un retour partiel des fonctions.

Localisation de la lésion. — Si l'on veut faire le
diagnostic exact du siège de la lésion médullaire, — diagnostic indispensable pour une intervention projetée, —
il importe de se rappeler les notions essentielles de topographie vertébro-médullaire, et de connaître les rapports
exacts des divers segments de la colonne vertébrale avec
les régions principales de la moelle épinière. Nous avons
vu en effet que les signes cliniques locaux qui pourraient
guider font maintes fois défaut.

Voici les points principaux dont la connaissance est
indispensable. Nous les donnons d'après Poirier et Charpy
(fig. 27).

Le premier segment de la moelle, compris entre le col-
let du bulbe et l'origine du renflement cervico-brachial,
répond aux deux premières vertèbres cervicales.

Une lésion atteignant ce segment aura donc une réper-
cussion sur les quatre membres.

Le renflement cervico-brachial va de la 3º cervicale à
la 2º dorsale, et les nerfs destinés à la ceinture scapulaire

et au membre supérieur ont leurs noyaux d'origine dans la partie moyenne de ce segment, entre la 4° vertèbre cervicale et la 1re dorsale.

Une lésion située au-dessus de la 4° cervicale affectera donc en totalité les membres supérieurs, et évidemment aussi les membres inférieurs. Une lésion occupant la partie moyenne du renflement cervico-brachial, — entre la 4° cervicale et la 1re dorsale, — aura encore le même effet, si elle atteint tous les noyaux d'origine des nerfs du bras. Si certains de ceux-ci sont épargnés, la paralysie pourra être partielle.

A partir de la 1re vertèbre dorsale, une lésion de la partie correspondante de la moelle n'affectera plus le membre supérieur.

La moelle dorsale s'étend de la 2° à la 10° vertèbre dorsale.

Le renflement lombo-sacré est compris entre la 10° vertèbre dorsale et la 2° lombaire, au bord inférieur de laquelle correspond le cône terminal de la moelle. Le segment de ce renflement dont partent les racines lombaires, va de la 10° à la 12° dorsale, et le segment dont partent les racines sacrées s'étend de la 10° dorsale à la 1re lombaire.

Les lésions de la moelle entre la 1re et la 12° dorsale donneront donc la paraplégie. Celles qui correspondraient à la 1re vertèbre lombaire n'atteindraient plus que les racines des nerfs sacrés.

Plus bas, c'est-à-dire à partir du bord inférieur de la 2° vertèbre lombaire (extrémité du cône terminal), c'est la queue de cheval qui est intéressée, et les symptômes ne sont plus médullaires. Ils varieront d'après celles des racines lombaires et sacrées qui sont atteintes.

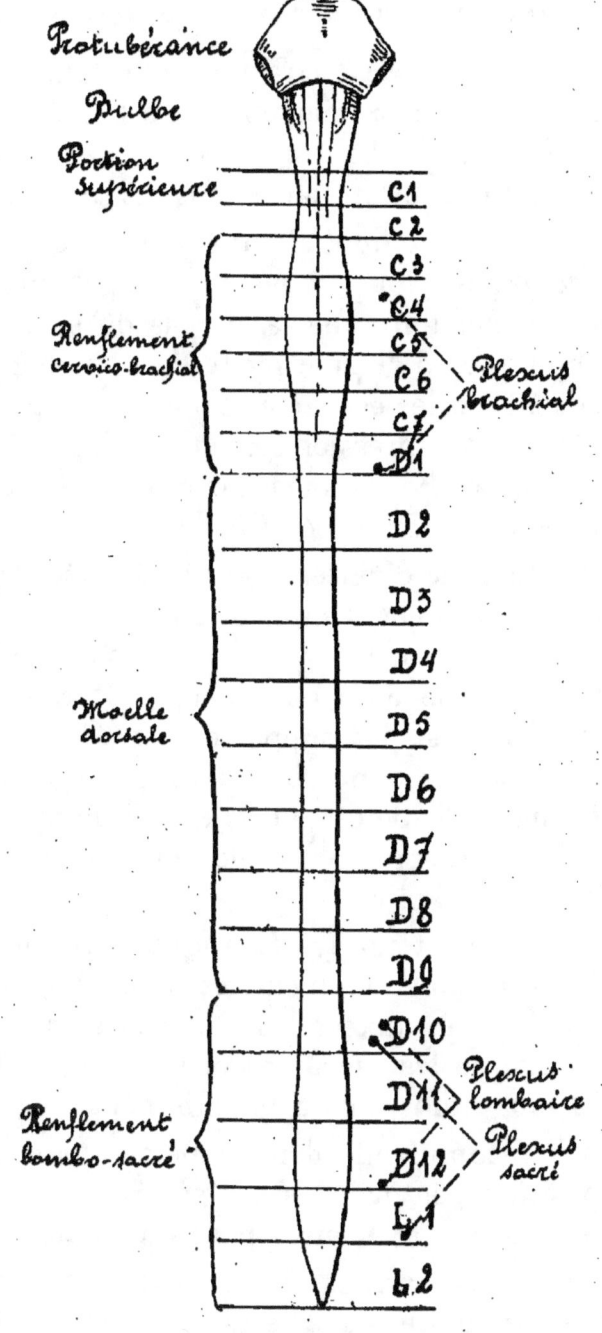

Fig. 27. — Rapports des divers segments de la moelle
avec la colonne vertébrale.

Traitement. — 1° TRAITEMENT MÉDICAL. — Le traitement médical est extrêmement important, non pour rappeler les fonctions abolies, mais pour éviter ou reculer
les complications, dont nous avons dit toute la gravité.

Le premier point dont il faille se préoccuper est d'*éviter le décubitus*. Nous avons vu que, d'après les idées
actuelles, ce décubitus ne serait pas dû surtout à des lésions trophiques d'origine médullaire — conception qui
faisait considérer les escharres comme inévitables — mais
bien plutôt à la compression permanente des mêmes régions
de la peau entre l'os sous-jacent et le plan dur du lit, en
même temps qu'à la macération.

Il importe donc d'éviter avant tout cette pression con-
tinuelle et, pour cela, il suffit de supprimer l'une des surfaces comprimantes, le lit dur. Le classique anneau de
caoutchouc, gonflé d'air ou d'eau, peut rendre des services, mais il n'est pas supporté longtemps et il localise
trop la pression. Le matelas à eau, plus élastique, qui
répartit mieux le poids du corps et fatigue moins le
malade, doit être préféré. Il ne doit pas être fortement
distendu par le liquide.

Si le blessé est tenu systématiquement couché sur un
tel lit dès le premier moment, et si l'on soigne pour l'en-
tretien de la peau aux endroits exposés, on est étonné
de constater que les escharres peuvent être évitées pendant très longtemps, sinon indéfiniment.

P. Marie recommande, dans le même but, de faire changer la position des malades toutes les heures pendant le
jour, toutes les deux heures pendant la nuit.

Malgré ces précautions, on verra le décubitus survenir
de très bonne heure, dans certains cas qui se distinguent
par la rapidité de leur évolution, et qui sont vraiment

au-dessus de nos ressources, médicales ou chirurgicales. Mais ils constituent l'exception.

Un deuxième point auquel il convient d'attacher une grande importance, c'est *d'éviter la cystite*, complication presque fatale, et qui est, le plus souvent, la cause de la mort.

C'est une tâche difficile que d'éviter la cystite chez de tels blessés. On y arrive jusqu'à un certain point en prenant des précautions extrêmes pour le cathétérisme et en faisant de fréquents lavages de la vessie.

Le cathétérisme doit être pratiqué matin et soir. Il doit être fait par le médecin lui-même ou par un assistant, qui doit revêtir des gants, n'employer que des sondes molles, stérilisées chaque fois par ébullition. Il faut que le gland et le méat soient préalablement lavés à l'éther et badigeonnés à la teinture d'iode. L'introduction de la sonde doit se faire sans aucune violence, avec une grande légèreté de main, afin de ne pas provoquer d'excoriation de la muqueuse.

Lorsque la vessie est vidée, on la lave abondamment en y faisant passer une grande quantité d'un liquide antiseptique, une solution de permanganate de potassium, de préférence. Une petite quantité du liquide peut être abandonnée dans la vessie.

Après chaque cathétérisme, le gland est lavé et entouré de gaze et d'ouate stériles.

Si, malgré ces précautions, l'urine devient trouble, et que la cystite s'annonce, il est indiqué de continuer le même traitement en redoublant de soins. Il n'y aurait pas lieu de s'arrêter sous prétexte que la rétention se sera t transformée en incontinence. Même quand il s'agit d'une incontinence vraie, et non de regorgement, il reste toujours de l'urine dans le bas-fond vésical ; les lavages sont donc aussi indispensables qu'auparavant.

Il est bon d'ajouter au traitement local, l'administration à l'intérieur d'un antiseptique urinaire, dont le plus utile paraît être l'urotropine.

Le traitement médical sera complété par l'emploi de tous les moyens propres à soutenir les forces du blessé et à relever son état général.

2° TRAITEMENT CHIRURGICAL. — Le traitement chirurgical consiste dans la *laminectomie*, opération qui ouvre le canal rachidien par résection d'un segment de son arc postérieur, dans le but : 1° d'enlever un projectile ou des esquilles qui peuvent y avoir pénétré ; 2° d'éloigner des épanchements sanguins extra ou intra-duraux qui peuvent comprimer la moelle ; 3° d'examiner celle-ci pour reconnaître les lésions qu'elle peut présenter et établir un pronostic certain.

Indications. — Il y a des cas où l'indication de la laminectomie est formelle et admise par tout le monde. C'est, par exemple, lorsqu'on a pu constater une fracture des lames vertébrales et qu'il y a nécessité d'aller s'assurer si des esquilles ne compriment pas la moelle.

C'est encore lorsque, en l'absence de tout signe local extérieur, la radiographie a fait reconnaître une fracture esquilleuse dans le voisinage du canal médullaire.

C'est enfin, quand la radiographie montre un projectile inclus dans le canal ou situé à proximité de celui-ci.

En dehors de ces indications indiscutables, il en est qui sont admises par certains chirurgiens, rejetées par d'autres.

Lorsque, par exemple, l'abolition des fonctions n'est pas complète, qu'il subsiste certains réflexes, à plus forte raison quand les réflexes sont exagérés, nous estimons qu'on est en droit de soupçonner, non une lésion destructive, mais une simple compression de la moelle, et qu'une intervention exploratrice est justifiée.

Mais nous allons plus loin, et nous sommes d'avis que, même lorsque l'abolition des fonctions médullaires est complète, même si l'on n'a pu reconnaître aucune fracture ni aucun projectile, la laminectomie exploratrice est encore indiquée, à la condition que l'état général du blessé ne laisse rien à désirer.

Sans doute, cette intervention ne conduira pas toujours sur une lésion du squelette et ne se terminera pas toujours par l'ablation d'un corps étranger métallique ou osseux. Bien des fois, elle fera reconnaître des lésions médullaires irrémédiables, et restera forcément exploratrice. Mais précisément, elle aura eu la valeur de toute opération exploratrice, c'est-à-dire qu'elle aura permis un diagnostic précis et un pronostic ferme.

Elle ne sera d'ailleurs jamais nocive, si on ne la pratique pas trop tard sur des blessés affaiblis. La laminectomie qui est, à première vue, une opération très traumatisante, est en réalité bien supportée, et les suites en sont simples.

D'un autre côté, elle réserve des surprises agréables. Tantôt, elle ouvrira un hématorachis et lèvera du même coup la compression. Tantôt elle n'aura rien donné immédiatement, ou presque rien, mais elle n'en aura pas moins un effet excellent, encore que long à se manifester.

Il y a cependant des contre-indications. Elles se résument dans le mauvais état général du blessé, dans la coexistence d'autres lésions ou d'affections internes, et dans le fait de se trouver en présence d'une de ces variétés à caractère grave dès l'origine, et à évolution rapidement mortelle.

A quel moment convient-il d'opérer ?

Il faut évidemment attendre que le shock soit dissipé. Il ne faut pas attendre davantage, si l'on a des raisons de croire à une compression simple. Lorsqu'au contraire les prévisions ne sont pas aussi favorables, nous croyons qu'il vaut mieux attendre quelques jours, pour laisser se dessiner la marche du cas, et n'intervenir que si cette marche n'annonce pas une forme particulièrement grave.

Technique. — Il faut, avant tout, déterminer le segment de la colonne sur lequel va porter l'intervention.

Quand il existe des symptômes locaux, la question ne se pose pas. La laminectomie sera faite à l'endroit où l'on constate ces symptômes.

Il n'y a pas encore de grandes difficultés quand il existe deux orifices, bien que la ligne droite qui les réunit ne coupe pas nécessairement la colonne au point touché. Le projectile peut, en effet, avoir dévié sur le rachis.

Les difficultés sont réelles quand il n'y a pas d'orifice de sortie. On a alors la ressource de la radiographie pour localiser le projectile et se mettre à peu près dans les conditions du cas précédent.

Il faut, en tout cas, combiner les renseignements ainsi obtenus avec ceux que l'on tire des notions de topographie vertébro-médullaire, dont nous avons parlé. Ces connaissances constitueront notre seule ressource lorsque la radiographie est négative, ce qui arrive quelquefois, sans qu'on puisse expliquer pourquoi elle ne parvient pas toujours à repérer le projectile.

Le malade est couché sur le ventre, un coussin relevant le thorax et l'abdomen.

L'incision médiane verticale des parties molles doit
avoir au moins 15 centimètres de long. Son milieu doit
correspondre au point présumé atteint.

Après avoir divisé la peau, on dénude la crête des
apophyses épineuses, le long de laquelle on détache à
droite et à gauche les insertions du grand dorsal, puis on
sépare à petits coups des deux gouttières vertébrales les
muscles qui les occupent (sacro-lombaire, long dorsal,
transversaire épineux), en arrêtant par la compression
le suintement sanguin toujours assez abondant, et en faisant rétracter en dehors la masse musculaire à mesure
qu'on avance dans la profondeur. On n'arrête cette dissection que lorsque les faces latérales des apophyses
épineuses et les lames vertébrales sont bien découvertes,
ces dernières jusqu'au tubercule qui marque leur extrémité.

Si l'on tombe sur une fracture de l'arc vertébral, on
commence par enlever les esquilles, ce qui va donner du
jour pour ouvrir le canal médullaire avec une pince-
gouge ou avec le ciseau et le maillet, et exposer ainsi
la dure-mère.

Si l'on ne découvre pas de fracture, il s'agit de réséquer d'abord l'arc d'une vertèbre. L'arc choisi est séparé
de ses deux voisins par section des ligaments interépineux et intertransversaires.

Il est bon de réséquer au préalable les apophyses épineuses, ce qui se fait le plus rapidement en les saisissant dans une forte pince-gouge et en les fracturant à
leur base (fig. 28). Ce temps opératoire, bien qu'utile,
n'est pas indispensable.

On coupe maintenant de chaque côté la lame vertébrale, le mieux au moyen d'une forte cisaille dont l'une
des branches, étroite et courbée, est glissée sous la lame.

A défaut d'une bonne cisaille, on peut se servir du ciseau et du maillet et, dans ce dernier cas, il faut avoir soin de diriger le trait obliquement en dedans, de manière à tomber sûrement dans le canal vertébral, et à ne pas s'égarer dans les masses latérales de la vertèbre (fig. 29).

Saisissant alors l'arc postérieur isolé dans un fort davier, on le soulève et on le renverse vers le haut, pour détacher ce qui tient encore (fig. 30).

On procède de même pour une deuxième, puis pour une troisième vertèbre, en ayant toujours bien soin que

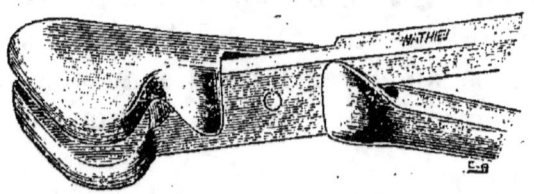

Fig. 28. — Pince-gouge très puissante.

les instruments ne pénètrent pas dans le canal et ne bles- sent pas la moelle.

Lorsque les trois arcs sont réséqués, on se trouve devant la dure-mère exposée dans une étendue de 8 à 10 centimètres. On la reconnaît à sa teinte bleue, quand on l'a débarrassée des tractus celluleux qui la recouvrent.

Il va sans dire qu'on enlèverait, chemin faisant, les esquilles libres ou le projectile, si on les découvrait.

Il faut maintenant inciser verticalement la dure-mère dans toute l'étendue où elle est exposée. Il importe de ne jamais renoncer à cette incision, sous prétexte que la membrane ne porte aucune trace de traumatisme. Très souvent, la dure-mère ne présente en effet aucune lésion apparente, et pourtant, sous elle, la moelle est détruite.

Les deux lèvres de l'incision dure-mérienne sont maintenues écartées par des pinces de Kocher.

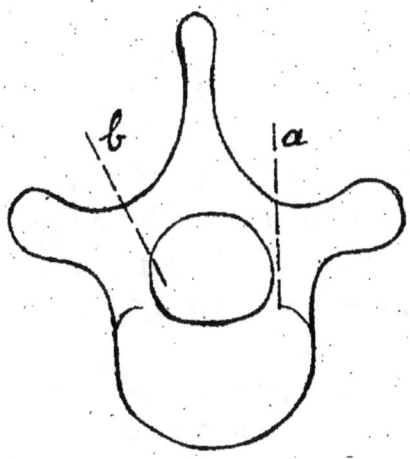

Fig. 29. — Laminectomie au ciseau.
a, mauvaise direction du ciseau ; b, bonne direction du ciseau.

Aussitôt le liquide céphalo-rachidien s'écoule et la face

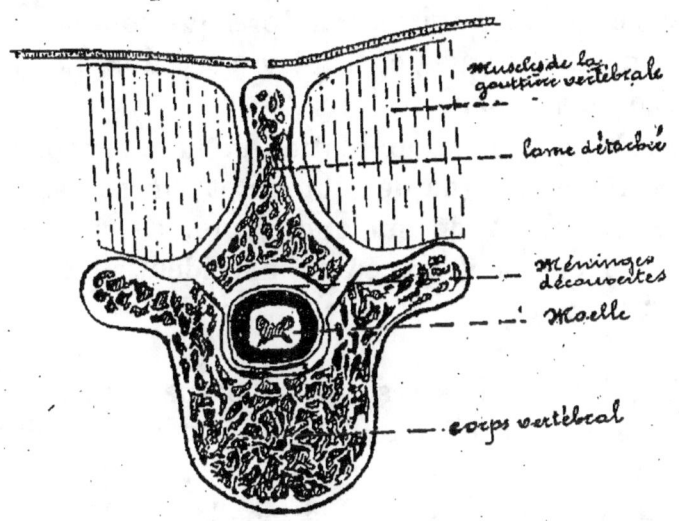

muscles de la
gouttière vertébrale

lame détachée

méninges
découvertes

moelle

corps vertébral

Fig. 30. — Laminectomie. Schéma de la résection osseuse.

postérieure de la moelle apparaît, sous l'aspect d'un cordon blanc, sur lequel sont couchées en un faisceau parallèle les racines des nerfs rachidiens.

On peut alors constater les lésions que porte la moelle : piqûres, déchirures, écrasements, section complète.

D'autres fois, elle apparaît intacte, mais on a vidé un hématorachis.

D'autres fois encore, on ne découvre aucune lésion et l'opération a été purement exploratrice.

Il est inutile de suturer la dure-mère. Il suffit de rapprocher les muscles par un surjet, et de fermer la peau, sans drainage.

Cette technique est toujours assez laborieuse. Elle l'est surtout dans la région dorsale, parce que les gouttières vertébrales y sont le plus profondes et le plus étroites. Elle l'est moins à la région cervicale où le canal vertébral est plus large et où l'on risque moins de blesser la moelle.

Les suites opératoires sont presque toujours extraordinairement bénignes et la plaie se réunit par première intention en quelques jours.

Il arrive qu'une accumulation de liquide céphalo-rachidien soulève la ligne de réunion et finisse par trouer la suture. Au bout de quelques jours, l'écoulement cesse spontanément, sans que ce petit accident ait aucune suite fâcheuse.

Résultats. — Les résultats thérapeutiques sont très variables et naturellement en rapport avec la lésion médullaire.

Il est clair que, lorsque la moelle est détruite, il n'y a rien à espérer, mais même dans ce cas, l'opération aura été inoffensive.

Dans les cas de compression simple, on obtient quelquefois des améliorations rapides.

Enfin, lorsqu'on n'a découvert aucune lésion qui explique les symptômes, il faut bien admettre qu'il s'agit d'une lésion intramédullaire, comme une hématomyélie ou d'une lésion à distance, la moelle ayant été frappée loin de l'endroit où a passé le projectile.

Quoi qu'il en soit, il est certain que dans quelques-uns de ces cas où l'opération paraissait avoir été inutile, on voit survenir très tard, après des mois, des améliorations qui peuvent aller jusqu'à la guérison presque complète.

Règle générale, ce sont les troubles vésicaux qui se montrent les plus réfractaires.

En résumé, le traitement opératoire des lésions médullaires ne donne certes pas des succès nombreux. Comme toute la chirurgie nerveuse, il est assez décevant. Mais de temps en temps, une guérison inespérée vient compenser bien des déconvenues. On pourrait, dans certains cas, regretter de s'être abstenu, si l'autopsie faisait découvrir plus tard des lésions auxquelles il eût été possible de porter remède.

CHAPITRE VIII

PLAIES DE LA FACE

Fréquence, classification. — Les plaies de la face sont beaucoup plus rares que les plaies du crâne. Elles viennent aussi, dans l'ordre de fréquence, bien après les plaies thoraciques, les plaies abdominales et les plaies du segment proximal des membres.

Nous aurons à examiner successivement :

1° *Les plaies des parties molles ;*

2° *Les plaies du squelette :*

Dans les *plaies des parties molles*, nous distinguerons :

a) *Les plaies de l'œil et des paupières ;*

b) *Les plaies des joues ;*

c) *Les plaies des lèvres ;*

d) *Les plaies de la langue et du plancher de la bouche ;*

e) *Les plaies du nez ;*

f) *Les plaies de l'oreille.*

Les *plaies du squelette* seront elles-mêmes divisées en :

a) *Fractures du massif facial ;*

b) *Fractures du maxillaire inférieur.*

Enfin nous consacrerons un paragraphe spécial à l'*arrachement de la face.*

Ces divisions sont artificielles, parce que beaucoup de

plaies de la face, la plupart peut-on dire, intéressent à la fois le squelette et plusieurs régions des parties molles. Mais cette subdivision est commode pour l'exposé et c'est pour ce motif que nous l'adoptons.

I. Plaies des parties molles de la face. — 1° PLAIES DE L'ŒIL ET DES PAUPIÈRES. —

Le globe de l'œil est assez souvent atteint, en particulier par des projectiles pénétrant dans le crâne par l'orbite, ou sortant du crâne par cette cavité.

Les lésions qui en résultent sont variables et vont des blessures les plus minimes à la destruction complète du globe.

« On peut observer dans certains cas, assez tardive-
« ment, une rupture de la choroïde, une névrite optique,
« des hémorragies rétiniennes, un œdème rétinien ma-
« culaire, un décollement de la rétine, etc., qui sont pas-
« sés longtemps inaperçus, parce que le segment anté-
« rieur de l'œil est normal. Aussi fera-t-on bien, quand
« c'est possible, de pratiquer un examen ophtalmosco-
« pique dans la plupart des blessures du crâne.
« Par le choc vibratoire des explosifs, par ce qu'on
« appelait autrefois le « vent du boulet », en dehors de
« toute atteinte directe par le projectile, les yeux peuvent
« être lésés très gravement (luxation du cristallin, cata-
« racte, œdème rétinien maculaire, hémorragie rétinienne,
« décollement de la rétine et même éclatement d'un
« globe ou des deux yeux). » (Weekers.)

En revanche, on est quelquefois étonné de constater l'intégrité de l'organe ou l'insignifiance des lésions qu'il porte au milieu de délabrements étendus du voisinage.

C'est à l'oculiste qu'il incombe de faire le pronostic au point de vue fonctionnel, et aussi de décider de la conservation ou du sacrifice de l'œil. Le danger de l'ophtalmie sympathique doit surtout entrer en ligne de compte.

Les plaies du globe oculaire sont souvent accompagnées de fractures de l'orbite, et de déchirure des paupières.

Les paupières sont aussi quelquefois atteintes isolément, et présentent des perforations, des déchirures ou des arrachements partiels ou complets.

Les essais de suture immédiate des plaies palpébrales échouent fréquemment, par suite de la contusion des tissus, et il est peut-être préférable de laisser ces plaies se réunir par bourgeonnement, quitte à restaurer la paupière après cicatrisation, pour autant que la déformation l'exige.

On constate du reste ici, comme dans toutes les plaies de la face, une remarquable rapidité de réparation et une grande disposition des pertes de substance à se combler d'elles-mêmes. La richesse de l'irrigation sanguine en est sans doute la cause.

2° PLAIES DES JOUES. — La joue peut être simplement perforée par une balle ou par un petit éclat d'obus. Cette lésion est peu grave et guérit rapidement.

On observe la perforation des deux joues par traversée transversale. Bien que la marche tout à fait aseptique de ces plaies soit rare, la guérison s'obtient encore facilement.

Mais cette double perforation des joues se complique souvent d'arrachement ou de fracture des dents, avec ou sans lésions des gencives et du bord alvéolaire. Par suite de l'infection légère presque inévitable de ces plaies intrabuccales, on peut assister à la chute tardive de dents qui avaient été primitivement épargnées.

Le traitement de ces lésions est très simple et se borne

à assurer le nettoyage de la bouche. Les plaies intra-buccales doivent toujours être soigneusement désinfectées,
en vue des complications septiques locales toujours à
craindre, et surtout pour éviter le danger bien connu de
la pneumonie par déglutition ou plus exactement par
aspiration.

Mais ce n'est guère que lorsque la plaie a atteint la
branche supérieure du facial — ce qui est assez rare pour
la simple traversée des parties molles, — ou le canal de
Sténon, qu'elle acquiert une certaine gravité propre.

La paralysie faciale partielle ne pourra, dans ce cas,
être traitée chirurgicalement, le bout antérieur du nerf
étant trop mince et trop difficile à découvrir pour une
anastomose.

Quant à la fistule salivaire, elle doit être abandonnée à
elle-même jusqu'après guérison de la plaie, et sa persistance n'est pas fatale. L'écoulement de la salive peut
cesser au bout d'un certain temps. Même en cas de lésion
des deux canaux, on peut voir les fistules se tarir. Il est
probable qu'en pareil cas, la parotide s'est atrophiée
après oblitération cicatricielle du canal. Du reste, la diges-
tion ne paraît nullement gênée par la suppression de la
sécrétion parotidienne (Morestin).

3º PLAIES DES LÈVRES. — Les lèvres peuvent être simplement déchirées, ou arrachées en partie ou en totalité.
Les plaies qui en résultent, irrégulières et très contuses, éliminent des lambeaux gangrenés, et bourgeonnent ensuite avec une telle vivacité qu'on s'étonne de
voir des brèches d'abord énormes se rétrécir presque à
vue d'œil. De sorte qu'après la cicatrisation, l'avivement, accompagné de quelques incisions libératrices, et
la suture simple suffisent ordinairement, là où des opé-

rations plastiques étendues semblaient indispensables au premier abord.

Ce n'est que dans les cas de destruction complète des lèvres qu'il faudra recourir — mais après cicatrisation, — à l'autoplastie par les moyens ordinaires.

4° PLAIES DE LA LANGUE ET DU PLANCHER DE LA BOUCHE. — On n'observe guère de plaies isolées de la langue. Elles coexistent souvent avec les plaies des lèvres et des joues. Ce sont des déchirures ou des arrachements partiels, qui peuvent empiéter sur le plancher de la bouche.

Il est rare qu'il faille s'inquiéter ici de la chute de la langue sur le larynx, ses connexions avec le plancher buccal étant restées suffisantes. Mais souvent l'hémorragie est considérable, et sa répétition peut devenir grave.

Aussi ces blessés doivent-ils être surveillés de près. Les lavages sont indispensables et le tamponnement est à conseiller. Si l'hémorragie devient importante, le meilleur moyen d'assurer l'hémostase définitive, — sauf ligature éventuelle d'un gros vaisseau, — consiste dans la suture des bords de la plaie, préalablement égalisés au besoin.

Signalons incidemment une paralysie complète de la langue observée chez un blessé qui avait eu la région sus-hyoïdienne et la base de la langue traversées par une balle. Les deux nerfs grands hypoglosses avaient probablement été coupés (Morestin).

5° PLAIES DU NEZ. — Les plaies des parties molles du nez guérissent aussi facilement que celles des autres régions de la face. Elles ne prêtent à aucune considération spéciale quant à leur traitement.

La lésion acquiert une importance plus grande quand

le cartilage et les os sont atteints, en raison des difformités consécutives.

En cas de fracture, il faut s'efforcer de soutenir les fragments de manière à empêcher l'affaissement et la déviation du nez. Contre les déformations ultérieures et les pertes de substance, on trouvera dans les procédés modernes d'autoplastie les ressources nécessaires. Les transplantations de fragments cartilagineux empruntés aux côtes et taillés convenablement semblent être un procédé d'avenir (Morestin).

6° PLAIES DE L'OREILLE. — Les lésions de l'oreille ne sont pas très fréquentes. Celles du *pavillon* consistent en déchirures et arrachements partiels ou complets. La restauration par suture immédiate est toujours à tenter, même quand la séparation est presque totale, et elle réussit souvent.

On observe de temps en temps la perforation du *conduit membraneux*, au ras du squelette. Même quand celui-ci n'est pas touché, il faut surveiller ces plaies et tamponner le conduit auditif, afin d'empêcher son rétrécissement cicatriciel.

Les plaies du *tympan* et de la *caisse* s'étendent presque toujours à d'importants organes du voisinage : le labyrinthe, le golfe jugulaire, le nerf facial, le sinus latéral, la carotide interne. L'hémorragie donne à la plupart de ces lésions une haute gravité immédiate.

Dans les fractures du crâne par contre-coup, on peut observer des lésions du *labyrinthe*. Elles s'accompagnent de surdité, de vertiges et souvent d'écoulement par l'oreille de liquide céphalo-rachidien. Elles exposent à la méningite et exigent des soins de propreté minutieux de l'oreille.

Les plaies intéressant la *mastoïde* peuvent conduire à l'infection des cellules, du sinus latéral et des méninges. Elles doivent donc être l'objet d'une surveillance attentive.

Enfin nous devons dire un mot de la *surdité subite* qui atteint assez fréquemment les hommes lorsqu'un obus fait explosion à faible distance. Cette « surdité de guerre » est attribuée le plus souvent au déplacement violent de l'air et à l'augmentation de pression qui en résulte dans les cavités de l'oreille. Elle peut dépendre d'une rupture du tympan, d'une lésion du labyrinthe qui peut aller de la simple commotion jusqu'à l'hémorragie, ou aussi d'une cause centrale. D'après le cas, elle sera passagère ou incurable.

Mais il y a de fausses surdités de guerre, qu'un simple examen permet de dépister, et qui sont dues à des causes anciennes et banales : un bouchon de cérumen, un catarrhe de la trompe d'Eustache, une otite moyenne.

II. **Plaies du squelette.**—1° Fractures du massif facial. — Il est exceptionnel que le maxillaire supérieur ou le malaire soient atteints isolément. L'intimité de leurs connexions fait que — sauf pour les lésions purement intra-buccales, — le dégât porte habituellement sur les deux os.

Les fractures du rebord orbitaire avec perte de substance conduisent à l'effondrement de la pommette et laissent une difformité très disgracieuse, pour laquelle la transplantation cartilagineuse ou adipeuse pourra sans doute être utilisée avec de grands avantages.

Le maxillaire supérieur sera atteint seul par des projectiles ayant traversé la bouche, en particulier dans les coups de feu transversaux. Il s'agit alors, ou bien d'une fracture avec perte de substance d'une portion du rebord alvéolaire, ou bien de l'ouverture de l'antre d'Highmore par sa face antérieure, plus rarement par sa face palatine. Ces lésions sont souvent accompagnées de perforations et de déchirures du voile membraneux.

Les soins de propreté suffisent comme traitement. Il y aura quelquefois à enlever des esquilles et, tardivement, des séquestres.

On voit de temps en temps des projectiles, même volumineux, encastrés dans le massif facial ou enclavés dans l'espace pharyngo-maxillaire, et tolérés là pendant longtemps. On s'étonne de la petitesse de la plaie par laquelle ils ont passé. Leur enlèvement doit se faire par la bouche, en s'aidant des débridements nécessaires.

2° FRACTURES DU MAXILLAIRE INFÉRIEUR. — Les fractures du maxillaire inférieur constituent la plus importante des blessures de la face, en raison de la difficulté du traitement et du grave déchet fonctionnel qui résulte de leurs consolidations vicieuses.

Variétés. — Les *fractures partielles*, du rebord alvéolaire, du bord inférieur, les perforations simples, ne doivent pas nous arrêter. Elles ne comportent pas d'autre indication thérapeutique que celle de toute plaie intrabuccale, et guérissent sans laisser de trouble fonctionnel.

Les *fractures complètes* de la mandibule qui interrompent la continuité de l'arc et le divisent de haut en bas, doivent être distinguées en deux variétés : les *fractures sans perte de substance*, analogues à celles qu'on rencontre dans la pratique civile, et les *fractures avec perte de substance*.

Les *fractures sans perte de substance* occupent de préférence la partie postérieure de la branche horizontale ou la branche montante. Il n'y a généralement pas grand déplacement, et l'on peut se contenter d'appliquer une simple fronde pour maintenir les arcades dentaires rapprochées.

Il peut y avoir cependant un certain degré de chevauchement et, par conséquent, recul du menton. Pour les fractures de la branche montante, un moyen simple consiste à appliquer une fronde plâtrée, modelée sur les angles de la mâchoire et qui repousse celle-ci en avant.

Après la consolidation, on voit quelquefois le cal donner lieu à des productions osseuses saillantes, qui gênent les mouvements ou provoquent des douleurs. Nous avons dû enlever une de ces exostoses qui occupait l'angle de la mâchoire et entravait l'ouverture de la bouche. On en observe aussi, après les fractures de la branche montante, dans l'épaisseur du masséter, où elles peuvent donner lieu, comme nous le verrons, à la constriction des mâchoires.

Les *fractures avec perte de substance* sont celles où un fragment, comprenant toute la hauteur de l'os, a été détaché de celui-ci. Il a été emporté complètement ou est resté adhérent au plancher de la bouche. Il est quelquefois divisé lui-même en fragments plus petits.

Lorsqu'il est latéral, il est ordinairement projeté en dedans, vers la langue. Lorsqu'il est médian, il peut être projeté derrière l'arc mandibulaire, les dents regardant en arrière. D'autres fois, il est abaissé, refoulé dans la région sus-hyoïdienne, surtout quand la plaie des parties molles se prolonge vers le bas. Il peut aussi rester interposé comme un coin entre les deux moitiés de l'os et s'opposer à leur déplacement.

Ce déplacement, qui est assez constant, obéit à certaines règles, différentes d'après que la fracture est *médiane* ou *latérale*.

Dans les *fractures médianes*, la place du fragment intermédiaire est prise par les deux autres, qui tendent à se rejoindre sur la ligne médiane. Souvent, il n'y a guère de chevauchement, parce que l'action des deux muscles mylo-hyoïdiens s'équilibre, et que le double

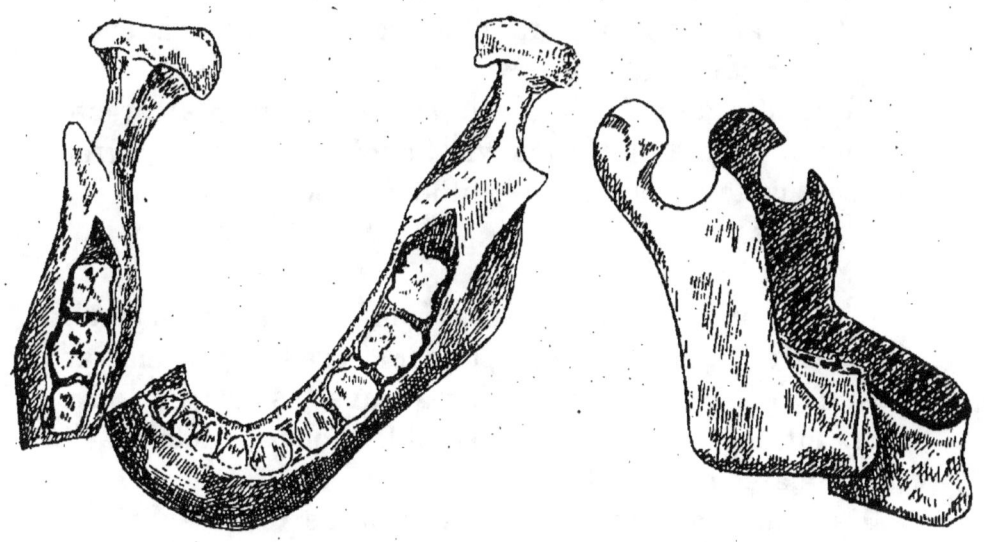

Schémas figurant le déplacement des fragments dans la fracture avec perte de substance du maxillaire inférieur.

Fig. 31. — Un fragment correspondant aux deux petites molaires droites a disparu. Le grand fragment se porte en dedans et se place derrière le petit fragment. Le menton est dévié du côté fracturé.

Fig. 32.— L'extrémité du petit fragment bascule et se porte en haut.

mouvement d'adduction et de recul est le même des deux côtés.

Dans les *fractures latérales* au contraire, le mylo-hyoïdien du long fragment a une action prédominante et c'est ce long fragment qui va à la rencontre du petit, pour le dépasser ordinairement et se placer en arrière de lui (fig. 31).

De son côté, le petit fragment se relève par son extrémité antérieure, sous l'action du muscle temporal (fig. 32).

Enfin, les bords inférieurs des deux fragments basculent ordinairement en dehors, et la face triturante des dents s'incline en dedans. Ce mouvement résulte de la prédominance d'action du masséter sur son congénère, le ptérygoïdien interne.

Il résulte de tout cela une *asymétrie faciale* caractéristique. Le menton est dévié du côté où siège la fracture et celle-ci forme une saillie derrière laquelle la joue est aplatie.

Evolution. — La fracture complète de la mâchoire inférieure est, en elle-même, une fracture bénigne, n'ayant rien de la gravité des fractures ouvertes des os longs. Mais elle est grave par les troubles fonctionnels qu'elle peut laisser à sa suite.

Dans les fractures médianes, si la perte de substance n'est pas très large, la coaptation peut se faire spontanément d'une manière satisfaisante et, bien que les dents des deux arcades ne correspondent plus exactement, la mastication n'est pas trop mauvaise.

Mais lorsque le fragment intermédiaire correspond à plus de deux dents, la réunion n'est plus que fibreuse. Dût-elle même se faire solidement et en bonne coaptation, le manque de correspondance des dents est tel que la mastication devient pour ainsi dire impossible.

Dans les fractures latérales, le chevauchement et le recul du long fragment abolissent complètement la fonction masticatoire.

La réparation de la fracture, toujours rapide, est quelquefois accompagnée de la formation de séquestres, provenant surtout du fragment intermédiaire. Ces séquestres, entièrement détachés, peuvent s'entourer de tissu fibreux et simuler des exostoses qui semblent prolonger le cal dans la région sus-hyoïdienne.

Traitement. — Les fractures médianes avec perte de substance un peu large et toutes les fractures latérales, quelle que soit l'étendue de la perte de substance, exigent donc un traitement attentif.

Ce traitement comporte la réduction des trois fragments et le maintien de cette réduction.

S'il s'agissait d'un autre os, on pourrait être tenté de supprimer le fragment médian, tant il peut être irrégulier de forme, tant sa vitalité peut sembler précaire. Il n'en faut rien faire cependant, car lui seul, replacé entre les deux fragments latéraux, est capable de rendre à l'arc mandibulaire sa forme primitive et son ouverture normale.

Mais il ne faut pas vouloir faire toujours cette réduction immédiatement. Il est souvent bon d'attendre quelques jours, fût-ce même une ou deux semaines, jusqu'à ce que les lambeaux nécrosés, les petits séquestres soient éliminés et que le bourgeonnement de la plaie ait commencé.

D'ici là, on se contentera d'un appareil de contention simple, par exemple d'une fronde, à moins qu'on ne dispose d'un des appareils, gouttières ou attelles, qui prennent leurs points d'appui sur les dents, et au moyen desquels on peut obtenir d'emblée une bonne réduction, et la maintenir sans gêner en aucune façon les soins à donner à la plaie [1].

---

1. Parmi les appareils employés dans ce but, il en est qui recouvrent la surface triturante des dents. Dans cette catégorie se placent les *gouttières métalliques.*

Les gouttières métalliques, connues depuis une bonne cinquantaine

A défaut de ces appareils et du spécialiste capable de les appliquer, il faudra quelquefois recourir à la *fixation opératoire des fragments.*

Autant nous sommes adversaire de la fixation opéra· toire des fractures des os longs, autant nous là croyons utile dans certains cas pour la fracture de la mandibule.

C'est que, pour aucun autre os du corps, la réduction parfaite n'est aussi indispensable pour la fonction, et

d'années, ont été beaucoup utilisées au cours de cette guerre. Elles furent d'abord attachées aux arcades dentaires à l'aide de ligatures métalliques. Actuellement on se sert plutôt de ciment dentaire. Les gouttières peuvent être confectionnées par le procédé de l'estampage ou par la méthode de la coulée. L'expérience semble avoir démontré la supériorité des gouttières coulées en argent allié à une faible proportion de cuivre.

Les gouttières métalliques présentent le grand inconvénient de cacher les surfaces triturantes des dents et de ne pas permettre un contrôle complet de la position des fragments. Aussi les appareils qui laissent libres les surfaces triturantes et les bords coupants des dents, méritent-ils la préférence. Les premiers en date sont les *attelles en vulcanite.* La technique de leur fabrication est la même que celle des dentiers en vulcanite.

L'attelle de Hammond, consistant en un fil métallique de 2 millimètres environ de diamètre, fixé aux dents à l'aide de ligatures métalliques, a été beaucoup employée autrefois et peut encore être utilisée de nos jours. Les *attelles en étain coulé* ont été aussi employées avec succès.

Mais la meilleure méthode, à notre avis, est la *méthode orthodontique,* qui consiste dans l'application au traitement des fractures du maxillaire, des principes et des appareils servant actuellement au redressement des dents. C'est assurément cette méthode qui possède l s ressources les plus étendues. Les appareils de redressement qui existent dans le commerce sont trop faibles pour être employés dans le traitement des fractures. La méthode orthodontique ne peut donner de succès qu'à condition qu'on ait recours à des appareils spécialement construits dans ce but particulier.

Nous nous sommes servi de la méthode orthodontique au cours de la campagne actuelle et nous avons lieu d'en être très satisfait.

(Dr. O. Rubbrecht).

aucun autre os ne tolère aussi bien les corps étrangers
métalliques.

Aussi sommes-nous d'avis que pour fixer la fracture
de la mâchoire, on est autorisé à employer tous les moyens
d'ostéo-synthèse, y compris les plaques vissées. Mais, le
plus souvent, elles devront être enlevées après consoli
dation.

Complications. — 1° INFECTION. — En dépit de leur
bénignité habituelle, les fractures du maxillaire inférieur donnent lieu quelquefois à la production d'abcès
dans l'épaisseur de la joue ou dans le plancher de la
bouche. Nous avons même observé un phlegmon profond
du cou après une fracture de la branche horizontale. Le
pus avait fusé très bas. Des lavages fréquents et des irrigations abondantes ne sont pas toujours capables d'éviter
cette grave complication.

2° HÉMORRAGIES, SECTION DU NERF FACIAL. — On a rap-
porté quelques exemples d'hémorragies et d'anévrismes
des branches de la carotide externe, compliquant la fracture de la branche montante.

Ces hémorragies peuvent nécessiter des ligatures multiples. Dans un cas, il a fallu lier successivement la carotide interne, l'artère occipitale, la carotide externe, la
maxillaire interne.

Dans d'autres cas, il s'agissait de l'artère palatine, de
la maxillaire interne, de la dentaire inférieure, qu'il fallut
lier dans des fractures ouvertes et infectées.

C'est aussi avec les fractures de la branche montante
qu'on observe la section du nerf facial, bien plus qu'avec
la traversée simple de la joue.

Le nerf est atteint alors très en arrière, dans son trajet intraparotidien et les anastomoses de son bout distal

avec le spinal ou l'hypoglosse se feront plus aisément, si elles deviennent nécessaires.

Il en sera de même pour les lésions du nerf dans son trajet intra-osseux, à la suite de coups de feu de la face ou de la nuque avec traversée du rocher, variété dont nous avons vu plusieurs exemples, et dont nous venons de parler.

3° CONSOLIDATIONS VICIEUSES ET PSEUDARTHROSES. — Lorsque la fracture est vicieusement consolidée, avec chevauchement des fragments et déviation du menton, l'impotence fonctionnelle est souvent telle qu'une intervention secondaire s'impose.

Lorsque la consolidation n'est pas trop ancienne, on peut essayer de séparer les fragments, de réduire le chevauchement et de maintenir la coaptation par la suture osseuse ou des appareils de fixation.

Mais dans beaucoup de cas, on ne distingue plus les fragments dans le cal, qu'il faut alors se contenter de sectionner. Les deux moitiés de l'os sont ensuite maintenues écartées à la distance voulue au moyen d'appareils spéciaux, ce qui permettra, après cicatrisation, l'interposition d'une pièce prothétique.

On ferait de même en cas de *pseudarthrose*. Celle-ci serait sectionnée, les os écartés à la distance convenable et maintenus comme dans le cas précédent.

4° CONSTRICTION DES MACHOIRES. — Après la fracture du maxillaire inférieur et après beaucoup d'autres lésions avoisinant la région mandibulaire et temporo-maxillaire, il persiste, dans un assez bon nombre de cas, une diminution de l'amplitude d'ouverture de la bouche. Ce trouble fonctionnel s'observe à tous les degrés et peut aller jusqu'à la constriction complète des mâchoires, infirmité grave.

Ses causes sont multiples. Quelquefois, elle est d'*origine osseuse* et provient d'un cal vicieux, qui peut occuper la région condylienne ou tout autre point de l'os, notamment l'insertion du masséter, l'angle de la mâchoire, comme nous l'avons vu plus haut. La résection de l'exostose fera tout rentrer dans l'ordre.

Dans d'autres cas, il s'agit de *rétractions cicatricielles* intrabuccales ou externes, pour lesquelles il faut faire des incisions libératrices ou des excisions.

Enfin, dans une troisième catégorie de faits, la constriction est *musculaire*, et siège dans les muscles masticateurs, le temporal d'une part, le masséter et le ptérygoïdien interne d'autre part.

La *dilatation graduelle* est la méthode de choix pour le traitement de ces formes musculaires. Si elle échoue, on trouvera une bonne ressource dans l'*écartement forcé des mâchoires*, pratiqué sous chloroforme, assez longtemps après la consolidation, afin de ne pas nuire au cal.

Lorsque l'écartement forcé lui-même a échoué ou qu'il y a récidive, on dispose d'un dernier moyen, la *désinsertion musculaire*, appliquée, d'après le cas, à l'attache coronoïdienne du tendon du temporal, ou aux insertions inférieures du masséter et du ptérygoïdien interne.

Quel que soit le procédé utilisé, il faut toujours s'efforcer de maintenir le résultat acquis par des exercices de dilatation continués pendant longtemps. Faute de prendre cette précaution, la récidive est presque fatale.

5° DÉFORMATIONS DE LA FACE. — Dans un certain nombre de cas, la mastication est suffisante avec une réduction imparfaite, mais la *déformation de la face* peut justifier des interventions d'ordre esthétique.

On peut arriver à rendre au menton et à la joue une

forme et des reliefs se rapprochant de l'état normal, en insinuant sous la peau des pelotons graisseux ou des fragments de cartilages costaux taillés aux dimensions et à la forme convenables, pour remplir les creux et reconstituer les saillies. Le cartilage est le tissu qui se prête le mieux à cette autogreffe. (Morestin.)

III. Arrachement de la face. — Nous avons observé plusieurs cas d'arrachement presque complet de la face, par éclat d'obus.

L'aspect de ces blessés est épouvantable. Le nez, les lèvres, le menton sont arrachés, y compris un segment ou la totalité des maxillaires. Les joues dilacérées et renversées pendent sur les côtés et limitent un vaste cratère au fond duquel apparaît ce qui reste de la langue et des os. Les yeux sont habituellement intacts.

D'autres fois, la face n'est pas arrachée complètement. Elle est détachée de haut en bas, et pend sur le cou sous forme d'un épais lambeau contenant toujours des parties du squelette.

Ces blessés arrivent exsangues et dans un état de shock profond.

Outre l'arrêt de l'hémorragie, l'indication d'urgence est de fixer le moignon lingual, qui a perdu ses rapports avec le plancher de la bouche et, en tombant en arrière sur le larynx, menace le blessé d'asphyxie. On attire la langue au moyen d'une pince à griffes et on l'attache par un fil solide à la partie antérieure de la plaie.

Malgré les soins qu'on met à arrêter l'hémorragie, à remonter le blessé, à tenir la plaie dans le plus grand état de propreté, la mort est la règle.

Nous n'avons vu guérir aucun de ces blessés. Ils succombent aux suites de l'hémorragie ou du shock, ou ils

tombent dans le coma et meurent avec des symptômes
cérébraux. La terminaison a été fatale, même dans un cas
d'arrachement unilatéral et incomplet, où nous avions
pu arrêter parfaitement l'hémorragie et rattacher le lambeau par une suture.

Le pronostic est moins sombre lorsque l'arrachement
est limité au nez et au massif facial, sans que la langue
et le plancher buccal soient intéressés. Il est moins sombre encore lorsque la mandibule seule est arrachée, fût-
ce avec une partie de la langue.

CHAPITRE IX

PLAIES DU COU

Classification. — Nous étudierons successivement : les *plaies des parties molles* ; les *plaies des gros vaisseaux* ; les *plaies du plexus brachial* ; les *plaies du pharynx et de l'œsophage* ; les *plaies du larynx et de la trachée*, enfin, les *lésions associées*, c'est-à-dire celles qui intéressent à la fois plusieurs de ces organes.

I. Plaies des parties molles. — Parmi les perforations des parties molles du cou par balles ou petits éclats d'obus, il y en a bon nombre qui n'intéressent aucun organe important, ni les voies respiratoires, ni les gros vaisseaux, ni les plexus nerveux. Ces perforations ne prêtent à aucune considération spéciale.

Il faut cependant signaler certains cas de *perforation transversale de la nuque*, près de l'occiput, véritables traversées paracraniennes qui entament souvent l'une des apophyses mastoïdes, et où le projectile a littéralement rasé l'occipital.

Ces perforations hautes de la nuque se caractérisent par deux symptômes essentiels : une infiltration sanguine abondante qui donne lieu à un gonflement dur très accentué, et une céphalalgie vive, avec somnolence, photophobie et lenteur du pouls.

Ces symptômes qui paraissent graves au premier abord, et peuvent en imposer pour une lésion intracranienne, se jugent par un examen attentif qui permet d'éliminer le diagnostic de fracture du crâne.

Ils sont souvent assez tenaces, et peuvent persister pendant une ou deux semaines: puis la céphalalgie disparaît progressivement, à mesure que la tuméfaction diminue.

Cette lésion se termine toujours par la guérison et ne demande aucun traitement spécial.

II. Plaies des gros vaisseaux. — La carotide, l'artère sous-clavière, la veine sous-clavière et la veine jugulaire interne, vaisseaux d'un calibre énorme, donnent lieu, quand elles sont ouvertes dans une plaie large, à une hémorragie très rapidement mortelle.

On voit cependant de temps en temps dans les hôpitaux des hémorragies provenant de lésions de ces vaisseaux, lorsque la plaie des parties molles n'est pas très grande. Dans les mêmes conditions, on observe des anévrismes. Nous avons indiqué le mécanisme de leur production. Il s'agit d'une perforation ou d'une déchirure partielle du vaisseau, ouverture trop petite pour permettre au sang de s'échapper à plein jet.

On peut rencontrer ainsi au cou l'anévrisme artériel de la carotide, beaucoup plus rarement de la sous-clavière, et l'anévrisme artério-veineux, ordinairement jugulo-carotidien. Il y a actuellement une vingtaine d'observations connues de cette dernière lésion.

Le meilleur procédé opératoire pour les anévrismes du cou paraît être celui des ligatures multiples, ligature double ou quadruple, suivant le cas. Si la poche est bas située, il sera utile de réséquer la portion interne de la clavicule pour se donner du jour. Il n'est pas rare d'ailleurs qu'avec la lésion vasculaire, coexiste une fracture de cet os.

On voit quelquefois se produire des hémorragies secondaires des gros vaisseaux cervicaux, dans des plaies infectées, suppurantes ou gangréneuses. Ces hémorragies, d'une extrême gravité, exigent la ligature d'urgence.

Il en est de même de l'ouverture artérielle tardive, qui a été observée au moins une fois au cou (Grégoire). Nous avons vu plus haut en quoi consiste cet accident.

Signalons enfin que certains auteurs (Pozzi, Walther), ont observé des anévrismes de la carotide qui étaient en voie de guérison spontanée après un repos au lit de plusieurs mois.

III. **Plaies du plexus brachial.** — Dans les coups de feu des régions claviculaire, sus-claviculaire et sous-claviculaire, les lésions du plexus brachial ne sont pas rares. D'après qu'elles intéressent une partie ou la totalité du plexus, elles donnent lieu à des paralysies partielles ou à des paralysies totales du bras.

La plus fréquente des paralysies partielles est celle du type supérieur, correspondant à la branche radio-circonflexe.

Nous ne nous arrêterons ni aux symptômes, ni au diagnostic de la nature et du siège de la lésion. Dans ce domaine spécial, nous avons vu que la collaboration du neurologiste est indispensable et c'est à lui à nous dire, en particulier, dans la mesure où il le peut, si les phénomènes observés correspondent à une section complète, à une division partielle ou à une simple compression, et quelles seront les chances de restauration fonctionnelle après l'opération.

Ne comptons pas trop du reste sur une réponse catégorique à nos demandes. Comme nous l'avons vu dans le chapitre relatif aux lésions nerveuses, les moyens d'investigations dont le neurologiste dispose, et en particulier l'étude des réactions électriques, ne lui permettent pas encore d'arriver, dans bien des cas, à mieux qu'à des probabilités.

D'ailleurs, pas plus ici qu'ailleurs, la certitude sur la nature de la lésion n'est indispensable, et nous pouvons nous en tenir aux règles générales que nous avons établies pour les interventions, en les appliquant comme suit :

a) Ne jamais opérer avant la cicatrisation complète de la plaie.

b) Ne pas attendre non plus trop longtemps, sous prétexte de compter sur un retour tardif des fonctions, qu'on observe quelquefois. Nous pensons qu'il est indiqué d'intervenir sur le plexus brachial, aussitôt que la plaie est bien cicatrisée, à moins, bien entendu, que l'on n'observe des signes, si légers qu'ils soient, de retour de la sensibilité et de la motilité, et que ces signes, une fois ébauchés, ne restent pas stationnaires.

c) Se donner du jour. Pour bien exposer le plexus, il est presque indispensable de réséquer le segment moyen de la clavicule. A l'opposé d'une fracture, cette résection sous-périostée ne donne lieu à aucune douleur, ni à aucun trouble fonctionnel. Dès le premier moment, les mouvements de l'épaule sont possibles et indolores.

d) Disséquer successivement les différentes branches du plexus et se comporter d'après ce que l'on trouve. C'est ainsi qu'on débarrassera les nerfs de la gangue cicatricielle qui les entoure, qu'on fera le hersage quand le nerf paraît sclérosé. En cas de section complète d'un ou de plusieurs troncs, au lieu de chercher longuement les deux bouts, il sera souvent préférable de greffer le bout inférieur sur un tronc voisin.

Les résultats des interventions pour lésions du plexus brachial sont très encourageants. Nous y avons observé la compression simple, par une gangue cicatricielle, beaucoup plus souvent que la section des racines. Aussi avons-nous vu, après la libération, les douleurs disparaître à l'instant et le nerf radial reprendre immédiatement ses fonctions.

.IV. **Plaies du pharynx et de l'œsophage**. — Il est tout à fait exceptionnel d'observer des plaies du pharynx et de l'œsophage, qui aient donné lieu à des symptômes propres. La profondeur de ces organes et la proximité des gros vaisseaux font que leur blessure s'accompagne presque toujours d'autres lésions, plus graves, et qui dominent la scène. C'est ainsi que nous avons trouvé à l'autopsie un projectile arrêté dans l'œsophage, après avoir coupé les veines jugulaires et fracturé le larynx.

Il peut arriver cependant qu'un projectile traverse tout le cou, d'un côté à l'autre, en ouvrant l'œsophage ou le pharynx, mais sans atteindre aucun autre organe. Dans un cas, une balle de fusil était entrée à droite, en fracassant l'angle de la mâchoire, et était sortie un peu plus bas à gauche, en déchirant le sterno-cleido-mastoïdien. Elle avait perforé les deux parois latérales du segment inférieur du pharynx, sans que, ni les vaisseaux, ni les nerfs, ni les voies respiratoires eussent été atteints.

Une telle lésion se reconnaît facilement à la présence du sang dans le pharynx, à la difficulté et à la douleur à la déglutition, et — signe pathognomonique, — à l'issue par la plaie d'une partie ou de la totalité des liquides déglutis.

Encore que la gravité immédiate de ces blessures soit

assez faible, des complications sérieuses peuvent survenir dans la suite. L'alimentation par la bouche peut devenir impossible, lorsqu'à chaque déglutition, la majeure partie des liquides s'écoule par la plaie. D'autre part, l'infection est difficile à éviter, par suite du contact répété des aliments, et elle prend volontiers le caractère gangré-neux. Il peut en résulter des phlegmons et des fusées purulentes vers la base du cou et le médiastin.

Lorsque la plaie est large, elle n'expose pas aux compli-cations septiques graves, mais elle entrave la nutrition. Lorsqu'elle est étroite, elle laisse passer peu d'aliments, mais se prête bien aux rétentions et aux fusées à distance.

Le traitement est délicat. Pour assurer l'alimentation, dans les premiers temps, il pourra être nécessaire de re-courir aux lavements ou de placer la sonde œsophagienne.

L'infection et sa propagation aux régions profondes du cou devra être surveillée de près. Une précaution impor-tante est de s'opposer à la fermeture trop rapide de la peau et des tissus superficiels, pour éviter l'infiltration des liquides septiques dans le tissu cellulaire. Dépister, débrider hâtivement et drainer toutes les collections et tous les clapiers, sont les mesures à mettre en œuvre pour limiter les dégâts et arrêter leur extension.

V. Plaies du larynx et de la trachée. — Les lésions du larynx et de la trachée ne sont pas très fré-quentes et leur diagnostic n'est pas toujours facile.

Tantôt, c'est un projectile qui, entré dans le cou à une certaine distance, a touché le conduit laryngo-tra-chéal, et lui a fait une petite ouverture ou une perfora-tion double qui ne communique pas directement avec l'extérieur. Un emphysème progressif, qui gonfle le cou, la face et peut envahir le thorax, et souvent un bouil-

lonnement de l'air à l'ouverture d'entrée, à chaque ins-
piration, révèlent cette lésion. Elle commande le débridement immédiat de la plaie.

D'autres fois le larynx ou la trachée sont fracturés,
écrasés, aplatis, soit dans une plaie de la face antérieure
du cou, soit dans le trajet sous-cutané d'un projectile
qui a traversé la région. Ce trajet peut être très long.
Nous avons vu une balle de shrapnell, entrée dans la
joue droite, déchirer la langue et le plancher de la bouche, fracturer la mâchoire inférieure, puis parcourir, de
haut en bas, le tissu cellulaire du cou, fracturer le larynx
au passage, entrer dans le médiastin et s'arrêter sur le
diaphragme.

Dans ces derniers cas, où la fracture du canal aérien
est sous-cutanée, le diagnostic peut offrir certaines difficultés, surtout s'il y a simplement affaissement du conduit, sans perforation et par conséquent sans emphysème
sous-cutané.

Les choses se compliquent encore, par le fait que le
tissu cellulaire de la région, très extensible, se laisse
rapidement infiltrer par le sang, ce qui rend l'exploration
difficile.

Ce sont les caractères de la dyspnée qui doivent faire
reconnaître la lésion. Ces blessés respirent péniblement,
ne peuvent ni se coucher, ni incliner la tête en avant
ou en arrière, ni faire pour ainsi dire aucun mouvement,
sans être pris aussitôt d'accès de suffocation. Ils se
tiennent dans la position assise, la tête absolument
immobile, presque incapables de parler, d'autant plus
qu'il y a souvent aphonie ou enrouement par atteinte
des récurrents laryngés. Ils avalent très péniblement et,
à chaque gorgée, menacent d'asphyxier. Quelquefois, mais
pas toujours, il y a de l'expectoration sanguinolente.

Ces phénomènes suffisent à faire reconnaître l'affaissement des voies aériennes supérieures. La dyspnée paroxystique est entièrement différente de la dyspnée simple qu'on peut observer dans certains cas de compression de la trachée sans fracture, ou de perforation de part en part.

Il ne faut pas attacher beaucoup d'importance à la recherche de l'emphysème sous-cutané, qui est inconstant.

D'ailleurs, que la fracture soit certaine ou seulement soupçonnée, les phénomènes d'asphyxie commandent la *trachéotomie immédiate.*

La trachéotomie est l'une des opérations de grande urgence en chirurgie de guerre. Pratiquée à temps, elle peut sauver un blessé mourant.

Mais tout n'est pas dit quand la canule trachéale est placée et que le blessé respire librement, après avoir expulsé le sang qui s'est accumulé dans les voies respiratoires. L'infiltration sanguine périphérique, dans laquelle de l'air et des mucosités bronchiques ont souvent pénétré, est très exposée à s'infecter. Il peut en résulter des phlegmons, souvent diffus, qui menacent les vaisseaux et peuvent fuser dans le médiastin.

Il faut savoir dépister à temps l'infection de ces hématomes infiltrés et les débrider largement si l'on veut éviter les hémorragies secondaires, la propagation au médiastin, ou l'irruption du pus dans les voies respiratoires.

Règle générale, la canule trachéale ne doit être enlevée que lorsque l'infiltration de la région a disparu et que la guérison est assez avancée pour que l'air puisse repasser librement par la région fracturée.

Quelles que soient les précautions prises, la trachéo-

pneumonie par aspiration enlève très fréquemment ces
blessés, après quelques jours d'un état tout à fait satisfaisant. On les voit succomber aussi à la gangrène pulmonaire.

Les choses se présentent beaucoup plus simplement
lorsque la gorge est largement ouverte, et que la plaie
laryngée ou trachéale ne fait qu'une avec une plaie cervicale plus ou moins étendue. On peut être amené alors,
ayant les lésions sous les yeux, à suturer les cartilages
du larynx ou les anneaux de la trachée. Nous ne plaçons
pas de canule trachéale en pareil cas, et la restauration
directe des lésions conduit à des résultats excellents et
très rapides. Nous avons vu cependant une fistule trachéale survenir par nécrose d'un anneau suturé, et le
malade succomber à la gangrène pulmonaire.

Signalons à titre documentaire, que la traversée de la
région sus-hyoïdienne sans ouverture du plancher buccal, peut donner lieu à la fracture de l'os hyoïde, lésion
bénigne, mais assez lente à guérir.

VI. **Lésions associées.** — Les organes d'importance
capitale qui traversent le cou sont si nombreux et si pro-
ches les uns des autres, qu'on s'étonne de voir des traversées complètes de cette région pouvoir se produire
sans aucune lésion grave. Le fait ne s'observe pas seulement pour la nuque et les régions latérales, qui sont
occupées surtout par des muscles, mais même pour la
région antéro-latérale, qui est la région « dangereuse ».

Il est cependant certain que les blessures intéressant
à la fois plusieurs organes du cou ne sont pas rares, et
si nous ne voyons guère dans les hôpitaux ces *lésions
associées*, c'est parce qu'elles tuent le plus souvent sur
place. Il est facile de concevoir qu'un homme chez lequel

un éclat d'obus aurait ouvert à la fois la carotide et la trachée, n'aura pas le temps d'être évacué.

Ce que nous voyons quelquefois, c'est la coexistence d'une lésion du plexus brachial avec un anévrisme, d'un anévrisme avec une lésion des voies respiratoires. Nous ne parlons pas de la coexistence d'une plaie médullaire cervicale, dont nous nous sommes occupés dans un chapitre spécial.

Ces lésions associées sont embarrassantes pour le traitement. Il faut aller au plus pressé, et le plus pressé, c'est l'hémorragie et la plaie trachéale. L'anévrisme ne vient qu'en deuxième ligne, et la paralysie du plexus brachial peut et doit attendre.

Il existe une autre catégorie de lésions que nous observons plus fréquemment en association avec les plaies du cou. Ce sont des plaies de régions voisines, de la face par exemple, notamment du maxillaire inférieur, du thorax, et surtout de l'aisselle et de l'épaule, sans parler de la clavicule dont la fracture accompagne souvent des plaies du cou. Ces associations ne prêtent à aucune considération spéciale, si ce n'est qu'elles peuvent compliquer le traitement. Il faut encore une fois s'adresser d'abord à celle d'entre elles qui intéresserait un vaisseau important.

CHAPITRE X

PLAIES DU THORAX

Fréquence, gravité. — Les plaies pariétales non pénétrantes, avec ou sans fractures de côtes, les écrasements de la poitrine, accompagnés de fracture du sternum par enfoncement et de fracture bilatérale de plusieurs arcs costaux, constituent des lésions qui ne se distinguent en rien de celles du temps de paix et ne doivent pas nous arrêter.

Elles sont d'ailleurs rares en chirurgie de guerre. C'est aussi assez exceptionnellement que nous observons de larges ouvertures de la poitrine par éclats d'obus. Dans la grande majorité des cas, les blessés du thorax, qui sont nombreux dans les hôpitaux, présentent des perforations à petits orifices.

La guerre des Balkans avait donné à ces plaies une réputation de bénignité extrême. Nous avons vu à Belgrade un grand nombre de blessés, porteurs d'hémothorax importants, et qui en souffraient si peu, qu'il était difficile de les tenir au repos.

La guerre actuelle a fait réformer dans une assez large mesure ce jugement optimiste, et si nous rencontrons encore des perforations d'allure bénigne, nous voyons aussi quantité de cas où la lésion offre une très grande gravité, de manière que les morts par plaie thoracique entrent pour un chiffre important dans la mortalité générale de nos services.

C'est qu'un grand nombre de circonstances influencent la gravité des plaies thoraciques.

1° La *région de la paroi* qui a été traversée n'est pas indifférente. Une plaie de la région postérieure, correspondant à la gouttière costo-vertébrale, risquera d'atteindre le tronc de l'intercostale, avant sa subdivision. Nous avons vu des hémorragies très graves résulter de cette blessure.

2° Les *fractures de côtes* qui accompagnent parfois les perforations thoraciques, plus rarement cependant qu'on ne pourrait le penser *a priori*, aggravent aussi la lésion assez sensiblement.

3° Mais c'est surtout la *nature des lésions intrathoraciques* qui est importante à considérer.

Mettons à part les lésions du cœur et des gros vaisseaux du médiastin, qui sont évidemment d'une gravité extrême, mais que nous avons rarement l'occasion d'observer, précisément parce qu'elles sont en général incompatibles avec l'évacuation. C'est presque toujours l'état du poumon qui donnera à la blessure son caractère de gravité.

Deux facteurs interviennent pour déterminer cette gravité : le *pneumothorax* et l'*hémorragie*.

On sait qu'au moment où l'air pénètre dans la cavité pleurale, le poumon s'affaisse et cesse ou à peu près de respirer. En même temps surviennent des troubles fonctionnels qui peuvent aller de la dyspnée légère et passagère jusqu'à l'asphyxie. L'intensité de ces troubles est en raison directe de la rapidité avec laquelle se fait l'entrée de l'air.

Or, dans les plaies de guerre, les perforations sont ra-

rement tout à fait directes : la trajet intrapariétal est
presque toujours oblique. La pénétration de l'air n'est
donc nullement fatale, et si elle se fait, ce sera avec une
certaine lenteur, qui réduira au minimum les symptômes
dyspnéiques.

Il peut en être de même dans les perforations des
deux plèvres, et la gravité des traversées transversales
du thorax résulte moins du *pneumothorax* que de l'hémorragie bilatérale. Cependant, dans ce dernier cas, il
suffit qu'un pneumothorax, même partiel, s'ajoute à la
compression exercée sur le poumon par l'hémothorax,
pour que l'asphyxie devienne menaçante.

L'hémorragie intrapleurale est la règle dans les plaies
perforantes de la poitrine, parce que le poumon échappe
rarement au projectile. Nous avons observé des perforations thoraciques sans blessure du poumon, dans des cas
où le projectile avait épuisé sa force vive au moment de
perforer la cage thoracique, et était *tombé* sur le diaphragme. Le poumon pourra échapper aussi dans certaines blessures thoraco-abdominales, qui n'ouvrent que
le cul-de-sac pleural costo-diaphragmatique, où le bord
inférieur de l'organe ne pénètre jamais.

Mais en règle générale, le poumon sera atteint dans
toute blessure perforante de la poitrine, et il saignera.
Il est vrai que la lésion pulmonaire sera d'importance
très variable. Quasi-insignifiante quand un des bords de
l'organe est simplement perforé, elle acquiert une extrême gravité quand c'est le hile qui est intéressé. Entre
ces deux lésions, on rencontre tous les intermédiaires,
et notamment les longues déchirures des lobes, les perforations multiples avec ou sans projectile inclus.

D'après le cas, l'hémorragie se réduira à une petite
quantité de sang occupant le cul-de-sac inférieur de la

plèvre, ou bien remplira en partie ou presque en totalité
la cavité pleurale. La gravité de cette hémorragie résultera moins de la quantité de sang extravasée que de la
rapidité avec laquelle l'épanchement se sera produit.

4° La *blessure concomitante* d'une des régions voisines
est extrêmement fréquente et aggrave la lésion thoracique dans une mesure toujours importante. Elle prend
souvent le pas sur la blessure du thorax.

Le *cou* peut être atteint et, dans ce cas, il s'agit généralement d'un projectile entré dans cette région et passé
de là dans la cavité pleurale. Nous en avons même vus
qui, entrés par la face, avaient traversé le cou de haut
en bas et avaient achevé leur course dans la cage thoracique.

Très souvent la *région axillaire* et l'*épaule* portent
l'orifice d'entrée, et nous voyons ainsi s'ajouter à la lésion thoracique des fractures de la clavicule, des fractures
de l'épiphyse humérale, des perforations de l'omoplate,
ou encore des lésions des nerfs ou des gros vaisseaux
compliquer singulièrement les choses.

Lorsque la traversée thoracique est basse, elle intéresse ordinairement l'*abdomen*. La lésion est thoraco-
abdominale et, alors, c'est la blessure du ventre qui
l'emporte comme importance et gravité sur celle de la
poitrine. Les perforations du foie, de la rate, de l'estomac,
du côlon transverse, sont, dans l'ordre de fréquence, les
blessures intrapéritonéales qui compliquent les traversées thoraco-abdominales.

Mais le ventre peut être atteint aussi dans les perforations thoraciques hautes, là où l'on ne s'y attendrait
pas. Ce sont alors en général des plaies uniques, sans
orifice de sortie, le projectile ayant frappé obliquement
ou verticalement le thorax, et ayant perforé le diaphragme.

Ces cas demandent une certaine attention si l'on ne veut
pas que la lésion abdominale soit méconnue au premier
abord, d'autant que l'absence d'un orifice de sortie ne
permet pas de préjuger le trajet suivi par le projectile.

On peut voir enfin coexister avec la lésion thoracique,
une plaie du *rein*, que le trajet soit thoraco-abdomino-
lombaire ou thoraco-lombaire simple, c'est-à-dire que la
cavité péritonéale ait été ouverte ou non.

Symptômes et diagnostic. — Les plaies pénétrantes
thoraciques sont généralement petites et n'offrent rien
de particulier à signaler. Lorsqu'il existe deux orifices, il
y a entre eux peu de différence.

Le plus souvent, le trajet intrapariétal est disposé de
manière à couper toute communication entre la cavité
pleurale et l'extérieur. Il faut donc, pour faire le diagnostic de la pénétration, s'attacher à reconnaître ses
symptômes cliniques.

L'examen digital, qui permettrait de s'assurer de cette
pénétration, n'est pas indispensable. Il existe, en dehors
de cette exploration directe, des signes suffisants qui
sont : la *dyspnée*, l'*hémoptysie*, l'*hémothorax*, le *pneumothorax*, l'*emphysème sous-cutané*.

Dyspnée. — La *dyspnée* est variable, et elle est certainement indépendante de la quantité de sang épanché.
Elle est quelquefois insignifiante et ne se marque qu'à
l'occasion des déplacements, avec des hémothorax pourtant considérables. Et d'autres fois, elle est intense alors
que l'épanchement est minime. La coexistence du pneumothorax avec l'hémothorax tend à la rendre plus marquée.

La dyspnée s'accompagne fréquemment d'un certain

degré de cyanose, qui peut, comme les troubles respiratoires eux-mêmes, ne durer que quelques heures, ou se
prolonger pendant des semaines.

Hémoptysie. — L'*hémoptysie* est habituelle chez les
blessés de la poitrine, mais elle se borne en général à
l'apparition d'une petite quantité de sang dans les crachats. Il est assez rare qu'il s'agisse d'une hémoptysie
abondante. Dans la majorité des cas, les crachats ne
sont sanglants que pendant quelques jours. C'est surtout lorsque le projectile est resté dans le poumon que
l'hémoptysie peut être sérieuse et prolongée.

Hémothorax. — L'*hémothorax* est constant. Il est
même rare qu'il n'atteigne pas une certaine abondance.
Abstraction faite de la blessure d'une intercostale ou de
la blessure du cœur et des gros vaisseaux, le sang épanché dans la plèvre provient toujours d'une perforation
pulmonaire. Nous avons vu que l'importance de l'hémorragie sera en rapport avec l'étendue de la plaie du
poumon, et surtout avec son siège.

Les symptômes qui révèlent la présence du sang dans
la plèvre sont les signes physiques de tout épanchement
intrapleural. Ce sont : la *matité*, *l'abolition* ou *l'éloi-
gnement des bruits respiratoires*, *l'abolition des vibrations thoraciques*.

La *matité* remonte plus ou moins haut. Il n'est pas
rare de la voir prendre presque toute la hauteur de la
plèvre. Une zone tympanique, surtout marquée sous la
clavicule, surmonte la matité.

Dans la zone mate, les *bruits respiratoires* sont ou
abolis ou *affaiblis* et comme lointains.

Enfin quand on place une main de chaque côté sur le
thorax, pendant que le malade parle à haute voix, on

constate que le côté sain *vibre*, tandis que la paroi reste immobile du côté blessé.

Ces signes réunis permettent d'affirmer l'existence de l'hémothorax, sans qu'il soit nécessaire de recourir à une ponction exploratrice.

L'hémothorax est ordinairement fermé. Quelquefois cependant, lorsque la plaie est assez large, elle ne retient pas le sang pleural et le laisse s'écouler à l'extérieur. Ces hémorragies externes sont graves pour deux raisons. Elles suppriment la compression hémostatique que l'hémothorax fermé exerce sur le poumon, et elles s'accompagnent toujours de pneumothorax, car si le sang peut sortir, l'air peut entrer, et nous connaissons la gravité de cette association.

Pneumothorax. — Le *pneumothorax,* c'est-à-dire la présence de l'air dans la plèvre avec un certain degré d'affaissement du poumon, est beaucoup plus rare que l'hémothorax dans les plaies de poitrine. Il se reconnaît au son tympanique qu'il donne à la percussion et occasionne des troubles respiratoires d'importance variable.

Mais si le pneumothorax isolé est rare, on le trouve assez souvent associé à l'hémothorax. Dans l'hémopneumothorax, le sang occupe la base de la cavité et l'air le sommet. Cette combinaison donne toujours lieu à des symptômes assez graves, spécialement à des phénomènes dyspnéiques plus accusés que dans l'hémothorax simple. Elle augmente aussi le danger d'infection de l'épanchement sanguin par des germes que l'air amène de l'extérieur.

Emphysème sous-cutané. — L'*emphysème sous-cutané* s'observe rarement dans les perforations du thorax, du moins à un degré accentué. Quand il existe, il se limite

aux environs de la plaie, où l'on perçoit au palper la crépitation spéciale, analogue à celle de la neige écrasée.

Défense abdominale. — Les plaies des régions voisines, qui sont fréquemment associées aux plaies du thorax, se révèlent par leurs symptômes propres, qui peuvent primer les symptômes thoraciques. A ce propos
il y a lieu de signaler que la *défense abdominale*, qui
est le meilleur symptôme de la pénétration intrapéritonéale, peut exister à un certain degré dans les plaies
thoraciques, sans que le ventre soit intéressé. On n'observe pas seulement le fait dans les blessures basses de la poitrine, où l'on peut toujours mettre en
doute l'intégrité absolue du diaphragme, mais même
dans les lésions thoraciques hautes. Il est probable que
la dépression diaphragmatique par l'hémothorax est en
état de provoquer la contracture des muscles abdominaux. Nous verrons le même phénomène se produire pour
tout épanchement sous-péritonéal, en particulier pour
les hémorragies lombaires rétropéritonéales, et nous indiquerons les caractères qui permettent de distinguer cette
défense sans pénétration péritonéale que l'on pourrait
appeler « fausse défense », de la défense abdominale
vraie. Disons dès maintenant que la rigidité symptoma-
tique d'un hémothorax est toujours unilatérale, ou du
moins prédominante dans la moitié du ventre correspondant à la lésion thoracique. De plus, elle ne s'accompagne pas de vomissement.

Mais la distinction peut être difficile et il est cependant de la plus haute importance de la faire, car si la
pénétration abdominale est réelle, elle prend le pas sur
la lésion thoracique et exige la laparotomie. Un bon
moyen pour trancher la difficulté consiste dans l'explo-

ration digitale de la plaie thoracique, au besoin agrandie.
Le doigt pourra dans bien des cas reconnaître une perforation diaphragmatique, et lever ainsi tous les doutes.

Evolution. — La tournure que prend une plaie pénétrante du thorax dépend de l'hémorragie et de l'infection.

Quand l'hémorragie n'est pas excessive, et que l'infection peut être évitée, les suites de ces plaies sont relativement simples.

Nous n'avons rien à dire de la plaie pariétale, qui
guérit comme toutes les plaies des parties molles, un peu
plus lentement quand il y a fracture de côtes. Quant à
la plaie pulmonaire, elle se cicatrise rapidement si elle
constitue une simple perforation. Il n'en est pas toujours
de même des larges déchirures, qui peuvent s'infecter,
surtout lorsque le corps étranger est resté implanté dans
le tissu pulmonaire. On voit se développer alors les signes cliniques d'un foyer de broncho-pneumonie, reconnaissable aux caractères que prennent les crachats. Dans
certains cas, l'infection peut aboutir à la formation d'un
abcès du poumon ou d'un foyer de gangrène pulmonaire, qui se caractérisent par leur symptomatologie
habituelle.

En ce qui concerne l'hémothorax, lorsque la quantité
de sang épanché n'est pas très considérable, et qu'il
n'existe pas de lésions surajoutées, les suites sont très
simples. Les malaises sont réduits au minimum, la température reste aux environs de la normale, et l'épanchement se résorbe.

Cette résorption est toujours assez lente. Elle dure en
tout cas plusieurs semaines. Ce sont surtout les derniers
restes de sang qui mettent du temps à disparaître.

La résorption peut être interrompue par une recrudes-
cence brusque de l'épanchement. Qu'il s'agisse d'une
hémorragie intrapleurale secondaire ou d'une sécrétion
de la plèvre — les deux cas peuvent s'observer — le
fait marque toujours un arrêt assez long et quelquefois
définitif du travail de résorption.

D'autre part, il ne faut pas compter toujours sur la résorption lorsque l'épanchement est très abondant dès
l'abord. On peut le voir rester stationnaire pendant plusieurs semaines, tandis que le malade maigrit et fait un
peu de température. La ponction ramène du sang noir,
mais non infecté en apparence.

Et cependant l'infection est probablement déjà installée. Car si l'on fait de nouvelles ponctions pour les réci-
dives qui se produisent toujours, on ramène un liquide
de plus en plus louche, qui devient malodorant et finalement purulent.

L'infection de l'épanchement est donc souvent annon-
cée par l'arrêt de la résorption. En même temps, la température commence des oscillations à grands crochets, il
survient des transpirations profuses, le malade maigrit
et se cachectise. Quelquefois les espaces intercostaux sont
devenus douloureux à la pression.

Ces signes réunis suffisent pour diagnostiquer l'infection de l'épanchement et, par conséquent, pour établir
l'indication opératoire. Mais ils ne permettent pas d'affirmer la transformation purulente complète, qu'il ne faut
du reste pas attendre pour ouvrir le thorax. On peut, si
l'on veut, y ajouter la ponction exploratrice, mais il faut
être décidé à ne pas s'arrêter devant une ponction blanche,
et savoir que si le liquide renferme des grumeaux, la
pointe de l'aiguille peut aller piquer l'un d'eux, et se
trouver ainsi bouchée.

Traitemént. — Dans lès cas simples, où le blessé n'accuse pour ainsi dire aucun malaise, il suffit de le *mettre au repos avec un pansement bien serré*. La surveillance de la température et de l'hémothorax est la seule indication à remplir.

Dans les cas à évolution favorable, la température ne dépasse guère 38, le sang disparaît rapidement dans les crachats et l'hémothorax se résorbe lentement.

Le pansement devra être surtout épais quand la plaie pariétale laisse passer le sang, et on ne renouvellera d'abord que ses couches extérieures, pour mettre la plaie à l'abri de la pénétration de l'air.

Mais lorsque la plaie de la paroi est large, il peut être utile de la suturer complètement, pour remédier aux troubles dyspnéiques qui résultent de la libre entrée de l'air dans la cavité pleurale.

Thoracotomie pour plaie pulmonaire. — Nous ne sommes guère partisan de la *ponction évacuatrice* systématique des hémothorax. Pratiquée de bonne heure, elle est presque toujours suivie de récidive. Pratiquée pour infection, elle est tout à fait inefficace. Il peut cependant être indiqué d'y recourir dans le cas où l'hémothorax, très abondant d'emblée, ou croissant avec une grande rapidité, donnerait lieu à des troubles respiratoires menaçants. On se contente alors d'une évacuation partielle, qu'on répète au besoin.

En pareille circonstance, et aussi lorsqu'une hémorragie externe profuse se produit, il peut être indiqué d'aller à la recherche de la plaie pulmonaire pour agir directement sur elle.

Il faut aller vite dans ces cas, étant donné l'état très grave du blessé. Un procédé rapide et qui donne un jour suffisant consiste à réséquer une côte dans une étendue de 15 centimètres ou deux côtes dans une étendue moindre, à la hauteur présumée de la plaie, ou vers le milieu de la hauteur du thorax si l'on n'a aucune indication sur la situation de la plaie pulmonaire.

On obtient ainsi une brèche suffisante pour introduire la main dans la poitrine. Après avoir débarrassé la plèvre de la majeure partie du sang, on harponne le poumon au moyen de pinces triangulaires ou de pinces de Kocher, et on l'amène vers l'extérieur pour l'explorer. Si la déchirure est accessible, on la suture. Avec un peu d'habitude et à condition que la brèche soit suffisamment large, on accède même au hile, sans trop de difficulté. Mais il est essentiel que la plaie pariétale soit placée à la hauteur de la plaie pulmonaire.

Si cependant on ne parvenait pas à fermer la plaie pulmonaire par une suture suffisante, il faudrait se contenter de la tamponner, mais c'est là un pis-aller.

Après la suture pulmonaire, il est essentiel de fermer la paroi aussi hermétiquement que possible. L'air pleural peut être abandonné à la résorption.

En cas d'hémothorax double, où l'asphyxie est menaçante, on pourrait être amené à faire la thoracotomie d'un côté, et à traiter le poumon par la fixation pariétale, afin de le faire respirer. On sait en effet qu'il suffit d'attirer le poumon vers la paroi pour lui voir reprendre immédiatement ses mouvements d'expansion et de retrait.

En tout état de cause, les blessures de guerre qui se prêtent à de telles interventions sont exceptionnelles.

Infection de la plaie pulmonaire. — Nous n'avons rien de particulier à dire au sujet du traitement des broncho-pneumonies qui compliquent quelquefois les lésions pulmonaires. Elles sont justiciables de la thérapeutique médicale ordinaire.

Un abcès du poumon ou une gangrène pulmonaire exigent l'ouverture et le drainage après thoracotomie. Mais ces cas offrent de grandes difficultés de diagnostic et de localisation, et si le poumon a contracté des adhérences avec la plèvre pariétale, il peut être fort malaisé d'arriver dans le foyer et de l'ouvrir suffisamment pour un bon drainage. Si l'opération se faisait en plèvre libre, il faudrait commencer par fixer le poumon à la paroi par une couronne de sutures.

Bien des fois il sera impossible de savoir si l'on a ouvert un abcès du poumon ou une pleurésie interlobaire, et l'intervention pourra ne pas éviter la formation de nouvelles collections. Le malade continuera à se cachectiser et succombera à l'extension progressive du foyer infectieux.

Les suppurations pulmonaires comptent donc parmi les complications les plus graves des plaies thoraciques.

Infection de l'hémothorax. — Il en est tout autrement de l'infection de l'hémothorax, beaucoup plus fréquente, mais contre laquelle nous sommes beaucoup mieux armés.

Nous avons vu quels sont les signes cliniques qui indiquent cette infection ; d'abord l'arrêt du processus de résorption, puis l'apparition d'une fièvre à marche ascendante et à grands crochets, ensuite l'amaigrissement et la cachexie.

Il ne faut pas être pressé d'intervenir dès qu'on constate qu'un épanchement intra-pleural n'a pas de tendance à se résorber. Cette résorption est toujours lente, elle demande de longues semaines, et tant qu'il n'y a pas de réaction importante et que l'état général reste bon, il faut savoir attendre. Il n'y a même pas lieu de recourir systématiquement, en pareil cas, à la ponction, qui est presque toujours suivie de récidive — laquelle affaiblit le malade — et qui, malgré toutes les précautions, peut infecter un épanchement qui est encore aseptique.

Lorsqu'après une attente raisonnable, on acquiert la conviction que l'épanchement ne se résorbera pas, le seul traitement utile consiste dans l'ouverture de la cage thoracique et le drainage.

A plus forte raison, est-ce à cette intervention qu'il faut avoir recours, lorsque les signes de l'infection apparaissent et alors, il est important d'opérer sans tarder. La ponction, nous l'avons dit, est ici tout à fait inefficace, et la temporisation ne peut avoir d'autre effet que de laisser l'état général s'aggraver. Il ne faut pas se préoccuper de savoir si l'épanchement est déjà franchement purulent. Même si l'on ne retirait de la poitrine que du sang, on aurait fait de bonne besogne, car ce sang est, ou bien un épanchement non résorbable, ou bien un épanchement en voie d'infection.

Nous rappelons qu'il ne faudrait pas se laisser arrêter par une ponction blanche, et que les signes cliniques sont suffisants pour l'indication opératoire.

Technique de la thoracotomie pour empyème. — La poitrine doit être ouverte très bas et très en arrière, telles sont les deux règles principales à suivre pour la thoracotomie. Une ouverture ainsi placée sera seule suffisamment déclive pour assurer, dans la position couchée, le complet écoulement des liquides et éviter toute rétention (fig. 33, 34, 35).

Le malade est couché sur le côté sain. L'anesthésie

locale est suffisante. On repère la 10ᵉ côte, la 11ᵉ si
l'épanchement, très abondant, refoule très bas le diaphragme. La côte choisie est réséquée dans une étendue
de 4 centimètres, au niveau de la gouttière costo-vertébrale, c'est-à-dire que l'incision s'arrêtera à 5 centimètres
des apophyses épineuses.

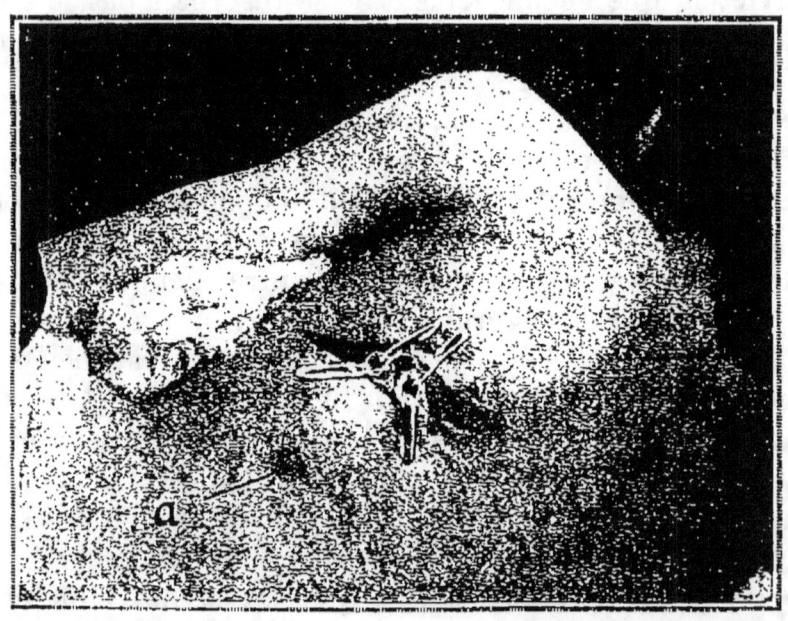

Fig. 33. — Thoracotomie *postérieure* pour empyème. Fixation
de deux drains à la peau par des épingles de sûreté.
a, orifice d'entrée du projectile.

Une fois la côte réséquée, la plèvre est défoncée avec
le bec de la sonde cannelée et aussitôt le liquide s'échappe.
Si l'on ne tombait pas immédiatement dans la cavité, il
suffirait de piquer la sonde vers le haut de la plaie, sous
la côte supérieure, pour y arriver sans plus de difficulté.
Le doigt remplace immédiatement la sonde pour

agrandir l'ouverture, et quand tout l'épanchement s'est
écoulé, on dispose le drainage.

Ce terme de drainage est impropre dans l'espèce. Il
ne s'agit pas d'aller chercher le pus dans la profondeur,
par des tubes plongeant dans la cavité. Cette pratique
est mauvaise ; elle est responsable de bien des fistules
interminables. Ce qu'il faut faire, ce n'est pas drainer,
mais tenir tout simplement ouverte la brèche faite à
la paroi. Comme cette brèche occupe exactement le fond
de la cavité, aucune rétention n'est à craindre.

Pour réaliser la permanence de l'ouverture, on se sert
de tubes de caoutchouc à parois résistantes, ayant au
moins 12 millimètres de diamètre intérieur, mais dont
la longueur doit être à peine supérieure à l'épaisseur de
la paroi thoracique. Deux tubes de pareilles dimensions
sont placés accolés dans la plaie, qu'ils remplissent en
grande partie, mais dont ils ne dépassent guère ni l'ouverture pleurale, ni l'ouverture cutanée. Chacun des
tubes est fixé à la peau par deux épingles de sûreté, et
une mèche de gaze est placée entre eux. La plaie, tamponnée à la gaze, est laissée entièrement ouverte (fig. 33).

Quand l'épanchement a passé à la suppuration complète, la technique est encore la même, mais habituellement le pus de ces empyèmes renferme de grosses masses
d'exsudats solides qu'il faut extraire à la pince. Il est
bon de débarrasser aussi la paroi cavitaire de la couche
d'exsudats fibrineux qui la couvre. Cela se fait au moyen
de tampons montés sur une longue pince courbe, qu'on
peut faire pénétrer jusqu'aux extrémités de la cavité. Les
tubes sont placés comme dans le cas précédent.

Suites opératoires. — Dans la très grande majorité
des cas, les suites sont des plus simples et l'amélioration

est immédiate. Dès le premier jour, la température tombe, le blessé respire plus aisément et ressent un grand bien-être.

L'écoulement est d'abord abondant, mais pour l'hémothorax, le pansement ne doit pas être changé, aussitôt

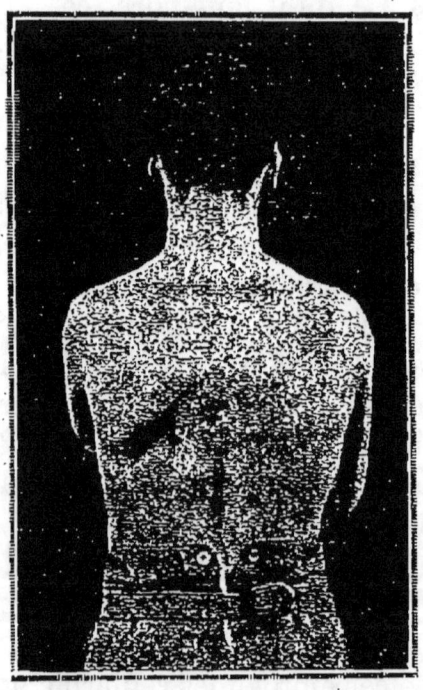

Fig. 34. — Thoracotomie *postérieure* pour empyème (9ᵉ côte).

percé. Il est préférable de le laisser en place pendant plusieurs jours.

En cas d'empyème, il y a lieu de renouveler le pansement tous les jours au début, puis de plus en plus rarement, à mesure que l'écoulement diminue. Ce pansement consiste en un simple nettoyage de la plaie et des

tubes, sans aucune irrigation ni nettoyage intrapleural.
Il ne faut pas réintroduire des tampons dans la cavité,
sous prétexte de nettoyer la paroi : on n'aboutirait qu'à
irriter et à faire saigner la surface.

Après une quinzaine de jours, l'un des tubes est enlevé, l'autre est laissé en place, jusqu'au moment où la

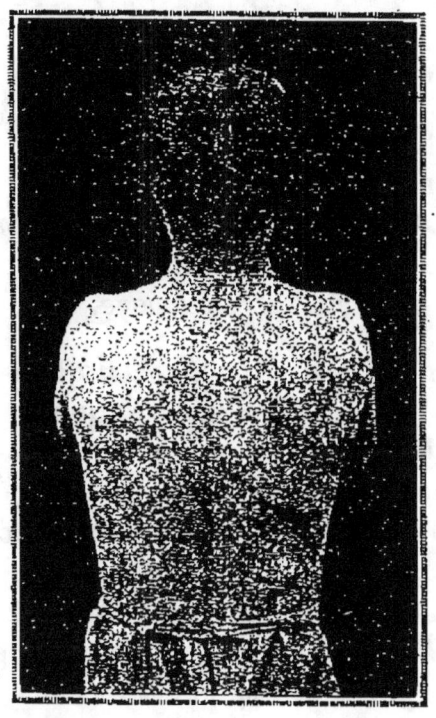

Fig. 35. — Thoracotomie *postérieure* pour empyème (11ᵉ côte).

suppuration est réduite à presque rien, soit après six à
huit semaines.

Après l'enlèvement du dernier tube, l'incision se referme lentement. Il peut persister pendant quelques
semaines une petite ouverture bourgeonnante, donnant
quelques gouttes de pus.

Mais il faut surveiller pendant longtemps la température, et, à la moindre élévation, penser à la rétention. Il suffit de quelques gouttes de pus que la fermeture trop rapide de la plaie a empêchées de s'échapper immédiatement, pour produire une petite poussée de fièvre. Dans ce cas, on force la plaie au doigt, on l'explore et on y introduit au besoin un nouveau tube pendant quelques jours.

Les choses durent un peu plus longtemps lorsqu'il s'est formé une fistule pulmonaire, par laquelle l'air du poumon passe dans la plèvre. Ces fistules finissent néanmoins par guérir spontanément.

L'état général du blessé se relève très rapidement après la thoracotomie, et les forces sont ordinairement revenues au moment où la plaie est cicatrisée.

Suites éloignées des plaies thoraciques. — Que l'épanchement se soit résorbé ou infecté, que la thoracotomie ait été pratiquée ou non, que le projectile ait été extrait ou soit resté dans le poumon, les blessés de la poitrine conservent parfois certains troubles fonctionnels et même physiques : de la dyspnée, des douleurs, une diminution de l'expansion thoracique du côté atteint. On peut les voir faire tardivement des complications pulmonaires septiques, et même de la tuberculose.

Extraction des projectiles intra-pulmonaires. — Les projectiles arrêtés dans le poumon y sont souvent bien tolérés. Ils le sont mal quand ils affleurent à la surface du poumon ; ils provoquent, dans ce cas, des douleurs et une forte dyspnée dès le premier moment. Souvent ils ne donnent lieu à aucun symptôme et ne sont révélés que par la radiographie. Ils peuvent être la cause d'une certaine dyspnée et d'une douleur thoracique intermittente qui peut ne pas correspondre au siège du corps étranger. Quelquefois ils entretiennent pendant longtemps l'hémoptysie, ou provoquent sa réapparition. D'autres fois enfin, ils infectent le tissu pulmonaire et donnent lieu à un abcès où à une gangrène du poumon.

Certains chirurgiens vont systématiquement à la recherche du projectile dès qu'il est repéré, même quand il est bien toléré, afin de mettre le blessé à l'abri de toute complication ultérieure. Cette opération leur paraît justifiée, étant donné sa réelle bénignité.

Si le poumon est adhérent à la paroi, l'opération comporte une thoracotomie ordinaire et ne présente rien de particulier. Mais si le poumon est libre, il faut, après résection d'une ou deux côtes, comme il est dit plus haut, ou bien fixer le poumon à la paroi par une série de sutures perpleurales avant d'ouvrir la plèvre, puis inciser franchement le tissu pulmonaire jusqu'au projectile, l'extraire et tamponner la plaie, ou mieux ouvrir la plèvre, harponner le poumon, l'inciser, extraire le projectile, suturer la plaie pulmonaire et refermer hermétiquement la plaie pariétale. Avec une bonne technique, cette opération n'offre pas de sérieuses difficultés. Nous avons pu aisément enlever des projectiles de la région du hile et réunir la plaie par la suture.

Nous préférons de beaucoup la thoracotomie à l'extraction à la pince, par une boutonnière étroite de l'espace intercostal, sous le contrôle radioscopique, méthode aveugle et dont la moindre gravité est contestable.

On est étonné de constater combien la découverte des projectiles dans le parenchyme pulmonaire est chose facile. Le palper décèle très rapidement le corps dur à travers le tissu mou de l'organe. Il est certain aussi que le poumon supporte très bien l'incision et la suture. Nous pensons cependant qu'il n'y a pas lieu d'enlever les projectiles intra-pulmonaires quand ils ne donnent lieu à aucun malaise.

Rupture des poumons sans plaie extérieure. — Nous avons vu plusieurs exemples de cet accident, qui peut n'atteindre qu'un poumon, ou intéresser les deux, et qui s'accompagne d'un hémothorax dont l'abondance est en rapport avec l'importance de la déchirure pulmonaire. Dans les cas mortels, il y a ordinairement déchirure bilatérale.

La rupture s'observe sur des sujets qui se sont trouvés près du point d'éclatement d'un obus. Elle résulte de l'entrée brusque de l'air sous pression dans les voies respiratoires. Il est probable qu'il faut expliquer de la même manière, le fait de soldats trouvés morts sans aucune blessure apparente, et qu'on a tenté d'expliquer par un ébranlement nerveux, une commotion cérébro-spinale, etc.

Dans des circonstances analogues, nous avons vu des hématémèses par rupture de la muqueuse gastrique. Les deux ordres de lésions ont été trouvés réunis à l'autopsie.

Plaies du cœur et du péricarde. — Elles sont très rarement observées dans les hôpitaux. Quelquefois le siège de la perforation thoracique peut les faire prévoir. Mais le cœur peut être atteint aussi par des projectiles entrés à grande distance.

L'augmentation de la matité péricardique, l'affaiblissement des bruits, ou l'existence de bruits anormaux, des menaces de syncope ou d'asphyxie sont les signes principaux qui doivent faire penser à une lésion du cœur. Ces signes se superposent à ceux de la traversée pleuro-pulmonaire, qui coexiste presque toujours.

Dès qu'il y a présomption d'une lésion du cœur, il faut le mettre à découvert par une thoracotomie antérieure, à volet, de préférence à charnière externe. Après renversement du lambeau, et écartement du cul-de-sac pleural antérieur, on incise verticalement le péricarde, on laisse écouler le sang qu'il peut renfermer, on saisit le cœur et on l'extrait de la poitrine pour l'examiner sur les deux faces. Si l'on découvre une plaie cardiaque, l'organe est immobilisé par la main d'un aide et le chirurgien fait une suture de la plaie à points séparés. Suture du péricarde et remise en place du volet, sans drainage.

C'est de la même manière qu'on procède dans le cas où un projectile serait inclus dans le cœur ou implanté à sa surface.

On a quelquefois l'occasion d'extraire des projectiles implantés dans le péricarde, sans que le cœur soit atteint. Dans ce cas, l'intervention a ordinairement des suites très bénignes.

Plaies du médiastin. — Elles sont rarement observées dans les hôpitaux.

Ce sont ordinairement des lésions propagées de la région antéro-latérale du cou.

Les plaies directes du médiastin sont exceptionnelles, de même que les projectiles inclus dans cet espace. Il est probable que cette rareté n'est qu'apparente et que les blessés succombent souvent à l'hémorragie avant d'être évacués.

Nous avons vu plusieurs cas de traversée transversale

du thorax, avec hémothorax double, où nous avons constaté à l'autopsie que les gros vaisseaux avaient échappé
lors de la traversée du médiastin. Nous avons observé
aussi en pareil cas, une plaie de l'œsophage.

Chez les rares blessés qu'on reçoit dans les hôpitaux,
on trouve ordinairement en même temps une pénétration
thoracique et de l'hémothorax. La participation du médiastin aggrave la plaie thoracique. Le traitement se
confond avec celui de cette dernière. C'est ainsi que les
projectiles inclus dans les médiastins doivent être abor-
dés comme les projectiles pulmonaires, c'est-à-dire par
thoracotomie antérieure pour le médiastin antérieur, par
thoracotomie postérieure pour le médiastin postérieur.

On voit quelquefois des projectiles entrés par le cou, ou
même par la face, continuer leur trajet à travers le médiastin en y épuisant leur vitesse, ou en pénétrant plus
avant dans la plèvre. Il est étonnant de constater que,
dans certains de ces cas, aucun organe important n'a été
lésé et que tout s'est borné à une dissociation du tissu
cellulaire avec infiltration sanguine.

D'autres fois, ce sont des hémorragies du cou qui fu-
sent dans le médiastin.

D'autres fois encore, ce sont des phlegmons qui suivent la même voie et déterminent la fonte purulente du
tissu cellulaire médiastinal. Dans ce cas, comme pour les
médiastinites suppurées nées sur place autour d'un projectile, on peut être obligé de trépaner ou même de
réséquer le manubrium du sternum, afin d'exposer le
foyer, d'extraire les corps étrangers et de drainer.

CHAPITRE XI

PLAIES DE L'ABDOMEN

Variétés, fréquence. — Nous ne voyons presque plus les larg s brèches abdominales avec éviscération qui étaient si fréquentes dans les assauts et les corps à corps des batailles d'autrefois. Nous ne voyons guère que des *perforations* de l'abdomen, et leur fréquence dans les hôpitaux de l'avant témoigne de ce fait qu'en général, elles ne sont pas immédiatement mortelles. La plupart des blessés du ventre ont le temps d'être évacués, au moins à courte distance.

Outre les perforations abdominales proprement dites, nous observons de nombreux cas où l'orifice de pénétration du projectile, ou l'orifice de sortie, ou même tous les deux n'occupent pas l'abdomen, mais une autre région, et où le corps vulnérant n'a donc passé que secondairement dans la cavité péritonéale. C'est ainsi que des projectiles perforent le ventre en entrant par le thorax, par la région lombaire ou sacrée, par la région fessière, par le périnée, par la partie supérieure de la cuisse. En pareil cas, il faut une certaine attention pour dépister la lésion abdominale avant qu'il soit trop tard.

Il n'existe sans doute pas de plaie perforante de l'abdomen sans lésion viscérale. Tous les organes du ventre

peuvent être atteints et le sont avec une fréquence différente. Parmi les organes creux, c'est l'intestin grêle qui
est touché le plus souvent, puis viennent le côlon, l'estomac, la vessie. Le foie vient en première ligne parmi
les organes parenchymateux, après lui la rate, le pancréas.

Diagnostic de l'organe atteint. — Pour quelques
organes abdominaux, la blessure peut être présumée par
le siège de l'un ou des deux orifices et par le trajet suivi
par le projectile. Il en est ainsi du foie, qui sera toujours
blessé par les coups de feu pénétrants de l'hypochondre
droit ; de la rate, qui le sera souvent dans les perforations de l'hypochondre gauche ; du gros intestin qui le
sera dans les traversées des flancs ; de l'estomac qui
le sera dans les plaies de l'épigastre ; de la vessie qui
peut l'être dans les plaies de la région hypogastrique.

Mais on ne peut pas conclure à l'intégrité de ces organes quand la plaie occupe une autre région. Ainsi le
foie est souvent intéressé dans les perforations assez
basses et dans celles de la moitié gauche du ventre,
comme l'estomac peut l'être par un projectile entré sous
l'ombilic. C'est que les organes abdominaux n'occupent
pas dans la station verticale le même niveau que dans
la position couchée, où nous avons coutume de les observer. Le foie et l'estomac en particulier descendent notablement chez l'homme debout.

D'ailleurs les lésions que nous observons dans les viscères ne sont pas toujours de simples perforations. Elles
peuvent résulter aussi de phénomènes d'éclatement. Ce
qui le prouve, ce sont les sections transversales complètes du grêle que détermine quelquefois le simple passage d'une balle, ce sont les ouvertures multiples et rap-

prochées trouvées sur un court segment intestinal, qu'un
seul projectile ne peut avoir traversé un aussi grand
nombre de fois. Or ces éclatements peuvent se produire
à distance du trajet suivi par le corps vulnérant.

Il est donc impossible de conclure de la topographie
d·s orifices pariétaux à la localisation des plaies intrapéritonéales. Les difficultés sont encore plus grandes quand
il n'y a pas d'orifice de sortie, que le projectile est resté
dans le ventre et que l'on n'a par conséquent aucune
notion sur le trajet qu'il a suivi.

Gravité. — De là aussi la caducité de tout système
qui prétend déduire de la région atteinte la *gravité* des
plaies abdominales. On a dit que les plaies de la région
centrale du ventre, qui intéressent ordinairement l'intestin grêle, sont plus graves que celles des régions périphériques, qui ne blessent que l'estomac, les côlons ou
la vessie. On oublie que la situation de la plaie ne permet aucune conclusion ferme quant à l'organe atteint.
Ou oublie de plus que les plaies périphériques blessent
souvent le foie et la rate et que le danger de l'hémorragie se substitue au danger de l'infection.

Le seul point établi, c'est que la perforation de tous
les organes abdominaux n'a pas la même gravité. Une
plaie du grêle, dont le contenu est liquide et qui, par se
mobilité, déverse immédiatement ce contenu dans la
péritoine, sera plus grave qu'une plaie du côlon, dont le
contenu est plus solide et moins exposé à être expulsé
parce que l'organe est moins mobile Il est vrai que les
matières y sont plus infectes.

Une plaie de l'estomac, viscère à musculature puissante, qui tend à rétrécir et à fermer les perforations,
sera moins grave que la blessure de l'intestin.

Toutes choses égales, les perforations viscérales sont d'autant plus graves qu'elles sont plus larges, et laissent plus facilement leur contenu se déverser dans le péritoine.

Quant aux plaies des organes parenchymateux, leur gravité vient, non de l'infection, mais de l'hémorragie à laquelle ils donnent lieu, et qui est souvent considérable.

Il y a lieu de signaler la gravité spéciale et assez difficilement explicable qu'offre la lésion de certains organes. Ainsi les plaies de la rate entraînent très souvent la mort, même quand l'organe est seul atteint, et que la splénectomie a été pratiquée de bonne heure.

Lorsque la perforation de l'estomac s'accompagne d'une lésion du pancréas, la mort est la règle. Il est impossible, dans ce dernier cas, de ne pas penser au système nerveux sympathique dont le plexus solaire a des rapports si intimes avec la glande pancréatique, et dont le rôle régulateur, bien qu'imparfaitement connu, semble être des plus importants.

Il importe de connaître enfin la gravité spéciale qui caractérise les lésions thoraco-abdominales, par suite de l'ouverture des deux cavités séreuses, pleurale et péritonéale.

Anatomie pathologique. — Intestin grêle. — La perforation est la lésion qu'on trouve de préférence sur l'intestin grêle. Elle peut être unique ou multiple. Toutes les anses peuvent être atteintes, et les lésions peuvent être réparties sur des anses éloignées l'une de l'autre. Assez fréquemment, deux perforations se font vis-à-vis, l'une étant évidemment l'orifice d'entrée et l'autre l'orifice de sortie. On trouve aussi sur la même anse une série de perforations séparées par des ponts étroits.

Ces perforations sont quelquefois très petites, comme faites à l'emporte-pièce et sans éversion de la muqueuse. Ce sont des orifices d'entrée. D'autres fois, toutes les perforations sont assez larges, à bords retournés en dehors et à muqueuse ectropiée.

On rencontre aussi la section transversale complète de l'intestin grêle, à bords réguliers ou déchiquetés, comme dans les contusions abdominales, avec ou sans extension au mésentère.

A ces lésions s'ajoutent parfois des perforations de l'épiploon et du mésentère, avec déchirure de vaisseaux et hémorragie qui peut être très abondante.

Gros intestin — Tous les segments du gros intestin peuvent être touchés. Nous avons même vu l'appendice décapité par un projectile. Le côlon descendant est pris le plus rarement Les blessures du cæcum et du côlon ascendant sont souvent les seules lésions existantes. Celles du côlon transverse sont au contraire associées fréquemment à des plaies de l'estomac.

Les perforations des côlons sont en général plus larges et plus irrégulières que celles du grêle, mais la muqueuse a moins de tendance à faire hernie et tout autour de la plaie, il existe une suffusion sanguine sous-péritonéale, qui a décollé la séreuse, et qui lui donne une coloration d'un bleu foncé.

Dans le côlon transverse, il n'est pas rare de rencontrer la perforation double de part en part, tandis qu'au cæcum et au côlon ascendant, on trouve plutôt des ouvertures multiples et rapprochées, sur la face anté·rieure.

Il arrive aussi que le cæcum soit traversé dans sa paroi postérieure, rétropéritonéale, soit que cette lésion existe

seule, soit qu'il y ait en même temps perforation de la
face intrapéritonéale de l'intestin. Nous avons observé
plusieurs cas où les lésions occupaient exactement le
point de réflexion du péritoine, et où les déchirures
étaient donc en même temps intra- et extrapéritonéales.
Ces lésions, qui s'accompagnent ordinairement d'infiltration sanguine étendue du tissu cellulaire rétrocæcal et de
décollement du péritoine, créent de grosses difficultés
pour l'opération, et il est fréquent de les voir se terminer par la formation d'un anus contre nature.

Lorsque les matières du gros intestin sont dures, il
arrive que rien ne pénètre dans la cavité péritonéale. Ce
sont là des circonstances très favorables. Mais lorsque les
matières sont fluides, leur écoulement a naturellement
des conséquences plus graves que l'écoulement du contenu du grêle.

ESTOMAC. — A l'estomac, on rencontre la perforation
simple ou double de la face antérieure et la perforation
de part en part, un des orifices occupant la face antérieure, l'autre la face postérieure. Dans ce dernier cas,
le pancréas est souvent traversé également, et nous
avons plus d'une fois retrouvé le projectile derrière cette
glande.

Les plaies stomacales sont de dimensions très variables.
Quand elles ne sont pas trop larges, la muqueuse qui a
une grande tendance à faire hernie, bouche l'ouverture et
peut s'opposer dans une certaine mesure à l'échappée
des liquides. Les dimensions de l'ouverture ont donc une
grande influence sur la gravité du cas.

Toutes les régions de l'estomac peuvent être atteintes.
Dans la traversée thoraco-abdominale, c'est la région
voisine du cardia qui est prise. Fréquemment aussi, la

petite et la grande courbure sont le siège des lésions, qui se compliquent alors d'hémorragies abondantes par les coronaires.

Les lésions de l'estomac sont souvent accompagnées de plaies du foie, de la rate, du côlon transverse, du duodénum. On les trouve cependant isolées.

PANCRÉAS. — Cette glande n'est jamais atteinte isolément. Nous l'avons trouvée perforée d'avant en arrière dans plusieurs cas de traversée antéro-postérieure de l'estomac. Nous n'avons pas observé d'hémorragie importante dépendant d'une plaie pancréatique. Mais nous avons observé la gangrène consécutive du pancréas, avec phlegmon de l'arrière-cavité des épiploons.

FOIE. — On trouve dans le foie les lésions les plus diverses. Quelquefois, il s'agit d'une simple perforation du bord inférieur, qui ne donne que peu de sang et se cicatrice en quelques jours. D'autres fois, c'est une vaste plaie à bords irréguliers et à prolongements multiples vers la profondeur. D'autres fois encore, c'est une perforation totale de haut en bas, les deux ouvertures n'ayant que des dimensions assez restreintes, mais conduisant dans une cavité intra-hépatique énorme, anfractueuse. qui a désorganisé toute la glande, et témoigne d'un véritable éclatement. De telles lésions sont accompagnées d'une inondation péritonéale, et le sang. peut s'écouler aussi dans le thorax par la perforation diaphragmatique qui est quasi-constante La veine cave peut être touchée.

Nous avons vu aussi le détachement complet d'un ou de plusieurs fragments du foie, nageant librement dans le sang et ayant même passé avec le sang dans la cavité thoracique. Lorsque le dome du foie est le siège de la lésion, l'hémorragie peut même être purement intra-thoracique, le péritoine ne renfermant aucune trace de sang.

Les lésions des voies biliaires sont rares. Nous avons vu des déchirures de la vésicule biliaire, coexistant avec des plaies du foie.

RATE. — Dans les lésions de la rate que nous avons rencontrées, la perforation simple, analogue à celle qu'on voit dans la chirurgie civile, a été très rare. Elle se ci-catrise rapidement. Presque toujours, il s'agit d'éclate-ments complets de la glande, dont la capsule est moins résistante que celle du foie. Ces éclatements sont fréquem-ment radiés, et peuvent détacher complètement un des pôles. Nous avons vu aussi la déchirure être limitée à l'une des régions de la glande.

La plaie étant souvent thoraco-abdominale, on peut observer ici, comme pour les plaies du foie, une hémor-ragie à la fois intrathoracique et intrapéritonéale. Un fragment de la rate, ou même le viscère tout entier a quelquefois passé avec le sang dans la plèvre, et l'on ne trouve alors aucune hémorragie intra-abdominale.

La lésion qui coexiste le plus communément avec une plaie de la rate est la perforation de l'estomac.

Nous étudierons les perforations de la *vessie* avec les plaies du bassin.

Les lésions du *rein* compliquent fréquemment les plaies adominales. Nous en parlerons également dans le cha-pitre suivant, bien que certaines plaies du rein s'accom-pagnent d'ouverture du péritoine et d'hémorragie dans la séreuse.

Vaisseaux intra-abdominaux. — Nous avons vu que des
hémorragies intrapéritonéales très importantes peuvent
résulter d'une blessure des artères mésentériques, des
coronaires de l'estomac, plus rarement des vaisseaux
épiploïques. Nous n'avons jamais rencontré de lésions de
l'aorte, ni de la veine cave, sauf dans sa traversée du
foie, sans doute parce que de telles blessures tuent sur
le coup. Mais nous avons vu plusieurs cas de plaies des
vaisseaux iliaques. C'est la veine iliaque qui est atteinte
de préférence. L'hémorragie intrapéritonéale qui en résulte prend les proportions d'une inondation et de plus,
le sang s'infiltre sous le péritoine qu'il décolle, en formant un hématome qui peut être volumineux.

La blessure d'un vaisseau iliaque peut être la seule
lésion qu'on constate. D'autres fois, elle est accompagnée
de perforations intestinales.

Il est rare qu'on trouve le projectile dans le ventre.
Nous l'avons vu implanté dans la paroi d'une anse grêle,
dans le foie, dans le mésentère, dans l'épiploon, et d'autres fois, libre au milieu du paquet intestinal. On le trouve
aussi arrêté sous la peau, après avoir traversé la paroi
de dedans en dehors.

Evolution des lésions. — Une perforation viscérale
peut se fermer spontanément, à condition qu'elle ne soit
pas trop large. Un bouchon muqueux obture l'ouverture
dès le premier moment.

Mais cette terminaison est en somme assez rarement
constatée, et habituellement, les orifices restent béants
et laissent passer dans le péritoine une partie du contenu
intestinal, malgré les efforts de l'épiploon qui accourt
immédiatement et essaie de se coller autour de la plaie
pour l'isoler. La péritonite qui résulte de la perforation

est totale ou du moins très étendue. L'exsudat est d'abord solide et forme des traînées blanchâtres sur les anses intestinales, rouges et dépolies, puis il devient séro-purulent.

Les efforts faits par la nature aboutissent quelquefois à la localisation de la lésion, sous forme de péritonite enkystée, et en particulier sous forme d'abcès sous-diaphragmatique.

La blessure du cæcum se termine quelquefois par l'établissement d'un anus contre nature ou d'une fistule stercorale, qui peuvent être accompagnés de décollements et de suppurations profuses.

Quant aux hémorragies intrapéritonéales, celles qui ne tuent pas en quelques heures finissent aussi par donner lieu à la péritonite, par propagation de l'infection partie de la plaie pariétale. Une quantité abondante de sang épanchée dans le péritoine ne se résorbe pas.

Symptômes et diagnostic. — *Plaie pariétale*. — Nous avons observé l'ouverture de la peau et de l'aponévrose du ventre, depuis le sternum jusqu'au pubis, par un projectile qui avait rasé la paroi. En un point seulement, la plaie était intra-péritonéale et se compliquait d'ailleurs de perforations intestinales.

Dans la grande majorité des cas, les orifices sont petits et à direction intrapariétale oblique et n'ont rien qui puisse révéler la pénétration. Quelquefois cependant une hernie épiploïque vient rendre cette pénétration évidente.

Symptômes cliniques. — Mais il existe des symptômes cliniques qui, en dehors des caractères des orifices, permettent de reconnaître la perforation péritonéale. Ce sont : la *défense abdominale*, le *vomissement, les signes fournis par l'exploration digitale*, les *symptômes généraux*.

1° *Défense abdominale*. — Le premier de ces symptômes et le plus important, celui qu'il faut toujours rechercher d'abord, est la *défense abdominale*, encore appelée rigidité abdominale. Elle est le signe de la contracture des muscles de la paroi. Pour la constater, il faut procéder comme pour un palper classique.

Le malade couché sur le dos, les cuisses fléchies sur le ventre et écartées, la bouche ouverte, est invité à relâcher ses muscles abdominaux. On applique la main à plat sur la paroi et on se met en devoir de la déprimer lentement et progressivement. Si cette dépression est possible, même au prix d'une certaine douleur, il est presque certain qu'il n'y a pas de plaie pénétrante. Si, au contraire, on sent sous la main qui palpe, les muscles pariétaux durs comme une planche, opposer à la pression une résistance invincible, c'est la défense, et c'est presque toujours la perforation.

Ce signe, qu'on a appelé aussi le « ventre de bois », est précoce, et ne manque jamais, au moins dans les premières heures. Il faut lui attacher la plus grande importance et le considérer en quelque sorte comme pathognomonique. Mais il y a quelques causes d'erreur qu'il faut savoir éviter.

Causes d'erreur. — Si l'on voit le blessé tard, en pleine péritonite septique, la défense aura disparu. Mais les symptômes de l'infection péritonéale rendront le diagnostic rétrospectif évident.

En revanche, certaines lésions de voisinage peuvent déterminer la contracture des muscles abdominaux, sans qu'il y ait pénétration péritonéale. Nous avons vu qu'il en est ainsi des épanchements intrapleuraux qui agissent sur le péritoine en abaissant le diaphragme. Il en est de même des hémorragies lombaires rétropéritonéales, dont la source habituelle est dans une plaie du rein. L'infiltration du sang sous le péritoine postérieur, qui se laisse décoller, réagit sur la musculature de la paroi, et produit un certain degré de rigidité.

Mais la contracture n'est pas aussi forte, *ni aussi générale*, qu'en cas de pénétration. En palpant avec attention, on reconnaît que la résistance occupe surtout une région déterminée du ventre, l'une des moitiés latérales. La défense est donc localisée à la région abdominale correspondant au siège de l'hémorragie rétro-péritonéale. Dans certains cas cependant, la distinction peut devenir très difficile.

Nous avons constaté la rigidité, également unilatérale, avec petitesse du pouls, mais sans vomissements, dans un cas où nous avons trouvé une balle de shrapnell déformée et présentant des aspérités, enchassée sous le péritoine pariétal dans l'hypochondre gauche. Il n'existait aucune autre lésion et l'enlèvement du projectile fit tout rentrer dans l'ordre.

Diagnostic de la perforation et de l'hémorragie. — On a essayé de distinguer, par les caractères de la défense, les perforations viscérales des hémorragies intra-abdominales. Lorsque le péritoine est rempli de sang, même quand il n'existe aucune perforation de viscère, les muscles abdominaux réagissent, et la paroi devient rigide. Mais on a prétendu que cette rigidité était moins forte qu'en cas de lésion viscérale.

Le fait est pour le moins inconstant et, en réalité, le degré de contracture ne peut servir à établir ce diagnostic différentiel. La défense est d'intensité variable d'après les blessés, et l'on voit des plaies perforantes de l'intestin avec une contracture abdominale modérée, et des hémorragies simples avec défense forte.

En pratique, la distinction n'a d'ailleurs pas grande importance, car l'hémorragie n'est accompagnée de défense que lorsqu'elle est abondante, et alors l'intervention s'impose tout comme dans les perforations viscérales, sinon plus.

2° *Vomissement.*—Le deuxième signe de la perforation est le *vomissement*. Il est souvent très précoce, presque immédiat. Il n'a de valeur diagnostique que lorsqu'il se répète et alors, d'alimentaire qu'il est au début, il devient rapidement verdâtre, bilieux.

Quelquefois il s'agit d'un vomissement de sang, abondant et répété. Cette hématémèse permet de diagnostiquer une plaie de l'estomac.

Lorsque les deux symptômes, défense et vomissements, coexistent, la pénétration ne souffre aucun doute. La défense seule, bien accusée, donne la même certitude.

3° *Exploration digitale.* — Si la rigidité abdominale était faible, et si de ce chef la pénétration était incertaine, on pourrait dans certains cas s'en assurer par l'exploration digitale de l'orifice. Le doigt introduit dans la plaie pariétale, pénètre quelquefois facilement dans la cavité péritonéale.

L'exploration digitale est aussi très utile dans les plaies thoraco-abdominales, où elle permettra de reconnaître si les deux cavités séreuses sont ouvertes.

4° *Cathétérisme vésical, diagnostic de localisation.* — Il ne faut jamais négliger, au moment de l'entrée d'un blessé du ventre, de vider la vessie à la sonde, pour reconnaître les blessures vésicales, et surtout les plaies du rein. Dans les blessures intrapéritonéales de la vessie, on retire peu d'urine et le liquide est finalement sanglant. En cas de plaie du rein, l'urine est sanglante en masse.

Si l'urine est claire, on peut conclure presque toujours à l'intégrité des organes urinaires [1] et par conséquent la défense, si elle existe, ne peut être mise sur le compte d'une hémorragie rétropéritonéale.

On ne peut guère pousser plus loin la localisation clinique des lésions. En dehors des signes fournis par la présence du sang dans le vomissement ou dans l'urine, en dehors des probabilités d'une lésion de certains organes fixes, comme le foie, la rate, le cæcum, quand la plaie pariétale occupe la région de ces organes, tout est incertitude, comme nous l'avons vu plus haut.

3° Symptômes généraux. — Les blessés du ventre présentent presque toujours des symptômes généraux qu'on peut rattacher au shock ou à l'hémorragie. Ils ont le pouls petit, misérable ou tout à fait absent, la peau blanche et froide, un état de stupeur plus ou moins accentué. Il est malaisé de débrouiller ce qui, dans ces signes, revient au shock et ce qui est propre à la perte de sang. Le départ entre les deux états n'importe guère en pratique, puisque le traitement est le même.

Traitement. — INDICATIONS DE LA LAPAROTOMIE. — Voici un blessé chez lequel un gros éclat d'obus a produit une large brèche dans la paroi abdominale et dont l'intestin fait hernie à l'extérieur. Qu'il y ait ou non perforation intestinale apparente, il faut agrandir la plaie, procéder à la révision de la masse intestinale, faire éven-

---

1. Nous avons vu cependant la séparation d'un des pôles du rein, sans hématurie.

tuellement les sutures viscérales nécessaires, nettoyer
le péritoine avec des compresses imbibées d'éther et
fermer la paroi. On ne fait en somme que compléter une
laparotomie déjà entamée. Se contenter dans ce cas de
refouler les anses herniées, sans aller voir ce qui se passe
dans la cavité, serait s'exposer à méconnaître des lésions
profondes : perforations, hémorragies, corps étrangers.

Nous croyons qu'il faut agir de même en cas de hernie
de l'épiploon et ne pas se contenter de réséquer le bouchon épiploïque, encore moins de le réduire. En général
on trouve en pareil cas des lésions viscérales graves.

Ce ne serait guère que si les dégâts étaient manifestement au-dessus des ressources qu'il faudrait s'abstenir.

Si l'on constatait une hémorragie abondante par la
plaie, il faudrait évidemment opérer encore, pour aller à
la recherche de l'endroit qui saigne et faire l'hémostase.

Inversement, il est clair qu'il faut s'abstenir dans le
cas où il n'y a aucun symptôme de pénétration et où,
par conséquent, celle-ci est peu probable.

Sur la conduite à tenir dans ces cas, en somme assez
rares, tout le monde est d'accord, ou à peu près.

Mais en général les choses ne se présentent pas aussi
simplement.

Un homme a reçu une balle ou un petit éclat d'obus
dans le ventre. Il présente une ou deux petites plaies
avec les symptômes de la pénétration. Quelle est la conduite à tenir ?

Nous savons qu'en pareil cas, il y a toujours perforation
viscérale ou hémorragie importante, et l'idée vient naturellement d'ouvrir le ventre pour suturer les orifices ou
faire l'hémostase. C'est la pratique courante en chirurgie
civile, et elle est conforme aux règles générales que nous
avons coutume de suivre. Mais en chirurgie de guerre,

ces opérations, théoriquement si indiquées, ont souvent des suites décevantes, et d'autre part l'abstention, ou plutôt le traitement médical, est capable de guérir certains blessés chez lesquels la pénétration n'était guère douteuse.

La guerre du Transvaal, où les chirurgiens anglais avaient opéré systématiquement, a donné pour l'intervention des résultats déplorables, si bien que pendant la campagne des Balkans, le traitement non opératoire a été remis en faveur.

L'enseignement à tirer de la guerre actuelle s'impose dès maintenant. Si l'accord n'est pas complet et si l'on oppose encore les statistiques des cas opérés à celles des cas traités par les moyens médicaux, il est certain que la doctrine interventionniste a regagné beaucoup de terrain, et cela particulièrement auprès des chirurgiens qui ont pu opérer tôt et dans de bonnes conditions.

Mais les statistiques brutes ne peuvent pas résoudre le problème, parce qu'il est impossible d'affirmer que tel blessé qui a été opéré et est guéri, serait mort sans l'intervention, que tel autre, qui est guéri sans opération, avait certainement des perforations viscérales.

Il faut que chacun résolve la question par sa propre expérience. Chaque chirurgien devrait faire une série de traitements expectants et une série d'opérations, et sans attacher beaucoup d'importance aux chiffres obtenus, se faire une conviction. Il est très utile, en outre, d'autopsier tous les blessés qui succombent. On se rend compte ainsi si l'on a eu raison ou non d'opérer, raison ou non de s'abstenir.

Nous avons fait pour notre part cette double expérience et, nous le déclarons nettement, venu sur le front avec des idées plutôt abstentionnistes que nous avions rapportées de la guerre des Balkans, nous sommes devenu de jour en jour plus interventionniste. Nous avons quelquefois regretté de n'avoir pas opéré, jamais d'être intervenu.

Mais si nous sommes interventionniste en principe, nous subordonnons notre intervention à plusieurs conditions, qui doivent être réunies pour qu'elle ait chance de réussir.

CONDITIONS NÉCESSAIRES POUR L'OPÉRATION. — 1° *Installations*. — Il faut d'abord des *conditions de lieu et d'installation*.

Il faut une asepsie parfaite et des installations suffisantes, non seulement pour l'acte opératoire, mais aussi pour les soins consécutifs. Dans une ambulance du front, encombrée de blessés et exposée à être déplacée, il ne faut jamais ouvrir un ventre.

D'autre part, ces blessés ne peuvent être évacués à grandes distances, parce que les transports peuvent être funestes en favorisant l'irruption du contenu viscéral dans le péritoine, et parce que l'opération ne doit pas être différée. C'est donc sur les hôpitaux les plus rapprochés du front qu'il faut les diriger.

Le transport du champ de bataille jusqu'à l'hôpital doit se faire avec d'infinies précautions, afin que le blessé soit remué le moins possible. Il est très recommandable d'utiliser les modèles spéciaux de brancards qui ont été imaginés.

2° *Précocité*. — *Il faut opérer le plus tôt possible*, dans les premières heures qui suivent la blessure. Toutes choses égales, les résultats les meilleurs sont obtenus dans les cas où l'opération a été la plus précoce. L'idéal serait d'opérer immédiatement après la blessure. C'est une

condition essentielle de succès d'arriver avant la péritonite, qui est une question d'heures. Nous devons donc
insister à nouveau sur la nécessité des évacuations précoces et directes.

Quelquefois les blessés du ventre entrent à l'hôpital
sans shock profond, avec un pouls convenable. Dans ce
cas, il faut opérer immédiatement. Ce sont les cas qui
guériront le mieux.

La situation est plus embarrassante quand les symptômes généraux, qu'il s'agisse de shock ou d'hémorragie, vont jusqu'à la suppression du pouls. Au début de
la campagne, nous n'opérions pas immédiatement ces
blessés. Nous commencions par administrer une dose
massive de sérum intraveineux, et opérions aussitôt que
le pouls redevenait satisfaisant. Mais si la circulation ne
se rétablissait pas sous l'influence du sérum, nous nous
abstenions, pensant que les lésions devaient être au-
dessus des ressources.

Malheureusement, celui qui est peu habitué à la chirurgie de guerre se décidera difficilement à l'intervention
lorsque le pouls réapparaît après l'injection intra-vei-
neuse, parce qu'il aura une tendance à croire à une amélioration réelle. C'est une erreur, car si l'on attend, on
voit ordinairement s'installer les symptômes classiques
de la péritonite, et dès ce moment, la laparotomie ne
donne plus guère que des mécomptes. Le délai dont on
dispose avant l'apparition de cette complication est variable. On la voit plus d'une fois déjà marquée après
quelques heures.

Aussi aujourd'hui ne nous arrêtons-nous plus aux phénomènes du shock et opérons-nous immédiatement, tandis qu'un assistant administre le sérum dans la veine
saphène, devant la malléole interne. En donnant le sérum

au pied, l'aide gêne moins l'opérateur qu'il ne le ferait en le donnant dans une veine du bras, et la saphène interne a devant la malléole une position très fixe.

Nous ne nous abstenons que lorsque l'état du blessé est manifestement désespéré.

3° *Technique.* — *Il faut une bonne technique.* La laparotomie ne peut donner de bons résultats qu'à la condition d'être pratiquée par un chirurgien habitué à ce genre d'interventions. La pratique de la chirurgie civile ne suffit même pas. Car la technique de la laparotomie de guerre comporte des difficultés spéciales et pour peu d'opérations, le résultat dépend autant de la manière dont l'intervention a été conduite.

Il y a lieu de préférer l'anesthésie à l'éther.

On a recommandé d'inciser sur la plaie ou dans son voisinage, parce que l'anse blessée peut se trouver immobilisée derrière la plaie pariétale. Mais nous croyons que la laparotomie médiane, plus régulière, plus rapide, lésant moins la musculature, est généralement préférable. Cependant si nous avons des raisons de croire à une lésion du foie, de la rate ou du cæcum, nous faisons l'incision au bord externe du muscle droit. Pour le foie et la rate, nous empiétons souvent sur le rebord costal.

L'incision doit être longue, pour donner du jour. Aussitôt le ventre ouvert, on regarde avant de toucher. Si une anse trouée apparaît, on saisit les bords de l'orifice dans deux pinces de Kocher au moyen desquelles un aide tient l'intestin soulevé et on ferme immédiatement la perforation par le procédé ordinaire à deux étages : d'abord réunion bord à bord, puis surjet à la Lembert.

Nous avons renoncé à isoler l'anse trouée entre deux pinces élastiques, procédé classique, mais plus compliqué que la simple élévation de l'orifice, et qui met peut-être moins bien à l'abri de l'écoulement des matières.

Nous avons renoncé aussi à repérer d'abord toutes les plaies. Il vaut mieux les suturer à mesure qu'on les trouve. Pour cela, on déroule méthodiquement tout le grêle du duodénum au cæcum.

Puis on inspecte le gros intestin en commençant par le cæcum, remontant jusqu'au côlon transverse et redescendant jusqu'à l'S iliaque. On vérifie l'état de la vessie et du Douglas.

On fait de même pour l'estomac, qu'on attire en bas avec des pinces pour exposer sa face antérieure jusque près du cardia, puis on examine sa face postérieure après avoir relevé l'épiploon et le côlon et avoir effondré le mésocôlon transverse.

Chemin faisant, on repère et on suture toutes les perforations qu'on rencontre.

C'est de cette manière qu'on procède lorsque le ventre ne renferme pas beaucoup de sang. Mais si, au moment d'ouvrir le péritoine, on constate une inondation péritonéale, il faut, avant toute chose, éponger rapidement le sang au moyen de grandes compresses, et aller à la recherche de la source de l'hémorragie.

On palpe d'abord la face inférieure du foie, où l'on reconnaîtra éventuellement une déchirure ou une perforation. Puis on glisse la main à plat entre la face convexe du foie et le diaphragme, et on se rend très bien compte des lésions que peut présenter cette région difficilement accessible de la glande.

Puis on introduit la main dans l'hypochondre gauche où l'on reconnaîtrait les déchirures de la rate.

Lorsque ces organes sont intacts, on cherche si aucune

artère mésentérique n'est ouverte, et on va s'assurer enfin de l'état des vaisseaux iliaques.

Il faut savoir qu'il ne suffit pas d'avoir repéré un endroit qui saigne. Le sang peut provenir de plusieurs organes et, après qu'une source d'hémorragie a été découverte, on doit toujours vérifier l'état de tous les autres organes capables de saigner abondamment.

Tout cela doit se faire avec rapidité, car la courte durée de l'intervention est une des conditions du succès.

S'il y a à la fois hémorragie et perforations viscérales, c'est de l'hémorragie qu'il faut s'occuper d'abord.

Il est assez rare que les plaies du foie puissent être suturées. Elles sont habituellement trop anfractueuses et ne se prêtent qu'au tamponnement. Lorsque la face supérieure du foie saigne dans la plèvre par une plaie diaphragmatique, il y a avantage à faire le tamponnement par le thorax, après résection costale et élargissement de la perforation du diaphragme. Pour la suture, on se servirait de gros catgut et d'aiguilles courbes mousses, en plaçant des points profonds peu serrés.

Les plaies de la rate doivent être traitées par la splénectomie. Les déchirures de cette glande sont trop compliquées pour se prêter à la suture, et le parenchyme splénique supporte du reste assez mal le fil.

Les vaisseaux déchirés sont liés. S'il s'agit d'un vaisseau iliaque, il faudra, pour le mettre à découvert, inciser largement le péritoine, et débarrasser la région du sang infiltré, qui masque les rapports.

Il faut éviter autant que possible de faire des résections intestinales, dont le pronostic est plus grave que celui des sutures simples. Il n'y aurait lieu de réséquer que

lorsque les ouvertures sont si rapprochées que leur occlusion exposerait trop au rétrécissement.

Lorsque tout est réparé, on lave abondamment la
masse intestinale à l'éther, on la réintègre dans le ventre
et on ferme rapidement la paroi, après avoir placé un

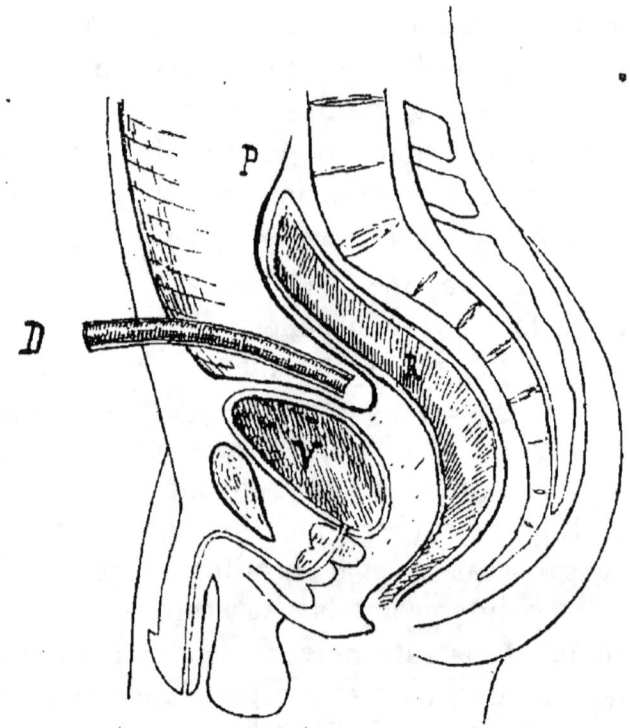

Fig. 36. — Schéma figurant le drainage du ventre par un tube
plongeant dans le Douglas et sortant au-dessus du pubis.
V, vessie ; R, rectum ; P, péritoine ; D, drain.

tube à drainage plongeant dans le Douglas et sortant
au-dessus du pubis, au besoin par une boutonnière spéciale. Il est bon de placer des drains supplémentaires
ou des mèches de gaze dans le voisinage des lésions
(fig. 36).

Suites opératoires. — Les soins consécutifs sont très importants. Le malade, mis au lit, est réchauffé et tenu à la diète *absolue* pendant les premiers jours. Le sérum sous-cutané, intrarectal, ou de préférence intraveineux, est administré à doses fortes et répétées ainsi que l'huile camphrée, la strychnine, etc. Si la péritonite existait avant l'intervention, l'opéré est placé dans la position assise de Fowler, très utile pour maintenir les liquides septiques dans la région pelvienne du péritoine, où le pouvoir d'absorption est moindre que dans la région sus-ombilicale, et où l'épanchement est pompé par le drain hypogastrique.

En même temps qu'on utilise la position assise, on administre le sérum par le goutte à goutte rectal permanent. La morphine est indispensable pour assurer l'immobilité du malade.

Quand les suites doivent être favorables, la température reste peu élevée, le pouls s'améliore, les vomissements cessent, le drain sus-pubien fonctionne, le ventre reste ou redevient indolore et souple et la convalescence s'établit en quelques jours. Le régime doit être rigoureusement surveillé et augmenté très prudemment, malgré la faiblesse et l'amaigrissement rapide qui frappent chez ces opérés.

Le drain sus-pubien est retiré vers le troisième jour. A ce moment, il ne donne généralement plus guère. L'écoulement, d'abord abondant, cesse d'ordinaire brusquement. Les autres drains restent un peu plus longtemps, d'après la nature des lésions.

Si les vomissements persistent après l'opération, le meilleur moyen de les arrêter est le lavage de l'estomac, qu'on peut répéter au besoin.

Dans d'autres cas au contraire, le pouls ne se relève

pas d'une manière durable, les vomissements persistent ou recommencent, de plus en plus fréquents, presque incessants, aqueux ou bilieux, d'un vert foncé, le ventre est sensible, se ballonne, il se produit de l'hypothermie, et le blessé succombe à la péritonite septique, de préférence vers le troisième jour.

La marche peut être plus rapide, et la mort survenir après quelques heures. Dans ce cas, il est habituel que les symptômes du shock ne se sont pas dissipés et on trouve à l'autopsie du sang dans le péritoine : l'hémorragie a continué, malgré le tamponnement d'une plaie du foie par exemple.

Plus rarement, les accidents sont tardifs et ce n'est qu'après huit jours et plus, que se montrent les signes d'une péritonite d'apparence d'abord assez bénigne, mais qui n'enlève pas moins le malade en quelques jours. L'autopsie peut révéler que la suture n'a pas été tout à fait étanche ou qu'un point a cédé. Mais la péritonite se rencontre aussi alors que toutes les sutures ont tenu.

Quelquefois l'opéré, après plusieurs jours d'évolution tout à fait favorable, présente de l'oppression, avec aphonie, et meurt rapidement. On trouve à l'autopsie de la congestion pulmonaire, alors que tout est bien du côté du ventre.

Dans une autre série de cas, beaucoup plus fréquents, le malade fait, après quelques jours, de la bronchopneumonie uni-ou bilatérale, à laquelle il peut succomber. Il faut probablement incriminer ici des embolies septiques.

Après l'ablation de la rate, même sans autres lésions, nous avons vu survenir des troubles circulatoires, dont la cause est difficilement explicable et qui ont entraîné la mort. Nous n'avons fait à l'autopsie aucune constatation qui éclaire plus complètement ces faits.

Ce sont les cas où un seul organe est atteint qui évoluent le mieux après l'opération. Il est certain que des lésions multiples aggravent singulièrement le pronostic opératoire, et qu'en particulier lorsqu'une hémorragie importante accompagne des lésions viscérales, l'opéré a peu de chances. Toutes choses égales, une hémorragie est plus grave qu'une perforation intestinale. De là que les lésions étendues du foie et les déchirures de la rate sont d'un mauvais pronostic.

Il en est de même, mais pour d'autres raisons, des plaies de l'estomac accompagnées de perforation du pancréas. Ici il faut probablement incriminer une atteinte du plexus cœliaque.

Quant aux lésions cæco-coliques, les perforations de la portion intrapéritonéale donnent un chiffre important de guérisons opératoires. Par contre les plaies qui correspondent au point de réflexion du péritoine et celles qui sont tout à fait rétropéritonéales, se terminent souvent par la fistule stercorale ou l'anus contre-nature.

TRAITEMENT MÉDICAL. — Lorsqu'on s'abstient d'opérer une plaie perforante du ventre, il faut instituer un *traitement médical*, dont l'immobilité absolue, la diète rigoureuse et la morphine constituent la base.

Dans ces derniers temps, on a fait un certain bruit autour d'une méthode de drainage du ventre associée au traitement médical, recommandée par Murphy et que quelques chirurgiens français ont utilisée. Elle consiste à faire, sous anesthésie locale, une boutonnière au-dessus du pubis et à introduire par là un tube dans le Douglas. Position assise et goutte à goutte rectal. D'après les partisans de cette méthode, le *boutonnière de Murphy* aurait à son actif un pourcentage important de guérisons.

Mais la plupart de ceux qui l'ont utilisée n'en ont pas retiré les avantages annoncés et elle semble dériver d'une conception un peu simpliste des choses. Elle ne peut en tout cas pas être mise en parallèle avec la laparotomie et ne constitue qu'une addition au traitement médical.

SUPÉRIORITÉ DU TRAITEMENT OPÉRATOIRE. — Lorsqu'on a pratiqué un nombre important d'interventions pour plaies perforantes de l'abdomen, qu'on a, d'autre part, fait l'autopsie de tous les malades qui ont succombé, opérés ou non, on acquiert la conviction que le traitement opératoire est le seul logique. Il suffit d'avoir vu les larges déchirures intestinales, les dégâts des viscères pleins, la multiciplité fréquente des lésions, pour avoir son opinion arrêtée.

Sans doute, si l'on opère systématiquement tous les cas qui présentent les signes cliniques de la perforation, on ouvrira de temps en temps un ventre qui ne renferme pas de lésions et où il s'agissait par exemple d'hémorragie rétro-péritonéale ou de toute autre condition ayant pu en imposer pour une plaie viscérale. Sans doute aussi, dans beaucoup de cas, on aura, dès l'ouverture du péritoine, l'impression de se trouver devant des lésions presqu'irrémédiables. Mais, dans les deux cas, l'opération n'aura pas aggravé le pronostic.

En revanche, il sera bien rare qu'on trouve des lésions minimes, des perforations étroites, que le traitement médical aurait peut-être pu guérir, mais que l'opération guérira certainement mieux et plus sûrement. Dans la majorité des cas, il s'agit d'ouvertures tellement larges qu'il ne serait pas raisonnable d'en attendre l'occlusion spontanée.

Il est hors de doute que l'opération donne encore une très forte mortalité. Nous ne donnerons pas de chiffres, parce que les cas qui composent les statistiques un peu importantes appartiennent à des opérateurs différents, et sont trop dissemblables et que les statistiques d'un même chirurgien sont trop petites. Dans les relevés les plus favorables, la mortalité est encore de 50 %.

Les plaies perforantes de l'abdomen comptent donc encore parmi les plus graves des plaies de guerre que nous voyons dans les hôpitaux. Mais, à mesure qu'augmente l'expérience de chacun, et que la technique se perfectionne, on peut s'attendre à des résultats de plus en plus encourageants.

Il est certain d'autre part que l'intervention sauve la vie de certains blessés que l'abstention aurait été incapable de guérir.

Contusions abdominales. — Nous n'aurions pas à nous occuper de ces traumatismes qui n'ont rien de très particulier à la guerre, si nous ne les avions observés plusieurs fois à la suite d'éboulements d'abris.

Ces contusions se présentent à tous les degrés, comme à la suite du classique coup de pied de cheval. Elles sont habituellement accompagnées d'un shock important, de fortes douleurs à la pression, de défense et de vomissements.

Pour peu que les phénomènes soient graves, il est indiqué d'ouvrir le ventre sans retard. Nous avons trouvé en pareil cas des perforations de l'estomac, de longues déchirures de l'intestin et plusieurs fois la rupture transversale complète du grêle, avec écartement considérable des deux bouts et forte éversion de la muqueuse.

Comme il s'agit de lésions par éclatement et que les déchirures sont en général larges, le pronostic de cet accident est grave.

CHAPITRE XII

PLAIES DE LA RÉGION LOMBAIRE

Variétés. — Les projectiles qui atteignent les lombes peuvent ne pas dépasser cette région. D'autres fois, ils continuent leur trajet jusque dans le ventre. D'autres fois encore, ils entrent par le thorax pour passer de là dans la région lombaire.

Les dégâts qu'ils y occasionnent sont très variables.

I. **Plaies des parties molles.** — Les plaies qui n'intéressent que les muscles, et en particulier ceux de la masse sacro-lombaire, n'offrent rien de particulier à signaler. Quelquefois ces plaies peuvent pénétrer jusqu'au rein, qu'elles mettent à découvert et qui est ou non blessé. Elles se compliquent assez facilement de gangrène gazeuse. Il est bon de savoir que, pendant tout le temps de la cicatrisation, les moindres mouvements du tronc sont très douloureux, ce qui condamne le malade à l'immobilité absolue et lui fait craindre tout changement de position. Cette impotence fonctionnelle des muscles peut se prolonger assez longtemps après la guérison.

La région lombaire porte souvent l'orifice d'entrée d'une plaie abdominale, quelquefois aussi d'une plaie vertébro-médullaire.

Les coups de feu transversaux peuvent traverser toute

la région sans toucher ni le rein ni le péritoine. Nous avons vu une balle déchirer les vaisseaux rénaux et sortir par la plèvre du côté opposé après avoir entamé la face supérieure du foie dans sa partie non pourvue de péritoine. Une hémorragie formidable avait décollé tout le péritoine postérieur, qui était refoulé vers le ventre, mais était resté fermé.

II. **Plaies du rein.** — Quand le rein est atteint par un projectile qui a pénétré directement dans la région lombaire, il y a souvent en même temps des lésions abdominales ; à plus forte raison quand le projectile, entré par le ventre, est sorti par les lombes. Lorsqu'au contraire, le trajet est vertical ou transversal, il arrive que le péritoine ne soit pas ouvert, et que le rein seul soit intéressé.

Anatomie pathologique. — Assez fréquemment le rein est décapité de son pôle supérieur ou de son pôle inférieur, qui est entièrement détaché. Mais habituellement il s'agit d'un véritable éclatement et l'organe présente une vaste plaie anfractueuse, étoilée. Nous avons vu aussi de simples perforations du rein occasionner la déchirure des vaisseaux du hile et même ceux-ci être intéressés seuls, le rein lui-même étant épargné.

Le bassinet seul peut être lésé et l'on peut voir alors se développer une hydronéphrose ou une pyonéphrose très volumineuse.

Au fond de certaines plaies étendues de la région lombaire, on aperçoit le rein largement ouvert avec ou sans déchirure du péritoine.

Il n'est pas exceptionnel que les deux reins soient touchés dans les trajets transversaux. On peut voir aussi une blessure du rein gauche accompagnée d'une lésion de la rate.

En général, une certaine quantité de sang s'épanche autour du rein et peut décoller le péritoine. La perforation de la séreuse et l'irruption du sang dans le ventre ne semblent pas fréquentes, sauf en cas de lésions multiples.

Symptômes et diagnostic. — Les lésions du rein s'accompagnent habituellement d'une sensibilité à la pression profonde et même d'un certain degré de défense, limitée à la moitié correspondante de l'abdomen. Il faut se garder de conclure de là à la pénétration péritonéale, et de pratiquer la laparotomie. Il faut une certaine habitude pour éviter cette erreur. Nous rappelons que le caractère localisé, unilatéral, de la défense et l'absence de vomissements permet de faire ce diagnostic différentiel, dont on comprend l'importance pratique.

Le symptôme capital qui révèle la blessure du rein est l'*hématurie*. Il est tout à fait exceptionnel qu'elle fasse défaut.

Le blessé ne peut presque jamais uriner spontanément et il faut retirer l'urine par la sonde. La quantité de sang qu'elle renferme varie. Mais c'est toujours une hémorragie en bloc, donnant à toute la masse liquide une couleur uniforme, tantôt rouge vif comme s'il s'agissait de sang pur, tantôt simplement teintée. Il arrive, quand l'hémorragie est massive, que des caillots volumineux remplissent la vessie, qu'il est difficile de vider.

Si l'on ne veut pas passer à côté du diagnostic de la lésion rénale, il ne faut jamais négliger le cathétérisme, non seulement, comme nous l'avons vu, dans toute plaie présumée abdominale, mais dans toute plaie lombaire, thoracique, fessière.

Le blessé peut être en état de shock et présenter des
signes d'anémie aiguë.

Le diagnostic de l'origine rénale de l'hématurie se fait
par le siège de la plaie et par les caractères de l'hématurie : le sang est également distribué dans toute la
masse urinaire.

Quant au diagnostic du côté atteint, il se fonde aussi
sur la topographie de la plaie et sur le siège de la défense
abdominale, qui correspond au rein lésé. Quand le trajet
du projectile est transversal, la localisation peut être plus
malaisée, et on pourrait, avant d'intervenir, être obligé de
recourir à la cystoscopie ou à la séparation des urines.

Evolution. — L'évolution de la lésion rénale se révèle
et se juge par la marche de l'hématurie.

La perte de sang peut être tellement profuse qu'elle
menace à bref délai la vie du blessé.

D'autres fois au contraire, l'hémorragie est en décrois-
sance dès le lendemain de la blessure, et le sang peut
disparaître dans l'urine en quelques jours, pour ne plus
s'y montrer. Dans ce cas, le shock s'est dissipé rapidement, et le rétablissement est prompt.

Dans d'autres cas, l'hémorragie continue abondante, le
sang se coagule dans la vessie, le malade s'anémie, il survient de la fièvre et la région devient de plus en plus
douloureuse et rigide.

D'autres fois encore, le sang ne disparaît que temporairement dans l'urine ; il s'y montre par intervalles, et
le malade accuse des douleurs qui lui rendent le moindre
mouvement pénible. Ces hématuries à répétition finissent
par altérer au plus haut degré l'état général.

Lorsque le blessé n'est pas opéré, l'hématome péri-
rénal subit des transformations importantes. Tantôt il

passe à la suppuration et conduit au phlegmon périnéphrétique, au milieu duquel on peut trouver un fragment nécrosé du rein. Tantôt il s'organise en couches
plus ou moins stratifiées, formant autour de la glande
une sorte de tumeur dure et adhérente aux tissus voisins.

D'autre part, la plaie rénale peut s'infecter et l'infection
aboutir à la pyonéphrose, qui se reconnaîtra à ses caractères cliniques ordinaires.

La tumeur formée par l'hydro-pyonéphrose consécutive à la blessure du bassinet, peut être assez volumineuse pour produire une énorme distension unilatérale
du ventre.

Traitement. — La détermination à prendre au sujet du
traitement d'une lésion du rein est quelquefois embarrassante.

Lorsqu'on a affaire à une vaste plaie du rein qu'on peut
reconnaître au fond d'une plaie lombaire, les choses ne
souffrent pas de discussion ; il faut agrandir la plaie pariétale et extirper le rein séance tenante. Mais cela est
en somme exceptionnel.

Les conditions les plus délicates sont celles où l'on
présume une lésion intra-abdominale ajoutée. En pareille
occurence, il faut d'abord s'occuper du ventre, à moins
que l'hémorragie rénale ne soit vraiment menaçante. On
peut être amené, dans ce dernier cas, à pratiquer immédiatement la néphrectomie après la laparotomie.

Mais, encore une fois, la défense qui accompagne toujours les lésions rénales, ne doit pas en imposer pour une
lésion intra-péritonéale, qui exigerait la laparotomie immédiate. Nous avons vu plus haut quels sont les signes qui
permettent d'éliminer l'hypothèse d'une pénétration péri-

tonéale. Il faut attacher la plus grande importance à ce diagnostic différentiel.

Lorsque le rein est reconnu seul atteint, la conduite à tenir dépendra des caractères et de la gravité de l'hématurie. Si celle-ci n'est pas excessive, il faut temporiser. Le blessé sera mis au repos complet, et soumis au traitement de toutes les hémorragies. Dans les premiers jours, il est l'objet d'une surveillance attentive, et si l'urine s'éclaircit, on renonce à toute intervention. On y renonce encore, même lorsque le sang reparaît dans l'urine, à la condition que la fréquence et l'importance de ces retours aillent en décroissant, et qu'ils n'entraînent pas d'altération de l'état général ni de signes d'anémie. Sinon, il ne faudrait pas tarder davantage et pratiquer la néphrectomie secondaire.

Ce n'est que dans le cas d'hémorragie vraiment profuse, compliquée d'anémie aiguë, que l'expectation n'est point permise et qu'il faut se décider pour l'intervention immédiate.

Cette intervention, qu'elle soit primitive ou secondaire, doit être pratiquée toujours par la voie lombaire, parce que sous-péritonéale. Ce n'est guère que si, au cours d'une laparotomie, on trouvait le péritoine postérieur largement ouvert, qu'on pourrait enlever le rein par cette voie.

La découverte du rein par la région lombaire peut se faire très rapidement, en quelques minutes. Le rein étant normal et sans adhérences, se reconnaît et se libère facilement. On l'attire dans la plaie et on l'examine. Lorsqu'un des pôles est seul enlevé, on peut suturer la plaie rénale avivée en coin, et remettre le rein en place. Mais s'il s'agit, comme c'est le cas habituel, de plaies anfractueuses, d'éclatements étendus ou de déchirure des vaisseaux du hile, la néphrectomie totale s'impose.

La technique de l'opération ne présente rien de particulier. On peut sans inconvénient réunir complètement les muscles et la peau, sans drainage. Comme les tissus de la région sont sains et souples, l'espace qu'occupait le rein s'affaisse immédiatement, et la réunion primitive s'obtient avec la plus grande facilité.

Dans les cas où l'infection de la plaie rénale aboutit à la formation d'un phlegmon périnéphrétique ou d'une pyonéphrose, on sera obligé d'intervenir pour ouvrir et drainer la collection dans le premier cas, pour extirper le rein dans le second.

L'hydro-pyonéphrose volumineuse doit être ouverte par laparotomie et marsupialisée. Reste-t-il une fistule, il faut, pour la tarir, pratiquer une néphrectomie secondaire par la voie lombaire.

Des blessés du rein, non opérés, peuvent conserver de leur lésion des douleurs persistantes qui leur font réclamer une intervention tardive. Nous avons trouvé en pareil cas des hématomes périrénaux organisés et très adhérents aux tissus voisins.

CHAPITRE XIII

PLAIES DU BASSIN

I. Plaies de la vessie. — *Fréquence, variétés.* — A en juger d'après ce que nous avons observé, les plaies purement intrapéritonéales de la vessie ne sont pas très fréquentes ou, du moins, nous ne les rencontrons guère dans les laparotomies. Elles sont ordinairement accompagnées d'autres plaies viscérales et leur fermeture n'est qu'un épisode d'une laparotomie pour lésions multiples.

La plupart des plaies vésicales que nous voyons sont dues à des projectiles entrés, non par l'abdomen, mais par la fesse ou par la partie supérieure de la cuisse et passés de là dans le bassin. Ou bien la région sous-péritonéale de la vessie est perforée, et l'urine infiltre le tissu cellulaire périvésical, notamment la cavité de Retzius, en décollant le péritoine qu'on trouve soulevé sous forme d'une poche tremblotante, ou bien il y a perforation simple ou double de la portion péritonéale du réservoir urinaire, ou encore plaie intra- et sous-péritonéale à la fois. Dans ce dernier cas, il peut être impossible de découvrir la perforation de la séreuse, certaine cependant, puisque la cavité péritonéale renferme de l'urine. C'est qu'il s'agit sans doute de fissures très étroites. La perforation sous-péritonéale, elle aussi, peut être très difficile à repérer à l'opération.

Symptômes et diagnostic. — Le premier symptôme que présente le blessé est l'impossibilité de la miction, mais sans ténesme. La région hypogastrique — et dans une étendue variable le reste de l'abdomen — se distendent, deviennent sensibles à la pression, et présentent une certaine rigidité. Le cathétérisme retire une petite quantité d'urine qui peut être teintée de sang, parfois très légèrement. Cette quantité n'est pas en proportion du temps écoulé depuis la dernière émission volontaire et de la quantité de liquides ingérés, mais elle n'est tout à fait négligeable que dans les éclatements intrapéritonéaux. Le shock est peu accentué et le blessé ne donne pas l'impression d'être gravement atteint, comme les abdominaux ordinaires.

Il n'existe aucun signe qui nous permette de reconnaître au premier abord si la plaie est intra-ou extrapéritonéale. D'ailleurs, comme l'urine est presque toujours à la fois épanchée dans le péritoine et infiltrée sous la séreuse, ce diagnostic différentiel est sans intérêt.

Quant à la réaction péritonéale, elle est d'intensité très variable et nullement en rapport avec la quantité d'urine que renferme le péritoine.

On connaît un certain nombre de cas où le projectile est resté dans la vessie, d'où il a fallu l'extraire par la taille, ou d'où il s'est éliminé spontanément par l'urètre. Il peut être encastré dans la paroi vésicale, comme un calcul enchâtonné. Nous avons vu une balle de shrapnell enfouie dans la prostate.

Évolution. — Une étroite perforation intrapéritonéale peut se cicatriser spontanément. Mais en général elle

réclame la suture. Quant aux perforations sous-péritonéales, si elles ne sont pas soignées par les moyens
appropriés, leur conséquence fatale est le phlegmon pelvien, en général diffus, quelquefois cependant limité, par
exemple à la cavité de Retzius. En même temps, il se
développe toujours une péritonite partielle, localisée au
pelvis. Le malade se cachectise, épuisé par la fièvre et
la suppuration fétide que donnent les fistules, et succombe assez rapidement à l'infection.

Traitement. — Il n'y a rien de particulier à dire de
la technique de la suture des plaies intra-péritonéales.

Quant aux formes sous-péritonéales, elles doivent être
traitées aussitôt reconnues, si l'on veut éviter les accidents infectieux qui apparaissent rapidement, et qui
peuvent prendre en quelques heures un caractère grave.

Il y a une triple indication à remplir. Il faut : 1° dériver l'urine pour l'empêcher de continuer à s'écouler
par la perforation ; 2° drainer le tissu cellulaire pelvien
pour s'opposer à l'infiltration progressive de l'urine ;
3° drainer le péritoine, pour le débarrasser de l'urine qui
s'y est infiltrée.

Le moyen le plus simple pour dériver l'urine est de
placer une sonde à demeure.

Si l'on craignait qu'elle ne soit pas supportée, on pourrait placer la sonde par la ponction hypogastrique, et cela,
au cours de l'intervention qui répond aux deux autres
indications.

Cette intervention consiste à ouvrir la paroi abdominale depuis l'ombilic jusqu'au pubis, en s'arrêtant devant
le péritoine. On tombe sur le tissu cellulaire périvésical
gonflé de liquide, et dont l'urine s'écoule en abondance.
On l'assèche dans la mesure du possible et on ouvre

ensuite le péritoine. Si l'on découvrait une perforation intrapéritonéale de la vessie, on la fermerait par la suture. Mais le plus souvent on ne remarque rien sur le dôme ni sur la paroi postérieure. On se contente d'assécher la cavité abdominale, de la laver à l'éther et de placer un drain plongeant dans le Douglas, et autour duquel on referme le péritoine et la partie supérieure de la plaie pariétale.

Dans la partie inférieure de la plaie, on a maintenant sous les yeux la face antérieure de la vessie dépourvue de péritoine. On peut ponctionner le réservoir à ce niveau et y introduire une sonde de Nélaton ou mieux une sonde de Pezzer.

Enfin, de chaque côté de la vessie, on place, dans le tissu cellulaire, un gros tube à drainage et on laisse ouverte toute la partie correspondante de la paroi. Tout au plus pourrait-on la fermer partiellement, en laissant passer les tubes. Mais pour peu que l'infiltration urinaire soit étendue, il est plus prudent de ne rien fermer.

Lorsque cette intervention est terminée, trois tubes sortent de la plaie sans compter éventuellement la sonde : un au-dessus, qui draine le péritoine, et deux latéraux, qui drainent le tissu cellulaire périvésical (fig. 37).

Le malade est tenu au lit dans la position assise, la sonde plongeant dans un urinal qui renferme une solution antiseptique.

Les suites sont simples. Dès les premières heures, la tension hypogastrique disparaît, ainsi que la sensibilité à la pression, l'urine passe par la sonde et les tubes latéraux débitent de moins en moins.

C'est le tube abdominal qui est retiré le premier, après quelques jours. Les drains latéraux ne le sont que lorsque

la région périvésicale paraît bien asséchée, et la sonde
reste en place la dernière.

Si, malgré ce traitement, des phénomènes d'infection

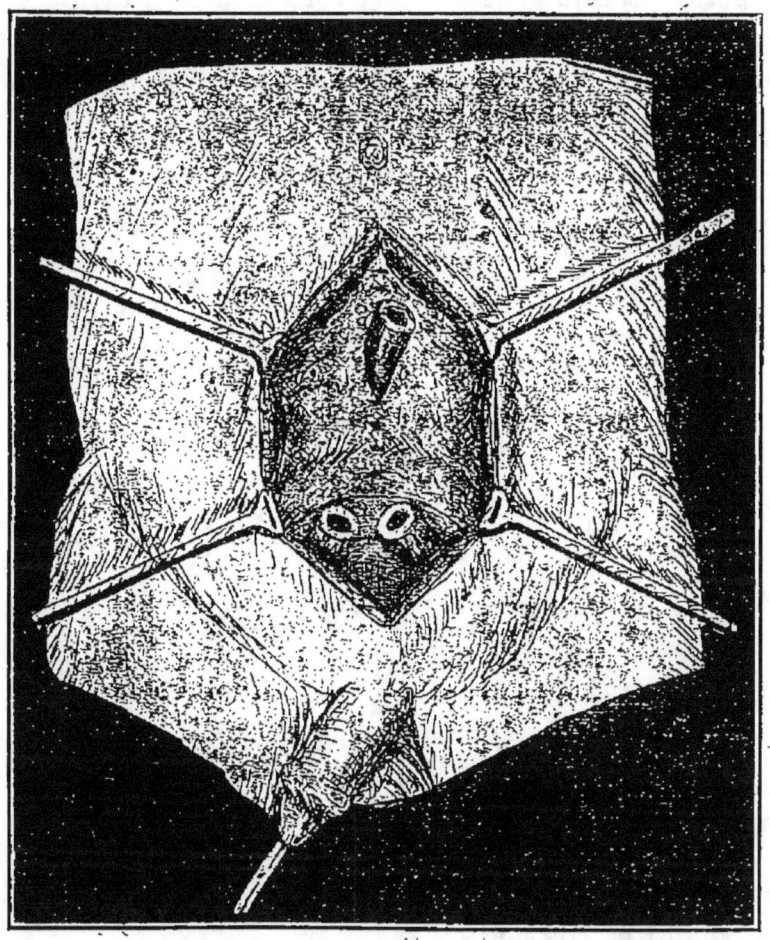

Fig. 37. — Schéma du drainage en cas de plaie intrapéritonéale et
extrapéritonéale de la vessie. Drain supérieur plongeant dans le
Douglas. Drains inférieurs plongeant sur les côtés de la vessie.

se déclarent, il faut procéder à des débridements larges et
au drainage de tous les culs de-sac du foyer septique.

Lorsque le pus a fusé dans le petit bassin, il est nécessaire de lui donner issue par le périnée, aucune incision hypogastrique, si large qu'elle soit, n'étant suffisamment déclive. On retirera ici de très grands avantages de la « périnéotomie », que nous avons décrite autrefois et qui consiste à passer entre le rectum et les organes urinaires, aussi profondément que de besoin, fût-ce jusque dans le

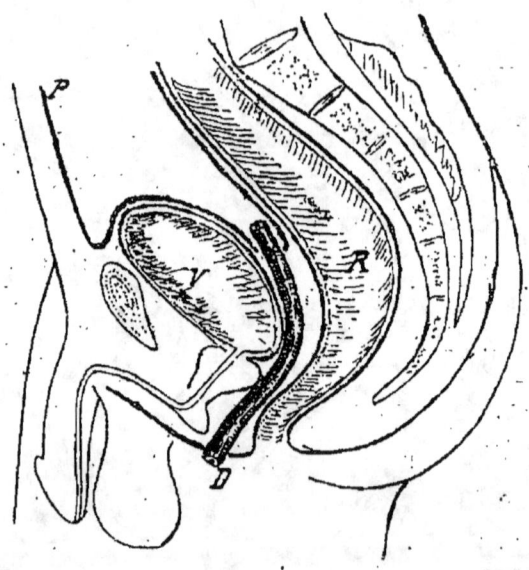

Fig. 38. — Drain périnéal.
V, vessie ; R, rectum · P, péritoine ; D, drain.

cul-de-sac de Douglas. C'est dans cette incision maîtresse qu'on effondrera et qu'on fera aboutir tous les trajets secondaires (fig. 38).

II. **Plaies du rectum.**— *Variétés*. — Le rectum n'est pas très fréquemment blessé, surtout sans que la lésion atteigne la vessie. On observe cependant des perforations simples par de petits projectiles entrés par la paroi postérieure ou latérale du bassin et qu'on peut trouver libres dans l'ampoule rectale ou insérés dans la paroi.

On observe aussi des déchirures et parfois de grandes brèches de sa paroi postérieure, avec ou sans fracture du sacrum. Ces plaies peuvent s'étendre sur les faces latérales et atteindre la face antérieure, mais seulement comme lésion propagée, car les plaies directes de la face antérieure du rectum entament toujours l'urètre ou la vessie.

Nous avons vu des arrachements de l'anus et du rectum remontant parfois à une grande hauteur, avec ouverture du péritoine, des séparations presque complètes du rectum, qui est comme disséqué dans une énorme brèche produite dans le petit bassin.

Enfin, dans un dernier groupe, il faut classer les lésions rectales localisées à la région ano-sphinctérienne, et compliquant les plaies des fesses et du périnée.

Diagnostic. Evolution. — La pénétration rectale est toujours facile à reconnaître. Pour les perforations de l'ampoule, le toucher suffira, sans compter l'écoulement du sang par l'anus. Lorsque la plaie est large, on voit le rectum ouvert dans le fond, et les matières souillent les parois.

L'ouverture du péritoine pourra ne donner lieu à aucun symptôme grave et n'être reconnue qu'accidentellement, au cours de l'examen.

Les plaies du rectum se caractérisent par leur étonnante facilité de réparation. S'il ne survient pas d'infection grave, on voit des brèches énormes se fermer avec une incroyable rapidité. Mais si la plaie s'infecte, il survient une suppuration profuse, à odeur infecte, qui donne lieu à des fusées lointaines et épuise le blessé. La propagation se fait surtout vers la concavité du sacrum, où se produisent des clapiers remontant souvent très haut, et vers les fosses ischio-rectales, où s'établissent des fistules avec décollements étendus. La fusée peut se faire jusque dans les fosses iliaques.

Les petites plaies supra-sphinctériennes peuvent, elles aussi, occasionner l'infection du tissu cellulaire péri rectal, le phlegmon du sinus ischio-rectal et la fistule consécutive.

Lorsque la plaie rectale est large et haut située, elle peut aboutir à la formation d'un anus sacré, accompagné toujours de prolapsus du rectum.

Traitement. — Les plaies de la région sphinctérienne ne demandent souvent que des soins de propreté. Le phlegmon ischio-rectal serait, le cas échéant, débridé en même temps que le sphincter, comme on procède pour une fistule anale ordinaire.

Il arrive que les plaies du segment inférieur du rectum tardent de se cicatriser par suite de la mobilité que le sphincter communique à toute la région. L'incision complète du muscle, soit au niveau de la plaie si les conditions s'y prêtent, soit en arrière, sous forme de rectotomie postérieure, constitue un excellent moyen de mettre tous les tissus au repos et d'obtenir la cicatrisation dans un bref délai.

Il ne faudrait pas hésiter non plus à sectionner le sphincter si une perte de substance de la région supra-sphinctérienne tardait de se fermer. L'étalement de toute la région est l'expédient le plus utile pour hâter la cicatrisation.

Pour les plaies rectales qui entament le coccyx et le sacrum, le retard peut provenir de la présence de ces os, sans qu'il y ait aucune infection péri-rectale. Une résection sacro-coccygienne est très utile dans ce cas.

Une règle à laquelle il faut se tenir strictement, c'est de ne jamais essayer de fermer les plaies du rectum par la suture, si tenté qu'on puisse être de le faire, par exemple quand il s'agit de déchirures simples. Cette pratique, toujours inutile, puisque le pouvoir de cicatrisation est grand, expose à des accidents de rétention redoutables. En cas d'arrachement du segment inférieur, il faut s'efforcer de fixer à la peau du périnée l'intestin abaissé.

Les phlegmons de la fosse ischio-rectale doivent être largement débridés et au besoin le sphincter sectionné. Les collections iliaques sont ouvertes par voie para-péritonéale, au-dessus du pli inguinal. Quant aux suppurations cantonnées dans la concavité du sacrum, le seul moyen de les tarir peut être la résection sacro-coccygienne. L'écartement existant entre l'os et l'intestin s'oppose en effet à l'affaissement de la cavité, à peu près comme dans la pleurésie purulente.

III. Plaies recto-vésicales. — *Variétés.* — De toutes les plaies du bassin, celles qui intéressent à la fois la vessie et le rectum sont les plus graves. On les observe sous deux formes différentes.

Ou bien ce sont des perforations par petits projectiles, entrés assez fréquemment par la fesse, qui ont traversé le bassin et établi une communication peu large entre les deux cavités. Ou bien ce sont de grandes pertes de substance, quelquefois énormes, de la paroi rectale, qui ont ouvert largement la vessie et maintes fois aussi l'urètre.

Symptômes. Évolution. — Ce qui caractérise ce genre

de blessure, quand la plaie est large, c'est le mélange des
matières fécales et de l'urine, qui s'écoule par la plaie.
Mais quand l'ouverture d'entrée est petite, les matières
peuvent être retenues et l'urine elle-même peut ne pas
s'écouler à l'extérieur en notable quantité. Cette dernière disposition crée les conditions les plus dangereuses,
parce que le contenu des deux réservoirs se déverse dans
le tissu cellulaire du bassin, où il produit très rapidement le phlegmon pelvien. Si une thérapeutique active
n'est pas instituée dès le premier moment, la propagation
de l'infection est très rapide et le blessé peut succomber
en quelques jours.

A l'autopsie, on trouve le tissu cellulaire du bassin
transformé en une énorme collection qui a disséqué les
organes. Ordinairement le cul-de-sac de Douglas a disparu et le phlegmon l'a englobé. Il existe de la péritonite
circonscrite, mais il est impossible de retrouver trace de
la perforation péritonéale, et il peut même être difficile de
repérer les orifices de la communication recto-urinaire.

Les larges pertes de substance sont moins graves au
point de vue de l'infection pelviennne, mais elles forment
en fin de compte un véritable cloaque par lequel tous les
excreta s'évacuent et où la cicatrisation ne fait aucun
progrès. Et ces blessés finissent, eux aussi, par succomber à l'épuisement.

Traitement. — L'indication urgente est de débrider
la plaie aussi largement que possible pour prévenir l'infiltration fécale et urinaire. On tâchera, dans la mesure
du possible, de supprimer toutes les anfractuosités du
trajet.

Mais bien des fois, il sera difficile d'atteindre ce but.
Lorsque le projectile a traversé la fesse et l'os iliaque

avant d'atteindre les organes pelviens, le débridement s'arrête devant la barrière osseuse, dont on peut bien élargir la brèche, mais pas assez pour empêcher la stagnation des matières de l'autre côté. Et alors se pose la question de la dérivation de l'urine et des matières fécales, pour en débarrasser la plaie. Les matières peuvent être dérivées par l'établissement d'un anus iliaque, l'urine par la sonde à demeure ou mieux la cystostomie sus-pubienne.

Mais avant d'avoir recours à cette double dérivation, nous pensons qu'on peut, dans certains cas, essayer de compléter le débridement par un drainage périnéal. Pour cela, on pratique la périnéotomie : on sépare de bas en haut le rectum des organes génito-urinaires jusqu'à ce qu'on arrive dans le trajet. La vaste brèche ainsi obtenue dans la partie la plus déclive du bassin sera maintenue largement ouverte.

Lorsque la perforation est trop haut située pour qu'on puisse, nous ne disons pas l'atteindre, — on le peut toujours, — mais la débrider suffisamment par l'incision périnéale, ou si, malgré la périnéotomie, l'infection progresse, nous pensons qu'il ne faut pas hésiter à faire une colostomie et même une cystostomie sus-pubienne. Mais souvent la colostomie sera suffisante.

Aussitôt le cours des matières dérivé, on voit la plaie changer de caractère, et se réparer avec une très grande rapidité.

Certains chirurgiens font la colostomie préventive, dès l'abord, pour réaliser la dérivation pendant toute la période de cicatrisation. Nous n'avons pas adopté systématiquement cette pratique, mais dans certains cas de lésions fort complexes et fort étendues, nous serions disposé à y recourir.

IV. **Plaies des parois du bassin**. — Les lésions des
parties molles qui entourent le bassin ne méritent une
mention spéciale qu'en raison de la grande fréquence de
la gangrène gazeuse dans les plaies par éclat d'obus des
muscles de la fesse.

Le squelette pelvien présente deux ordres de lésions,
des perforations et des abrasions.

Les perforations atteignent en général l'os iliaque et
aussi le sacrum. Il n'est pas rare que le projectile, après
avoir traversé l'os, passe dans le ventre où il va produire
des lésions qui font passer au second plan la plaie osseuse.
Nous venons de voir dans quelles conditions il peut aussi
atteindre les organes pelviens.

Les abrasions, produites toujours par des éclats d'obus
assez volumineux, se font surtout aux dépens du sacrum
et de la portion épaisse et saillante de l'os iliaque qui
avoisine l'articulation sacro-iliaque. Elles s'accompagnent
ordinairement d'hémorragies abondantes.

Enfin on observe de temps en temps la fracture de
l'ischion.

Le traitement de ces lésions osseuses n'offre rien de
spécial à signaler, sinon la difficulté qu'il y a à réaliser
un débridement et un drainage suffisants des perforations
de l'os iliaque, où l'ouverture osseuse, assez petite, donne
lieu à des collections en bouton de chemise.

V. **Plaies des organes génitaux externes et du
périnée**. — Les plaies de l'urètre profond se confon-
dent d'ordinaire avec les plaies de la vessie et exigent le
même traitement. Elles obligent parfois à associer aux
débridements l'urétrotomie externe.

La région pénienne de l'urètre est rarement atteinte,
bien que les plaies de la verge ne soient pas exception-

nelles, mais elles se bornent à des perforations du gland ou des corps caverneux. Nous avons vu cependant l'arrachement de toute la partie pénienne de l'urètre avec déchirure large du gland et des corps caverneux.

Le testicule est atteint quelquefois par une balle qui le traverse. Nous avons même observé la traversée des deux testicules. Ces plaies guérissent assez lentement et il n'est pas encore possible de savoir ce qu'il adviendra de la fonction.

Des déchirures du scrotum peuvent mettre à nu le testicule, que nous avons vu, en pareille circonstance, s'éliminer partiellement par gangrène.

Toutes les lésions scrotales sont suivies d'hématomes volumineux ou d'hématocèles vaginales, qui demandent beaucoup de temps pour se résorber et qui passent quelquefois à la suppuration.

Les plaies du périnée sont souvent de longues enfilades produites par des balles ou des petits éclats d'obus. Il est curieux de constater que ces plaies peuvent être entièrement sous-cutanées et il n'est pas rare de voir l'urètre échapper à l'atteinte du projectile.

CHAPITRE XIV

FRACTURES DES OS LONGS

Caractères des fractures par projectiles de guerre. — Les fractures des os longs par projectiles de guerre présentent des caractères tellement différents des fractures observées en chirurgie civile, ont une gravité tellement plus grande, et demandent un traitement si différent, que leur étude est de première importance pour le chirurgien d'armée.

Ce qui les distingue d'abord, c'est d'être toujours des fractures ouvertes, et presque toujours des fractures primitivement infectées. C'est que l'agent vulnérant est presque toujours infecté lui-même. Si, à la rigueur, une balle de fusil peut se comporter dans un foyer de fracture comme étant aseptique, il n'en est plus de même d'une balle de shrapnell, ni d'un éclat d'obus ou de bombe. Ces projectiles ne sont pas seulement infectés eux-mêmes, mais ils entraînent avec eux, comme nous l'avons vu à propos des plaies des parties molles, toutes sortes de corps étrangers encore plus septiques, des fragments de terre, de bois et surtout de vêtements. Les débris de vêtements sont, particulièrement pour les fractures, les corps étrangers qui recèlent les germes les plus dangereux.

Un deuxième caractère propre aux fractures par projectiles de guerre, est d'être presque toujours des fractures esquilleuses, et souvent des fractures à longues
esquilles. Cela résulte de ce que le passage du projectile
dans le membre ne produit pas seulement la solution de
continuité de l'os, comme le font les traumatismes ordinaires, mais donne lieu en plus à des phénomènes d'éclatement de la diaphyse, en raison de la force vive considérable dont le corps vulnérant est animé.

Enfin, pour les mêmes motifs, la plaie des parties
molles qui accompagne la fracture est infiniment plus
importante et plus grave que la plaie d'une fracture
ouverte ordinaire.

Fréquence.—Les fractures des os longs empruntent
une importance de plus à leur extrême fréquence. Elles
sont sans doute la blessure grave qu'on observe le plus
communément chez les blessés évacués sur les hôpitaux.
De tous les os longs, c'est l'humérus qui tient la tête,
dans l'ordre de fréquence; ensuite viennent le fémur, le
tibia et les os de l'avant-bras.

Nous n'envisagerons ici que les fractures de la diaphyse.
Les lésions des épiphyses seront étudiées avec les plaies
articulaires.

Anatomie pathologique. — Nous aurons à examiner les lésions de l'os et celles des parties molles.

Lésions de l'os. — Delorme, d'après des expériences
faites sur le cadavre, a distingué, dans la forme anatomique de la fracture, un grand nombre de variétés que
nous n'avons pas retrouvées toutes sur nos blessés. Nous
pensons qu'on peut simplifier cette classification, et nous

nous bornerons à décrire les formes que nous avons observées.

On distingue généralement deux types de fractures,

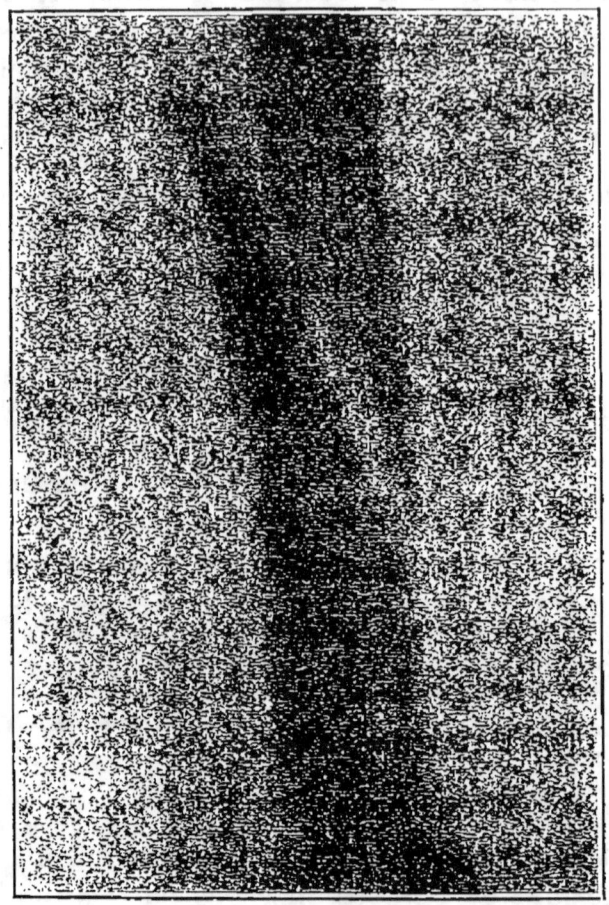

Fig. 39. — Fracture oblique du fémur à trait simple.

correspondant à la manière dont le corps vulnérant a frappé l'os, la *fracture par contact* et la *fracture par perforation*. Dans le premier cas, le projectile n'aurait fait que toucher l'os, dans le second, il l'aurait traversé.

Mais il est probable que le simple contact peut produire toutes les variétés de fractures qu'on a cru propres à la

Fig. 40. — Fracture transversale de l'humérus à trait simple.

perforation, de sorte que le maintien de cette distinction paraît sans utilité.

Nous admettons quatre types de fractures par projectile de guerre : la *fracture à trait simple*, la *fracture à*

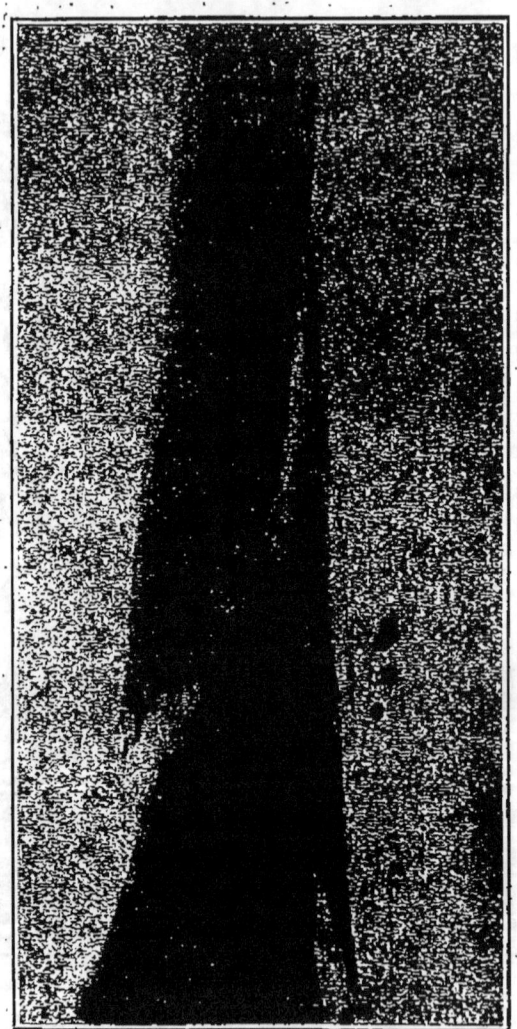

Fig. 41. — Fracture du fémur à grande esquille longue.

grande esquille longue, la *fracture à grande esquille courte*, la *fracture à petites esquilles*.

1° *Fracture à trait simple.*—Elle ressemble complètement à la fracture commune du temps de paix, c'est-à-dire qu'elle est composée d'un simple trait transversal on oblique. L'obliquité peut être extrême. Il peut y avoir de petites fissures ajoutées, mais pas toujours Parfois de petites esquilles existent dans le voisinage immédiat de la fracture, mais elles sont toujours peu nombreuses (fig. 39 et 40).

Ces fractures s'accompagnent généralement d'un déplacement accusé et même d'un grand chevauchement. Nous en avons vu des exemples à l'humérus, au fémur, au tibia, aux os de l'avant-bras. D'après ce que nous avons observé, cette variété ne serait pas aussi rare qu'on l'a cru.

2° *Fracture à grande esquille longue.* — Il s'est produit ici un véritable éclatement de l'os. A l'endroit de la lésion, la diaphyse présente, au lieu d'un simple trait de fracture, un certain nombre de petites esquilles d'où partent souvent des fissures s'étendant plus ou moins loin sur les deux fragments. Mais cette variété est caractérisée par la présence constante d'une esquille longue et mince, empruntée aux deux fragments, plus large à sa partie moyenne, s'effilant vers ses deux extrémités. Cette esquille peut être longue de 10 et jusque 15 centimètres. Elle peut aussi être divisée en deux par son milieu (fig. 41).

Quelquefois, au lieu d'une longue esquille, il y en a deux, correspondant aux faces opposées de l'os ; elles délimitent alors une figure ressemblant vaguement à un X, d'où le nom de fracture en X qu'on a donné à cette variété (fig. 42).

L'extrémité de chaque fragment a souvent la forme d'un cône tronqué.

Ces longues esquilles sont toujours adhérentes et, malgré l'importance du traumatisme osseux, le déplacement est ordinairement nul.

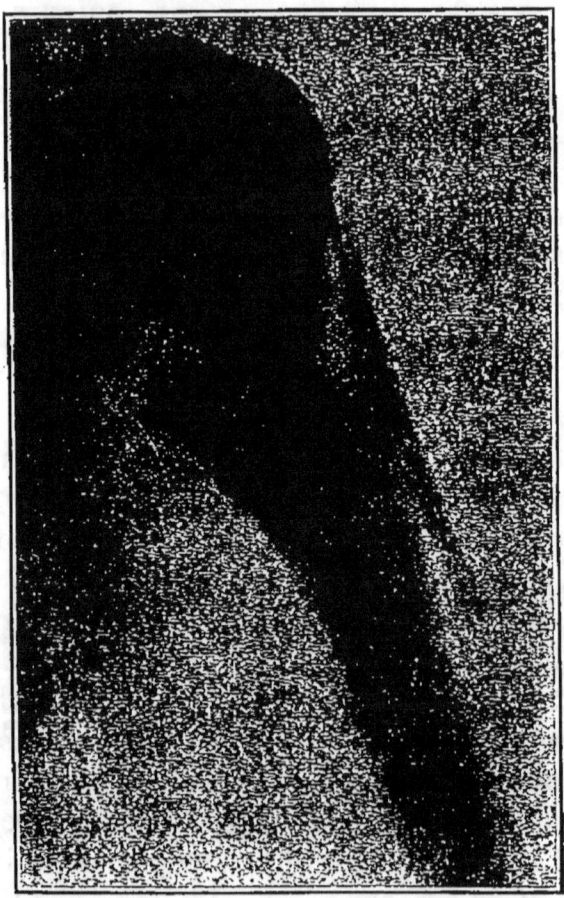

Fig. 42. — Fracture de l'humérus à deux grandes esquilles longues.

C'est le type de la fracture de guerre, celle qui est la plus caractéristique, et dont dérivent les deux autres.

3° *Fracture à grande esquille courte*. — La grande esquille, ordinairement unique, a ici la forme d'un coin épais et court enlevé à l'os. C'est une grande esquille, non seulement par son épaisseur et ses dimensions générales, mais parce qu'elle est toujours adhérente. Elle reste en regard de la perte de substance qu'elle a produite sur

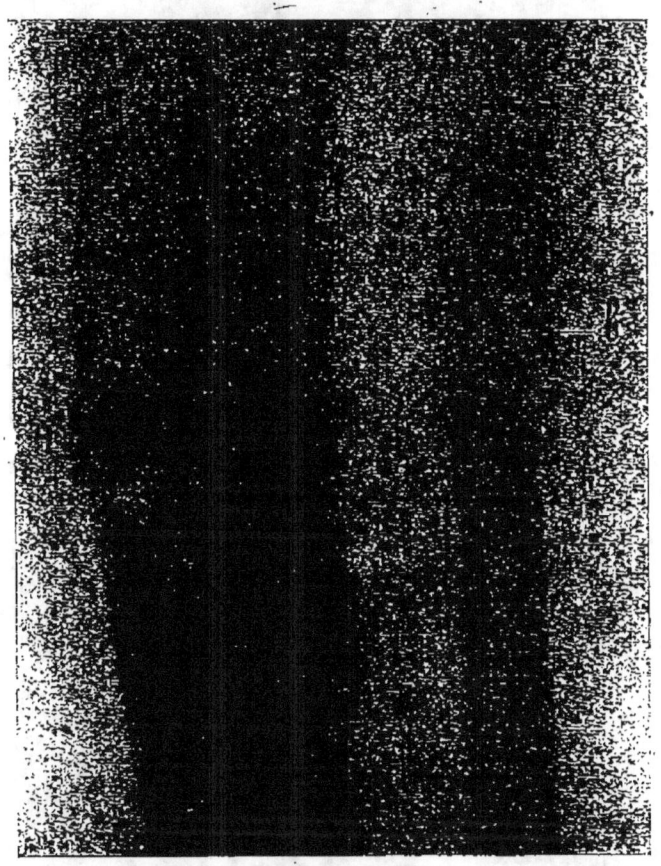

Fig. 43. — Fracture à grande esquille courte du tibia.
a, grande esquille courte ; b. fracture du péroné.

l'os. Celui-ci est fracturé transversalement par un trait assez net, ou a donné un certain nombre de petites esquilles éparpillées dans le foyer ou autour de lui.

Cette forme n'est qu'une variété de la fracture à grande

esquille longue. Si nous lui faisons une place à part, c'est qu'elle a des caractères bien tranchés et qu'on l'observe fréquemment (fig. 43).

Fig. 44. — Fractures à petites esquilles du radius et du cubitus.

4° *Fracture à petites esquilles.* — Nous réunissons dans ce groupe les fractures qui ne rentrent pas dans les

catégories précédentes. Au point où la diaphyse est fra-
cassée, elle est divisée en un nombre variable, mais toujours important, de petites esquilles, dont les unes sont
restées en place, parce qu'adhérentes au périoste, dont
les autres, libres, ont été projetées loin de l'os. On ne
peut reconnaître aucune constance ni aucune régularité
dans la disposition de ces petites esquilles (fig. 44). ·

Leurs dimensions sont variables, et la même fracture
en présente toujours de tailles différentes. Quelquefois
l'une d'elles est, par son importance et sa forme, comme
une ébauche de grande esquille. D'autres fois, elles forment une poussière d'os, semée autour de la fracture,
souvent projetée en gerbe dans la direction de l'orifice
de sortie, criblant les muscles et s'y incrustant solidement.

Fractures partielles. — Toutes les fractures ne rentrent
pas dans les cadres de ces quatre catégories. Il existe
des formes intermédiaires et des formes incomplètes. Il
convient de signaler en particulier les *fractures partielles,* où l'os ne présente pas de solution de continuité
et où la lésion est limitée à une fissure ou une perte de
substance d'une de ses faces. Cette variété de fracture
incomplète s'observe souvent quand il y a inclusion du
projectile, que celui-ci occupe le canal médullaire, ou soit
incrusté dans la paroi (fig. 45).

En résumé, les fractures par projectile de guerre se
caractérisent par l'absence de grand déplacement des
fragments et par l'existence de deux espèces d'esquilles,
des grandes, restées toujours adhérentes au périoste et
par conséquent capables de vivre, et des petites, libres,
et condamnées à devenir des séquestres. Cette double
notion offre une grande importance pour le traitement.

LÉSIONS DES PARTIES-MOLLES. — Les lésions des parties molles peuvent se borner à des perforations complètes ou incomplètes. Il en est ainsi quand la fracture est produite par une balle ou un petit éclat d'obus. L'orifice d'entrée est petit et ne présente rien de particulier. L'orifice de sortie, s'il existe, est plus large, à bords évasés, quand la balle a ricoché ou s'est présentée trans-

Fig. 45. — Balle de fusil enchassée dans le fémur. Fissure longitudinale de l'os.

versalement. Les muscles sont alors déchirés, arrachés, déchiquetés et l'artère principale du membre peut être atteinte.

Les fractures par gros éclats d'obus présentent des lésions des parties molles encore plus étendues. Si l'orifice d'entrée a parfois des dimensions inférieures au volume de l'éclat, il y a des pertes de substance énormes à l'orifice de sortie, où les muscles dilacérés font hernie.

D'autres fois, il s'agit d'un écrasement complet du membre, dont les chairs sont réduites en bouillie ou d'un arrachement presque total. Ces lésions extrêmes qui commandent l'amputation, ne tirent pas leur gravité de la fracture osseuse, et ne doivent pas nous arrêter ici.

Evolution. — L'évolution de la fracture dépend du degré de l'infection que la plaie va faire.

Au début de la campagne, il était assez rare que la marche fût tout à fait aseptique. On l'observait pour les fractures par balles de fusil. Elle était exceptionnelle pour tous les autres projectiles. La réparation se faisait alors comme pour une fracture ordinaire, ou à peu près.

Communément, le foyer de fracture s'infectait et suppurait. Dans les cas les plus favorables, la suppuration restait limitée à la plaie. On voyait alors se produire des séquestres, même aux dépens des grandes esquilles, et la consolidation tarder de se faire pendant des mois.

Il n'était pas exceptionnel qu'il se produisit des fusées purulentes à distance et de vastes décollements. En même temps, la fièvre prenait le caractère hectique, le malade s'épuisait et la mort pouvait survenir si l'amputation n'était pas pratiquée à temps.

C'était aussi dans les foyers de fractures avec attrition profonde des muscles, qu'on voyait apparaître fréquemment l'infection gazeuse, surtout si le projectile ou des débris de vêtements ou d'autres corps étrangers étaient restés dans la plaie. Les fractures des os longs exposent à cette redoutable complication beaucoup plus que les lésions des os plats.

Les procédés de stérilisation dont nous disposons maintenant nous permettent de compter sur une marche aseptique, et les complications infectieuses des fractures deviendront de plus en plus rares, à mesure que ces procédés seront plus généralement appliqués.

Il importe de savoir que les fractures par projectiles de guerre, même quand leur évolution est la plus favorable, demandent beaucoup de temps pour se consolider. Nous connaissons ce retard de la réparation pour toutes les fractures ouvertes, même celles qui sont ouvertes par le chirurgien. A plus forte raison, faut-il s'y attendre quand il s'agit de lésions osseuses infectées dès le principe.

Diagnostic. — De tous les symptômes des fractures, il n'y en a qu'un seul à retenir pour le diagnostic. C'est la mobilité anormale. Lorsque chez un blessé atteint d'une plaie du segment diaphysaire d'un membre, on peut imprimer à cette région un mouvement qu'elle est incapable d'exécuter à l'état normal, on peut affirmer qu'il y a fracture. Il n'est besoin pour cela d'aucune autre constatation. Il faut surtout se garder de rechercher la crépitation, symptôme inconstant, prêtant à des erreurs d'appréciation et dont la production fait bien inutilement souffrir le blessé. La mobilité anormale peut se constater par des mouvements très minimes, imprimés au membre avec une grande prudence et, par conséquent, sans éveiller beaucoup de douleur.

Radiographie. — Le diagnostic de fracture posé, il y a lieu de s'assurer de sa forme et de la variété à laquelle elle appartient. Ce diagnostic pourrait à la rigueur se faire, dans certains cas, par l'exploration digitale du foyer. Mais la radiographie donnera des renseignements beaucoup plus précis et plus complets, sans faire courir aucun risque au blessé.

Il ne faut jamais entamer le traitement d'une fracture avant de l'avoir fait radiographier. Cette règle est aussi indispensable à suivre pour les fractures par projectiles de guerre que pour les fractures de la pratique civile. Elle l'est peut-être plus, en raison de la complication plus grande du traumatisme osseux et de la plus grande difficulté du traitement. Toute formation sanitaire où l'on soigne des fractures doit donc être pourvue d'une installation radiographique.

Pour le diagnostic, comme pour le traitement, deux épreuves sont nécessaires ; elles doivent être prises dans des directions opposées, l'une antéro-postérieure, l'autre transversale. Presque toujours l'un des clichés donnera beaucoup plus de renseignements que l'autre, et il n'est pas rare de constater sur l'un d'eux un déplacement important ou une esquille longue qui sont presque invisibles sur l'autre. Se fier à un seul cliché serait donc risquer de méconnaître des lésions importantes.

La radiographie renseignera aussi sur la présence ou l'absence du projectile dans le foyer, indication précieuse pour le pronostic et le traitement.

Traitement. — Appareil provisoire. — Il existe dans les formations sanitaires de l'avant, divers modèles d'attelles et d'appareils provisoires pour les fractures des membres. Tous peuvent remplir leur rôle, à condition d'être utilisés avec discernement.

Une fois la plaie pansée comme d'ordinaire, et sans que le médecin se livre à aucune exploration, l'attelle ou la gouttière est appliquée par-dessus le pansement, même si la fracture n'est que probable. La règle capitale à suivre est que l'appareil de soutien remonte assez haut et descende assez bas pour dépasser au moins les deux articulations voisines. Ainsi, pour une fracture du fémur, l'appareil doit remonter jusqu'au delà du bassin et englober le pied ; pour une fracture de la jambe, il doit remonter jusqu'à l'aine et descendre jusqu'aux orteils; pour une fracture de l'humérus, il doit dépasser en haut l'épaule et en bas le coude.

C'est qu'aucune immobilisation n'est effective si l'appareil ne dépasse pas le segment atteint, et les mouvements angulaires ainsi que la rotation restent possibles, malgré les appareils les plus serrés. Or, pour éviter la douleur et l'aggravation des lésions par le transport, il faut que la fracture soit étroitement immobilisée.

L'appareil provisoire doit être enlevé aussitôt que le blessé arrive à l'hôpital. Ce serait une faute grave que d'attendre jusqu'au lendemain, sous prétexte que l'immobilisation est bien faite et que le blessé ne souffre pas. Des infections graves peuvent être causées par le moindre retard.

Il est important d'être renseigné sur la nature du projectile, parce que le traitement immédiat de la plaie pourra varier, d'après qu'il s'agit d'une fracture par balle de fusil ou par balle de shrapnell, éclat d'obus, de bombe, de grenade.

Sauf quand il s'agit d'une balle de fusil, le projectile, identifié par la radiographie, doit être extrait immédiatement. L'ablation du corps étranger doit faire partie de la toilette de la plaie.

TRAITEMENT DE LA PLAIE. — Lorsqu'il s'agit d'une fracture par balle de fusil, avec un ou deux orifices peu larges, et que la balle n'occupe pas le foyer de fracture, on peut se contenter de nettoyer les orifices comme les plaies ordinaires et d'appliquer un pansement.

Néanmoins, si la fracture est fortement esquilleuse, et surtout s'il y a beaucoup de petites esquilles projetées vers l'orifice de sortie, il est recommandable de débrider celui-ci, pour enlever ces esquilles, qui provoqueraient presque à coup sûr et entretiendraient la suppuration.

Mais quand il s'agit d'une fracture par tout autre projectile, et quand en cas de fracture par balle de fusil, celle-ci occupe le foyer osseux, il faut débrider : 1° pour enlever le projectile et les autres corps étrangers; 2° pour enlever les petites esquilles entièrement détachées; 3° pour désinfecter la plaie.

Le blessé étant anesthésié, on explore au doigt, avec grand soin, toute la plaie et la lésion osseuse. On incise les décollements, de manière à supprimer toutes les anfractuosités. On excise les fragments musculaires détachés et contus. On enlève alors le projectile, qui a été localisé par la radiographie, et tous les corps étrangers qu'il faut rechercher attentivement, surtout les débris d'étoffes. On s'occupe ensuite du foyer de fracture, qu'on débarrasse des petites esquilles *entièrement* libres, mais de celles-là seulement. Il faut procéder avec prudence et n'enlever sous aucun prétexte une esquille qui tient, si petite qu'elle soit. Il faut surtout éviter de toucher aux grandes esquilles, qui ont un rôle important à remplir dans la formation du cal, et éviter, en les tiraillant, de détruire les attaches qu'elles ont conservées avec le périoste.

En faisant cette toilette du foyer, il faut se rappeler qu'outre les petites esquilles éparpillées autour de l'os, il en est souvent d'autres, très ténues et très nombreuses, disséminées dans les parties molles tout le long du trajet de sortie. Il est nécessaire de les enlever soigneusement, et quelquefois il sera plus facile et plus radical, pour n'en pas laisser, d'extirper toute la masse musculaire dans laquelle elles sont solidement implantées.

On termine cette toilette par une abondante irrigation à l'eau salée, renouvelée fréquemment, ou par l'installation du traitement à l'hypochlorite.

La suture immédiate de la plaie, après excision des tissus contus et enlèvement de toutes les esquilles libres, transformerait la fracture ouverte en fracture fermée, et serait évidemment un grand progrès. Nous avons commencé à l'appliquer et nos premiers résultats sont très encourageants.

TRAITEMENT DE LA FRACTURE. — Les deux méthodes de traitement employées pour les fractures ordinaires, l'*immobilisation* et l'*extension continue*, peuvent être utilisées en chirurgie de guerre. Toutes les deux ont leurs indications.

Immobilisation. Appareil à anses. — Nous avons vu que les fractures par projectiles de guerre sont souvent des fractures sans déplacement notable. Les fragments, entourés des esquilles, sont restés en place. La réduction de la fracture, temps opératoire si important pour les fractures ordinaires, n'existe donc pas ici, et tout se borne au maintien des fragments dans la position qu'ils occupent, c'est-à-dire à l'immobilisation.

Beaucoup de chirurgiens estiment que cette immobilisation doit être parfaite, absolue, sous peine de voir s'installer ou s'aggraver des phénomènes infectieux.

Bien que ces craintes paraissent exagérées et que des mouvements prudents et peu étendus ne puissent, à notre avis, avoir aucune influence fâcheuse *sur la marche de la plaie*, nous estimons que l'immobilisation est nécessaire dès les premiers jours, parce que nous sommes convaincu

que la tendance au déplacement secondaire des fractures esquilleuses n'est pas aussi exceptionnelle qu'on
l'a dit.

Nous avons vu des chevauchements étendus se produire progressivement dans des fractures immobilisées
insuffisamment par une gouttière ou une attelle. Nous
avons vu plus fréquemment encore des incurvations appa-

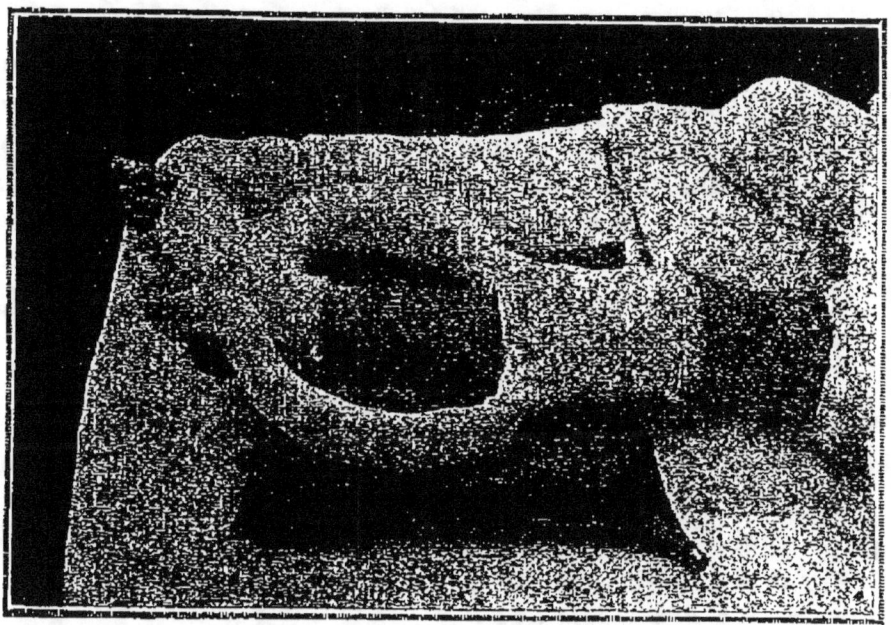

Fig. 46. — Appareil plâtré à anses pour fracture ouverte de la jambe.

raître et compromettre le résultat. Or ce qui importe
surtout dans la consolidation des fractures, c'est que les
deux fragments aient leurs axes parallèles ; un peu de
déplacement latéral ne nuit pas à la fonction.

Il faut donc immobiliser aussi bien que possible dès
l'abord.

Un très grand nombre d'appareils ont été imaginés

depuis le début de la guerre. Tous sont ingénieux et peuvent rendre des services. Il faut que chaque chirurgien se familiarise avec l'emploi d'un de ces modèles, auquel il se tiendra, car c'est l'appareil dont on a l'habitude qu'on appliquera le mieux. Nous pouvons recommander les appareils plâtrés, fenêtrés, ou mieux, interrompus complètement au niveau de la plaie, les deux manchons étant réunis par des anses de plâtre armé, (fig. 46).

La technique de ces appareils à anses est très simple.

Pendant qu'un aide exerce une traction sur l'extrémité du membre, on entoure celui-ci d'une simple bande de flanelle. Ne jamais appliquer le plâtre roulé sur de l'ouate, qui, en se tassant, donnerait du jeu au membre dans l'appareil. On confectionne deux manchons plâtrés qui laissent libre le siège de la fracture. De chaque côté une lame d'aluminium courbée en anse reliant les deux manchons, est couverte à son tour de bandes plâtrées.

Ces appareils, tout en immobilisant très bien, laissent le pourtour du membre entièrement libre et se prêtent donc parfaitement aux pansements. Ils sont supérieurs sous ce rapport aux appareils simplement fenêtrés, qui ne laissent libre que la plaie, et s'imprègnent trop facilement des sécrétions.

Tel est l'appareil que nous avons adopté pour le traitement de beaucoup de fractures esquilleuses, en particulier celles du tibia et des os de l'avant-bras. Mais lorsqu'il s'agit de l'humérus et surtout du fémur, nous préférons l'*extension continue*.

Nous nous rendons compte tous les jours de ce fait que les fractures à trait simple, comparables à celles du temps de paix, sont loin d'êtres rares comme lésions de guerre. A l'humérus, et surtout au fémur, elles s'accompagnent fréquemment de déplacement latéral, et même d'un chevauchement considérable.

On a imaginé, pour ces cas, une série d'appareils des- tinés à *combiner l'immobilisation avec l'extension*. Cer- tains d'entre eux, comme l'appareil de Delbet, sont en plus des appareils de marche. Nous croyons que ces appareils, le dernier notamment, peuvent rendre de grands services quand le déplacement est minime, mais qu'ils sont inca- pables de produire et surtout de maintenir la correction des chevauchements importants.

D'ailleurs, les chirurgiens qui adoptent ces appareils n'exigent pas d'eux la coaptation parfaite. Ils se con- tentent d'une réduction partielle.

A notre avis, la coaptation parfaite doit toujours être recherchée, aussi bien en chirurgie de guerre qu'en chi- rurgie civile. Il y a d'ailleurs moyen de l'obtenir par l'*extension continue*.

Extension continue. — Nous réalisons cette extension continue par des moyens très simples, dont on trouvera plus loin la description. Appliquée avec des forces gra- duellement croissantes, elle permet d'obtenir toujours la réduction parfaite, et se prête d'autre part très bien au traitement de la plaie qu'elle laisse entièrement libre.

Les résultats que nous en obtenons avec une grande constance sont si satisfaisants que nous l'appliquons à des cas de plus en plus nombreux. Presque *toutes* nos fractures de l'humérus et du fémur sont maintenant trai- tées ainsi, même celles à petites esquilles et à déplace- ment faible, où l'immobilisation simple pourrait à la ri- gueur suffire, mais serait moins efficace, comme dans le cas de fracture haute, avoisinant la racine du membre.

L'extension continue permet *toujours* d'obtenir la coaptation : il suffit d'y mettre le poids nécessaire. Aucune autre méthode n'est aussi puissante sous ce rapport.

Fixation instrumentale. — Est-ce à dire qu'il faille aller plus loin, et poursuivre la réduction mathématique par la réunion osseuse instrumentale, appliquer sur les fractures de guerre des plaques vissées ou des manchons métalliques, comme on l'a proposé ?

Nous sommes adversaire déterminé de la fixation opératoire des fractures *fermées*, et nous estimons que, dans les cas où la réduction ne peut être obtenue de manière satisfaisante par les moyens non sanglants, on doit ouvrir la fracture, lever les obstacles qui s'opposent à la réduction, mais s'arrêter là. Au lieu de fixer les fragments par un engin quelconque (vis, plaque, etc.), nous fermons la plaie et nous appliquons un appareil à extension, comme si nous n'avions pas opéré.

Nous ne pouvons pas insister ici sur toutes les raisons qui nous ont fait préférer à l'ostéosynthèse notre méthode, beaucoup moins dangereuse et cependant suffisamment efficace. Il doit nous suffire de rappeler que les procédés de réunion instrumentale des fractures ne peuvent réussir qu'à condition d'être appliqués en milieu absolument aseptique, et que la moindre infection du foyer les fait échouer à coup sûr. Or nous avons vu que les fractures par projectiles de guerre sont toujours infectées. Ce fait seul condamne tout procédé de fixation directe des fragments, même avec nos procédés actuels de stérilisation.

TRAITEMENT CONSÉCUTIF. — Pendant tout le temps de la réparation, la fracture doit être surveillée par l'examen radiographique, qui doit être répété fréquemment.

C'est la radiographie qui doit nous renseigner sur le degré de réduction obtenu et nous engager, le cas échéant, à modifier l'appareil.

Nous avons dit qu'il n'est plus exceptionnel maintenant que l'évolution soit tout à fait aseptique et qu'il ne se produise aucune suppuration. Aussitôt la stérilité relative obtenue, il y a lieu de fermer la plaie par la suture secondaire.

Nettoyage secondaire du foyer. — La suppuration peut cependant survenir lorsque des esquilles ou des corps étrangers sont restés dans la plaie. Le plus souvent, avec les traitements actuels, elle est réduite au minimum et n'exige aucune mesure spéciale, si ce n'est l'ablation des corps étrangers en cause.

Faut-il, aussitôt que la suppuration survient, intervenir plus activement, débrider, enlever les esquilles, même celles qui sont adhérentes, sous prétexte qu'elles entretiennent la suppuration et qu'elles sont fatalement vouées à la nécrose ?

Il faut bien s'en garder. De telles interventions risquent de sacrifier des matériaux utiles à la réparation. Il suffit de continuer le Carrel ou le Wright, le premier surtout qui paraît plus actif contre la suppuration, pour voir celle-ci diminuer insensiblement et tout rentrer dans l'ordre.

Il pourra arriver cependant que la suppuration devienne abondante, se prolonge, finisse par altérer l'état général, et l'on pourra se voir obligé de nettoyer à fond le foyer, de le débarrasser de tout ce qui paraît mortifié. Mais il ne faut le faire que lorsque le Carrel, employé avec persévérance, est resté impuissant. Ce sera, en somme, assez rare.

Amputation secondaire. — Quelquefois même, l'extension des foyers purulents pourra compromettre à ce point la vie du blessé qu'il faudra se résoudre à l'amputation. Il faut savoir, en pareille circonstance, saisir le moment opportun et ne pas pousser la conservation jusqu'à des limites où elle deviendrait déraisonnable.

Gangrène gazeuse. — Nous avons vu dans un chapitre précédent que les foyers de fracture avec dilacération étendue des muscles constituent un milieu où se développe volontiers la gangrène gazeuse. Dès ce moment, la lésion osseuse passe au second plan et c'est l'infection qu'il faut combattre sans retard, nous avons dit par quels moyens. Ici encore, il faudra, dans certains cas, savoir se résoudre à l'amputation, avant qu'il soit trop tard.

Consolidation vicieuse. — Il pourra arriver que les soins pressants à donner à la complication septique aient fait négliger le traitement de la fracture. Lorsque, pour ce motif ou pour un autre, le blessé guérit avec une consolidation vicieuse, la question d'un traitement opératoire secondaire se posera.

Sans entrer dans le détail des indications de l'intervention, bornons-nous à donner ici, en quelques mots, les règles générales de la technique à suivre.

Quand on se trouve devant un blessé dont le cal est encore fibreux, il faut, après incision large des parties molles, tenter de rompre le cal au bistouri et au levier. S'il est trop tard, et que la réunion est osseuse, il n'y a plus qu'à faire l'ostéotomie du cal à la scie ou au ciseau. Après cela, on détruit prudemment les obstacles fibreux qui s'opposent à la coaptation, on ferme la plaie sans drainage et on installe l'extension continue.

Nous n'avons pas à insister sur le traitement des pseudarthroses qui sont quelquefois l'aboutissant des fractures de guerre. Elles réclament les méthodes opératoires usitées en temps de paix.

Avant d'entreprendre de telles interventions, il faut attendre la fin de la suppuration et se souvenir du réveil possible d'une infection latente.

Amputation immédiate. — Tout ce que nous venons de dire du traitement des fractures prouve que ce traitement doit être conservateur dans l'immense majorité des cas. Mais il y a, en chirurgie de guerre, des fractures qui ne relèvent pas de la conservation et pour lesquelles il faut amputer d'emblée.

Les arrachements presque complets du membre, les grands écrasements, la fracture esquilleuse en sac de noix avec déchirure de l'artère principale, telles sont les indications de l'amputation immédiate.

Malheureusement ces blessés arrivent à l'hôpital en shock profond et si l'on opère dans cet état, la mort est presque la règle. Sans doute, en différant l'amputation, la gangrène est là, menaçante. Mais encore semble-t-il préférable d'attendre quelques heures, que l'on mettra du reste à profit pour dissiper le shock, et dès lors l'amputation pourra être pratiquée avec de meilleures chances.

Que doit être cette amputation ? Toujours une intervention rapide, atypique, faite aussi bas que possible. Elle sera faite à section plane. On pourra même laisser une surface osseuse irrégulière ou des muscles abimés. Il sera toujours temps d'y remédier. Pour le moment, ce qu'il faut, c'est opérer vite et amputer bas, parce que l'opération est d'autant moins grave qu'elle est faite moins haut.

Ce genre d'amputation ne comporte évidemment aucune suture. On aura à régulariser le moignon plus tard, d'après les règles que nous exposerons dans le chapitre des amputations.

CHAPITRE XV

PLAIES DES GRANDES ARTICULATIONS

Variétés. — Parmi les plaies articulaires qu'on observe en chirurgie de guerre, il y en a qui constituent à elles seules toute la blessure, c'est-à-dire qu'il n'existe en même temps aucune lésion osseuse. Mais le fait est exceptionnel et ne s'observe que pour des articulations peu serrées et à synoviale étendues, telle que l'épaule et le genou, qu'un petit projectile peut traverser sans atteindre les os, ou dont les culs-de-sac synoviaux peuvent être intéressés par certaines plaies des parties molles.

En règle générale, toute blessure qui atteint une articulation intéresse aussi une épiphyse.

L'inverse n'est pas toujours vrai, mais peut cependant se voir. Ainsi les fractures de l'épiphyse inférieure du fémur et celles de l'épiphyse supérieure du tibia, peuvent s'étendre jusque dans l'articulation du genou. La fracture de l'une ou de plusieurs des épiphyses qui forment l'articulation du coude peuvent être intra-articulaires. Dans une fracture de la tête de l'humérus, l'articulation de l'épaule peut être ouverte, de même que la fracture de l'épiphyse supérieure du fémur peut ouvrir l'articulation de la hanche.

C'est pour ce motif que nous croyons utile de réunir

dans un même chapitre l'étude des lésions épiphysaires et des lésions articulaires.

Fractures épiphysaires. — Nous avons vu quels sont les caractères généraux des fractures diaphysaires par projectiles de guerre, et les différentes variétés qu'elles présentent. On rencontre aux épiphyses les mêmes variétés. Ainsi, la fracture simple, sans esquilles, n'est pas du tout exceptionnelle aux épiphyses. Le trait y est souvent très oblique, peut remonter haut sur la diaphyse, et pénétrer dans l'articulation. A cette catégorie appartiennent certaines fractures intra-articulaires du coude et du genou. Au coude, nous avons observé la fracture en **T** de l'épiphyse humérale, la fracture de l'olécrâne, avec ou sans luxation ; au genou, la fracture supracondylienne simple ou en **T**, le détachement isolé d'un condyle, la fracture de l'épiphyse tibiale.

Ces fractures à trait simple, analogues à celles du temps de paix, se reconnaissent et sont traitées comme les lésions similaires de la diaphyse. Il y a lieu de signaler que les plaies de sortie sont en général moins grandes qu'au niveau de la diaphyse, sans doute par suite de la moindre épaisseur des tissus à traverser.

Les épiphyses présentent aussi toutes les variétés de fractures esquilleuses. La grande esquille longue est plutôt épiphyso-diaphysaire qu'épiphysaire pure. La grande esquille courte paraît rare. Mais en revanche, la variété à petites esquilles multiples est particulièrement fréquente. On l'observe surtout aux deux épiphyses de l'humérus où elle va jusqu'à la pulvérisation complète. Nous ne l'avons vue ni à la hanche, ni à l'articulation tibio-tarsienne. Elle est assez souvent combinée à la fracture à esquille longue, qu'elle prolonge en quelque sorte vers l'extrémité de l'os.

Les fractures esquilleuses, qui sont des fractures par éclatement, se rencontrent donc surtout dans les épiphyses, telles que celles du coude, où le tissu osseux dense l'emporte sur le tissu spongieux. Dans d'autres, comme celles du genou, où le tissu spongieux est beaucoup plus abondant, un petit projectile peut traverser toute l'épiphyse en y creusant simplement un canal, sans donner lieu à aucune fissure, ni à aucune fracture proprement dite. Le fait s'observe surtout dans les condyles fémoraux, plus rarement dans l'épiphyse du tibia. Nous ne l'avons pas observé au niveau de la tête humérale, où cependant la masse spongieuse est appréciable.

Ces perforations épiphysaires sont des lésions bénignes, qui ne demandent que le traitement des plaies ordinaires et qui ne ressemblent en rien, comme gravité et comme difficulté de traitement, aux fractures proprement dites.

Il en est tout autrement des vraies fractures épiphysaires, à la gravité propre desquelles s'ajoute encore, le cas échéant, la gravité de l'ouverture articulaire. Le traitement de ces lésions complexes est toujours difficile. Comme il varie avec les diverses articulations en cause, nous en parlerons dans les chapitres suivants.

Plaies articulaires. — *Gravité.* — De tous temps, les lésions pénétrantes des articulations ont eu une réputation de gravité extrême. Et, de fait, de nos jours encore, on voit de temps en temps des plaies articulaires, insignifiantes en apparence, conduire à l'amputation.

C'est que l'infection acquiert ici une importance énorme, incomparablement plus grande que pour les plaies des segments diaphysaires des membres. La raison de cette gravité toute spéciale de l'infection est encore mal connue.

Est-ce parce que les séreuses en général, et la synoviale articulaire en particulier, jouissent d'un pouvoir d'absorption considérable, et qu'à l'infection s'ajoute très vite le danger d'intoxication ? Il est difficile de l'admettre, puisqu'une synoviale infectée cesse bientôt d'être une synoviale, se transforme en membrane suppurante, et perd par conséquent de bonne heure son pouvoir absorbant. Il est plus probable que la gravité des infections articulaires résulte de la forme compliquée des cavités synoviales, où les sécrétions s'accumulent très facilement, et d'où il est difficile de les déloger aussi rapidement et aussi complètement qu'il le faudrait.

Ce qui tend à corroborer cette hypothèse, c'est que le danger de l'infection est d'autant plus grand dans les blessures articulaires, que la plaie est plus petite. Aucune arthrite n'est plus grave que celle qui succède, par exemple, à une simple piqûre intra-articulaire du genou, tandis que de vastes plaies articulaires peuvent évoluer sans donner lieu à des phénomènes généraux graves. C'est sans doute parce que, dans ce dernier cas, les produits de sécrétion peuvent s'échapper au fur et à mesure de leur production, tandis qu'ils sont retenus dans le premier.

Formes de l'infection. — En chirurgie de guerre, les plaies articulaires montrent la même gravité extrême qu'en chirurgie civile, et c'est un des rares chapitres de la pathologie sur lequel nos idées n'ont pas été bouleversées par les constatations de la guerre actuelle.

Les infections des plaies articulaires par projectiles peuvent suivre une marche d'une effrayante rapidité. En

quelques heures, la température dépasse 40°, l'articulation est tendue et prend une forme globuleuse, le moindre
attouchement, le moindre mouvement imprimé au membre
arrachent des cris au blessé. Son état général devient
rapidement grave, il prend l'aspect des grands infectés,
maigrit, le teint devient cireux, la fièvre prend le caractère de l'hecticité, et si un traitement actif ne vient pas
sans retard enrayer la marche du mal, l'amputation
devient l'ultime ressource capable de sauver la vie du
blessé.

Si l'on ouvre l'articulation, on trouve les lésions de
l'arthrite purulente. C'est d'abord la rougeur et le bour-
souflement œdémateux de la synoviale, dont la surface
a perdu son aspect lisse et est couverte d'exsudats. Du
pus occupe les parties déclives de la cavité. A un stade
plus avancé, les cartilages se dépolissent, s'ulcèrent, se
décollent et le tissu spongieux de l'épiphyse est envahi
par la suppuration. La capsule et les ligaments se détruisent et la cavité communique avec des collections, des
fusées et des décollements péri-articulaires.

Mais ordinairement on n'assiste pas à cette destruction complète de l'articulation. Bien avant, la gravité des
symptômes généraux aura rendu inévitable le sacrifice
du membre.

Les infections des plaies articulaires n'ont d'ailleurs
pas toujours cette extrême gravité. Il est des formes
plus bénignes et surtout plus lentes, où la suppuration
de la plaie se propage progressivement à l'articulation.
Celle-ci se tuméfie graduellement, les creux s'effacent, la
pression devient douloureuse, mais pas au degré extrême
de la forme précédente ; du pus s'écoule de l'article, qui
subit les mêmes transformations que celles décrites plus
haut, avec cette différence que la marche est moins su-

raiguë, et que toutes les parties molles péri-articulaires finissent par se fusionner en une masse épaisse. La désorganisation articulaire est tout aussi sûre et aussi complète, mais elle se produit avec moins de fracas. Dans cette forme également, il apparaît des collections péri-articulaires, communiquant ou non avec l'articulation, et le malade maigrit et s'épuise. Seulement tout cela évolue, non plus en quelques jours, mais en plusieurs semaines.

Il est rare que l'infection, une fois installée dans une articulation, n'aboutisse pas à l'arthrite purulente. Dans quelques cas, on assiste, après une menace sérieuse, à la disparition de tous les symptômes et à la cicatrisation normale de la plaie.

Il faut savoir d'ailleurs que bien des fois les blessures articulaires, convenablement soignées, évoluent comme une plaie ordinaire, avec une entière simplicité. Le fait s'observe moins rarement quand la plaie articulaire est simple que lorsqu'elle est accompagnée d'une fracture.

TRAITEMENT. — Il est peu de blessures de guerre dont le traitement mette à l'épreuve la sagacité du chirurgien, autant que les plaies articulaires. De la décision qu'il mettra à intervenir, et de la manière dont il interviendra, peut dépendre la conservation du membre, et même la vie du blessé.

Suppression de l'immobilisation. — Une sorte de dogme chirurgical veut que, dès qu'une articulation a été touchée par un traumatisme, elle soit soumise à l'immobilisation, par crainte de voir les mouvements aggraver les lésions et favoriser l'infection.

Depuis plusieurs années, nous nous sommes affranchi de cette règle, voici à la suite de quelles constatations.

Nous avions été frappé de la longue durée et des suites souvent fâcheuses des hémarthroses traumatiques du genou, si fréquentes dans les accidents du travail. Désirant faire mieux que le traitement classique, nous nous sommes décidé à ponctionner immédiatement l'articulation et nous avons vu que cette ponction évacuatrice, faisant cesser brusquement la distension articulaire, cause principale des douleurs et de l'impotence fonctionnelle, remettait d'emblée l'articulation dans son état physiologique, et permettait au blessé de marcher immédiatement, sans appareil ni attelle. Nous acquîmes bientôt la certitude que plus le blessé marchait, moins la récidive de l'épanchement était à craindre, sans que cette mobilisation active eût pour l'articulation aucun effet nuisible. Bien au contraire, puisque la guérison s'obtenait en quelques jours avec une intégrité anatomique et fonctionnelle absolue.

Notre traitement de l'hémarthrose par la ponction suivie de la marche immédiate, a été utilisé des centaines de fois par de nombreux chirurgiens belges et étrangers, et est considéré maintenant comme le meilleur. Aucun accident n'a été signalé.

Cette première expérience nous incita à supprimer l'immobilisation dans d'autres lésions traumatiques, et depuis lors, nous n'immobilisons plus pour aucune contusion ni plaie articulaire. Nous n'immobilisons plus après la suture de la rotule, ni pour aucune fracture intra-articulaire, à moins que la mobilisation ne risque de déplacer trop fortement les fragments.

Cette manière de procéder a le grand avantage de raccourcir dans des proportions considérables la durée du traitement. Non seulement aucune aggravation de la lésion, ni aucun autre inconvénient n'est à craindre, mais les lésions articulaires guérissent beaucoup plus vite, sans laisser derrière elles les raideurs articulaires, les ankyloses, les atrophies musculaires, qui, après l'immobilisation, demandent un traitement consécutif prolongé et peuvent aboutir malgré tout à des déchets fonctionnels importants. Sans immobilisation, les lésions articulaires guérissent plus vite et mieux.

Nous avons appliqué cette méthode à la chirurgie de guerre, et nous avons banni du traitement des plaies articulaires par projectiles, toute immobilisation. Non seulement, nous n'appliquons aucun appareil ni attelle, mais nous obligeons le blessé à commencer dès le premier jour de petits mouvements actifs ; il est chargé de mobiliser lui-même son articulation. Il n'y a jamais à craindre qu'il aille trop loin. Il s'arrêtera aussitôt que la douleur apparaît, et il est inutile qu'il aille plus loin. L'amplitude des mouvements ne doit pas dépasser le degré au delà duquel ces mouvements deviendraient douloureux.

Rien ne vaut cette mobilisation active pour le maintien de la fonction. Elle est infiniment supérieure aux mouvements passifs, parce que ce n'est pas seulement l'articulation qui en profite, mais aussi le système musculaire.

Lorsque la méthode est bien appliquée, il ne reste rien à faire après la cicatrisation. La fonction est restaurée en même temps que la plaie est guérie.

Traitement d'une plaie articulaire sans fracture. — Voyons maintenant comment il convient d'appliquer ces principes aux différentes variétés de plaies articulaires que nous rencontrons en chirurgie de guerre.

Supposons d'abord le cas le plus simple. Une balle de

fusil a traversé l'articulation en perforant ou non une

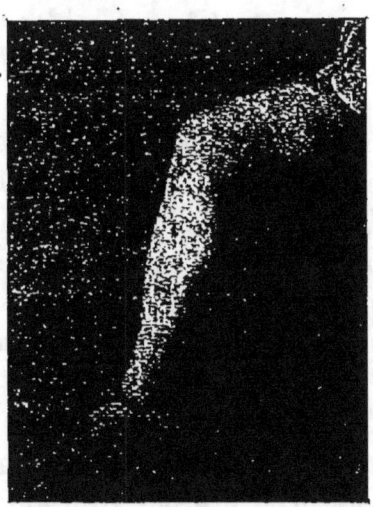

Fig. 47. — Perforation du genou de part en part. Flexion active
après trois jours.

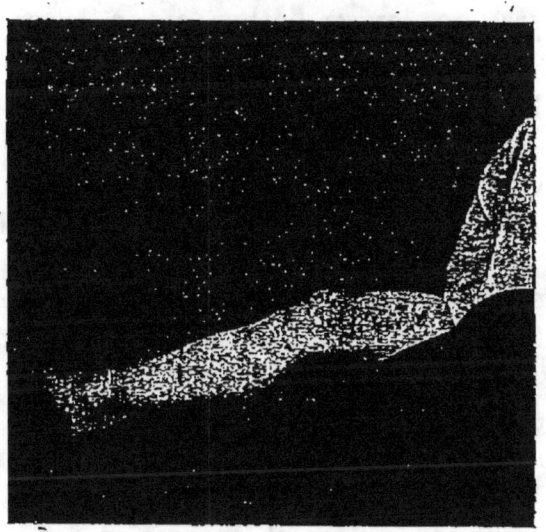

Fig. 48. — Perforation du genou de part en part. Extension active
après trois jours.

des épiphyses. Les deux orifices sont nettoyés comme

d'habitude, et un simple pansement est appliqué, sans aucune attelle ni gouttière. Le blessé a la consigne de mouvoir son article dès le premier moment, et de pousser les mouvements plus loin tous les jours. Bien plus, il est tenu de marcher s'il s'agit du genou.

Lorsque la température reste normale, et qu'il ne se produit pas de douleur, le pansement n'est enlevé qu'après huit à dix jours, et dès ce moment les plaies sont cicatrisées ou en bonne voie. Les mouvements deviennent de plus en plus faciles, et la guérison s'obtient en un temps très court, sans aucun déchet fonctionnel (fig. 47 et 48).

Lorsque la plaie articulaire est large et lorsque, même petite, elle a été produite par tout autre projectile qu'une balle de fusil, on résèque ses bords, on complète l'arthrotomie, on extrait le projectile et les autres corps étrangers, on lave à l'éther et on suture le tout sans drainage. Le malade mobilise son article comme dans le cas précédent, et les suites sont ordinairement tout aussi simples.

Traitement d'une fracture épiphysaire avec plaie articulaire. — Lorsqu'on se trouve en présence d'une fracture épiphysaire compliquée d'ouverture de l'articulation, la conduite à tenir variera d'après l'importance de la fracture et son degré de déplacement.

S'il s'agit d'une simple fissure osseuse sans détachement complet d'un fragment, la lésion articulaire sera traitée comme si la fissure n'existait pas : arthrotomie large, résection du trajet, extraction des corps étrangers et des esquilles, suture totale et mobilisation active immédiate. Il en sera encore de même en cas de fracture épiphysaire complète, à condition que le déplacement des

fragments soit minime et l'on est étonné du peu de douleur que provoque cette mobilisation active, et de la
réelle facilité avec laquelle le malade l'accomplit.

Lorsqu'au contraire, il s'agit d'une fracture à grand
déplacement, le traitement de la fracture doit prendre
le pas sur le traitement de la plaie articulaire. Il faudra
donc, d'après le cas, appliquer un appareil plâtré ou un
appareil à extension, et il n'est plus question alors de
mouvements articulaires actifs, du moins dans la mesure
dite plus haut. Cependant, on devra profiter de toutes
les occasions, — enlèvement de l'appareil, suspension
de l'extension, etc., — pour imprimer à l'articulation
quelques mouvements actifs et passifs limités.

Il nous faut ajouter que, dans ces derniers temps,
nous avons pratiqué de plus en plus l'excision, la suture
et la mobilisation immédiate, et que nous l'appliquons
maintenant à des cas de destruction étendue des épiphyses, avec des résultats très encourageants. Nous y
reviendrons plus loin.

TRAITEMENT DES COMPLICATIONS. — Maintes fois, tout
se passe simplement et la mobilisation active immédiate
ne joue aucun rôle pour provoquer l'infection. Mais elle
ne peut évidemment empêcher celle-ci d'éclater, dans le
cas où des corps étrangers septiques sont restés dans le
foyer.

Les accidents infectieux sont annoncés par l'élévation
de la température et l'apparition du gonflement et de la
douleur. La marche des événements va dépendre maintenant de la virulence de l'infection et de ce que celle-ci
aura été reconnue plus ou moins tôt et traitée plus ou
moins bien.

Aussitôt que la température dépasse 38°, il faut agir

sans retard. On peut essayer le Carrel, après avoir fait
sauter la suture. Mais il serait dangereux de s'obstiner
dans ces traitements, lorsque la défervescence et la rémission de tous les symptômes ne sont pas rapides. Si
la fièvre persiste ou augmente, si l'articulation se tuméfie
davantage et devient plus sensible à la pression, si en
un mot, l'arthrite purulente progresse, il faut renoncer
aux irrigations simples.

Sauf dans le cas où l'allure de l'arthrite est extrêmement rapide et grave, il est indiqué à ce moment de recourir à la *mobilisation active*, exactement comme pour
les plaies articulaires non infectées. Le malade est astreint à des mouvements presque continuels, poussés
jusqu'à l'amplitude maxima et jusqu'à la fatigue.

Ces mouvements sont d'abord limités mais deviennent
de jour en jour plus étendus et moins pénibles. Ils
vident au fur et à mesure l'articulation des liquides qui
s'y forment, on assiste au dégonflement progressif, si
bien qu'au bout d'un temps relativement court, l'articulation reprend complètement sa fonction, et cela avant
même la cicatrisation complète de la plaie.

La guérison s'obtient ainsi sans aucun déchet, comme
nous l'avons vu pour les lésions traumatiques non infectées (fig. 49 et 50).

Ce résultat s'explique peut-être par une sorte de
« massage interne » favorisant la résorption des exsudats, et surtout par l'expulsion du pus à chaque mouvement, débarrassant ainsi la jointure mieux que ne le ferait
le meilleur drainage. Mais ce résultat n'est évidemment
pas obtenu dans tous les cas. Lorsqu'on échoue, et à plus
forte raison, lorsque la marche de l'infection est particulièrement grave dès l'origine, il ne faut pas s'attarder à
ce traitement, mais compléter sur l'heure l'arthrotomie.

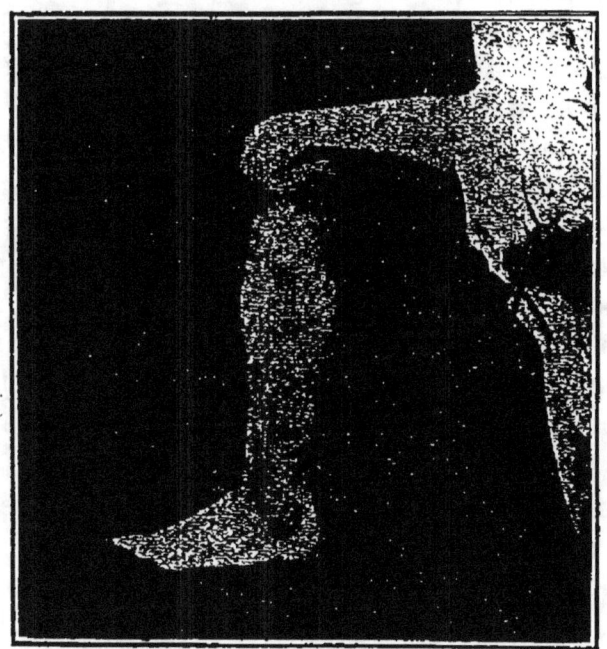

Fig. 49. — Plaie pénétrante du genou. Arthrite purulente à marche
lente. Flexion active pendant l'évolution de l'arthrite et avant la
cicatrisation complète.

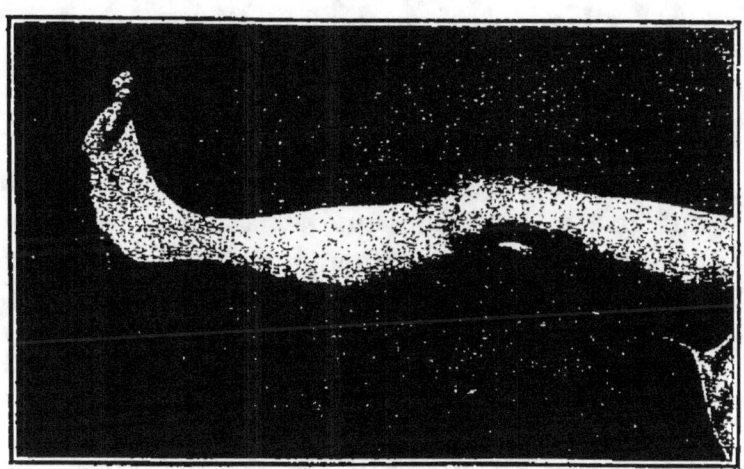

Fig. 50. — Même cas que figure 49. Extension active.

Arthrotomie. — Que doit être cette opération, pratiquée pour plaie de guerre infectée ? Il est infiniment rare que l'arthrotomie simple, unilatérale ou bilatérale suffise. Là où la mobilisation active n'a pas réussi, les incisions verticales simples ne réussiront pas davantage. Il faut en tout cas, y ajouter des contre-ouvertures au niveau des culs-de-sac synoviaux et, si cela est insuffisant, ne pas hésiter à ouvrir largement l'articulation par une incision en lambeau, exposer ainsi toute la surface synoviale, supprimer tous ses récessus, poursuivre toutes les collections périarticulaires communicantes ou non, débrider d'urgence toutes les nouvelles fusées purulentes, et traiter tout cela à ciel ouvert, par le Carrel.

Lorsque l'exposition de la synoviale est bien complète, elle arrête souvent la marche de l'infection et, après cessation des phénomènes septiques, le lambeau est rabattu, et tout se termine par une ankylose fibreuse.

Il faut savoir être radical dans ce traitement, ne pas s'arrêter à des demi-mesures, ne pas se contenter d'incisions économiques. Si l'on veut réussir, il faut que les débridements soient assez larges, assez multiples et assez déclives, pour que les sécrétions ne puissent point être retenues dans la cavité.

Il faut aussi ne pas se laisser illusionner par des améliorations légères, des rémissions partielles de la fièvre, Le traitement institué ne doit être considéré comme suffisant et être continué, que si la chute de la température est complète et l'amendement des symptômes locaux, immédiat et vraiment frappant. De la justesse du coup d'œil du chirurgien et de la promptitude de ses décisions, pourra dépendre le salut du membre.

Résection. — Lorsque cette thérapeutique, si bien

appliquée qu'elle soit, ne parvient pas à enrayer les progrès de l'infection, que la fièvre ne cesse de monter, que de nouvelles fusées purulentes ne cessent de se produire, il ne faut pas attendre que l'état général fléchisse au point que la vie paraisse menacée.

Il semble que devant une situation aussi grave, il faille se résigner à l'*amputation* sans plus tarder. Il y a cependant encore une ressource qu'on a le devoir de tenter, à moins que le danger ne soit imminent. Cette ressource, c'est la *résection*.

L'expérience de cette guerre a prouvé que, dans ces circonstances bien précises, la résection complète peut faire échapper le blessé à l'amputation, en créant, par la suppression de l'articulation, une cavité régulière où toute rétention est désormais impossible.

Comme l'articulation est déjà largement ouverte par l'arthrotomie, que les épiphyses sont dénudées très loin ou que le périoste s'en laisse aisément décoller, la technique de la résection est des plus simples et peut être très rapide, condition importante chez des blessés aussi débilités. Elle doit être assez large pour supprimer toute saillie osseuse.

Après de telles interventions, on a vu l'infection s'arrêter immédiatement et la plaie se cicatriser avec une rapidité étonnante. Le service que l'opération aura rendu au blessé est important, car un membre réséqué est évidemment supérieur à un moignon d'amputation.

Est-ce à dire qu'il faille imiter ceux qui, systématiquement, dans toutes les arthrites purulentes, s'adressent à la résection immédiate, estimant que l'arthrotomie est toujours insuffisante ? Non certes. L'arthrotomie, quand elle est pratiquée d'après une technique qui ouvre largement tous les culs-de-sac articulaires, peut fort bien arrêter l'infection, et elle a l'avantage de guérir sans raccourcissement, et même bien des fois sans ankylose complète. La résection, qui raccourcit, ne doit être utilisée que lorsque l'arthrotomie a échoué, et que la question de l'amputation se pose. Elle doit donc être réservée comme l'avant-dernière ressource.

Amputation. — Au pis aller, lorsque la résection ne donne pas ce qu'on attendait d'elle, on pourra amputer secondairement, et sauver encore le blessé, à condition de n'avoir pas perdu trop de temps.

Il conviendra, du reste, avant de décider entre la résection et l'amputation, de tenir largement compte de la virulence du cas, et du degré de résistance du blessé. Quelquefois l'amputation immédiate devra être préférée, parce qu'elle ne comporte aucun aléa et qu'elle est capable de procurer une guérison plus sûre et plus rapide.

Projectiles intra-épiphysaires et intra-articulaires. — Quand la radiographie révèle un projectile intra-articulaire, il faut l'enlever le plus tôt possible, que ce projectile soit un éclat d'obus, une balle de shrapnell, ou même une balle de fusil. Car il ne s'agit pas seulement de l'infection, dont le danger est pourtant suffisant, il s'agit aussi de la mobilité articulaire. Une articulation qui renferme un corps étranger est mise hors de fonction.

Cette extraction n'est d'ailleurs qu'un temps de l'intervention que nous préconisons pour toute plaie articulaire : arthrotomie large, excisions, extraction des séquestres, suture totale. Elle sera donc suivie aussi de la mobilisation active immédiate.

Lorsque l'opération est précoce, et faite aseptiquement,

les suites sont toujours excellentes. Quand le blessé arrive plus tard, alors qu'il existe déjà des symptômes d'infection, le succès est moins certain, encore qu'il faille commencer par l'enlèvement du projectile et l'excision, mais cette fois sans suture, pour instituer ensuite le traitement ordinaire de l'arthrite infectieuse et spécialement la mobilisation active.

C'est de la même manière qu'il faudrait procéder si le projectile, fixé dans une épiphyse, faisait saillie dans la cavité articulaire. Mais lorsqu'il est entièrement enfoui dans le tissu spongieux épiphysaire, lorsqu'il n'y a pas de fracture esquilleuse, et surtout lorsqu'il s'agit d'une balle, il semble préférable de n'y pas toucher d'abord. En pareille circonstance, le projectile pourra être bien toléré, et il est préférable de l'abandonner définitivement *in situ*. Si, plus tard, il donnait lieu à de l'infection, ou à des douleurs, il faudrait l'extraire secondairement, dans des conditions d'autant meilleures que la lésion articulaire serait guérie ou en bonne voie de guérison, et que l'ablation ne ferait plus courir aucun risque à l'articulation.

CHAPITRE XVI

PLAIES DU MEMBRE SUPÉRIEUR

Très exposé dans la guerre des tranchées, le membre supérieur est fréquemment atteint. L'humérus est, de tous les os longs, celui dont la fracture s'observe le plus souvent.

Plaies de l'épaule. — Nous avons vu que l'épaule peut être la région d'entrée de projectiles, qui de là pénètrent dans le thorax et même dans l'abdomen. Nous avons vu aussi que des projectiles entrés par le sommet de l'épaule, peuvent aller frapper le rein sans ouvrir le péritoine, ou aller atteindre le rachis et la moelle.

Lésions des parties molles. — Les lésions limitées aux parties molles de l'épaule n'offrent rien de particulier à signaler, si ce n'est que l'épaisseur considérable des muscles à traverser explique la fréquence des larges déchirures à l'ouverture de sortie. Il est également habituel que les perforations de l'épaule se compliquent d'hématomes profonds, parfois énormes, qui peuvent comprimer les vaisseaux au point de supprimer le pouls radial, et d'en imposer pour une plaie de l'artère axillaire.

Lorsque les hématomes passent à la suppuration, ou

que la plaie s'infecte par une autre cause, le phlegmon qui en résulte doit en général être débridé en plusieurs points, de préférence en avant et en arrière, et il est très avantageux, en pareil cas, d'établir un drainage de part en part, soit que le tube contourne le bord spinal ou le bord axillaire de l'omoplate, soit qu'il traverse cet os, quand il est perforé. Lorsque ce drainage est bien pratiqué, la tuméfaction et l'infiltration cèdent très rapidement. A l'épaule, le drainage est préférable au débridement simple, que l'anatomie de la région ne permet pas de faire assez largement.

Dans le moignon de l'épaule, spécialement en arrière, on trouve de temps en temps enfouis des fragments énormes d'obus et jusqu'à des fusées entières qui y ont pénétré par des orifices étonnamment petits.

Plaies des vaisseaux et des nerfs. — En cas de blessure des vaisseaux axillaires sous la clavicule, ou des nerfs au même niveau, l'intervention est facilitée dans une mesure importante par la résection du segment moyen de la clavicule. Le jour que l'on obtient ainsi est considérable et on peut dire que la disparition de la clavicule qui surplombait la région, rend celle-ci en quelque sorte superficielle.

Fractures. — Les *fractures* observées à l'épaule peuvent atteindre tous les os qui composent la ceinture thoracique.

Il n'est pas rare de rencontrer la *fracture de la clavicule*, et en même temps, des lésions sus-claviculaires ou sous-claviculaires. Cette fracture peut présenter la forme à trait simple, identique à la fracture commune du temps de paix, et aussi toutes les variétés de fractures esquilleuses.

L'*omoplate* peut être atteinte dans ses apophyses et dans sa portion lamellaire.

Nous avons vu des fractures diverses de l'acromion, de l'épine, le détachement complet de l'apophyse glénoïdienne avec abaissement du moignon de l'épaule. Ces lésions n'offrent rien de bien spécial au point de vue du traitement.

Les fractures de la lame sont plus intéressantes Nous avons observé la séparation complète d'un segment de cet os plat, notamment de son angle inférieur. Lorsqu'en pareil cas, la plaie s'infecte, le segment osseux détaché peut se nécroser et doit être enlevé.

Une lésion assez fréquente en chirurgie de guerre est la perforation de la lame de l'omoplate. Un petit projectile traverse l'os d'arrière en avant ou d'avant en arrière. Le plus souvent, il y a en même temps perforation thoracique ou perforation de l'épaule. Le trou que porte l'os peut être arrondi et à bords nets, ou prolongé en fêlures qui vont rejoindre l'un des bords. Il n'est pas rare qu'il y ait des esquilles.

Il faut une certaine attention pour diagnostiquer la perforation de l'omoplate. La radiographie, qui ne montre guère la portion centrale de la lame, à cause de sa minceur, ne peut pas donner beaucoup de renseignements. Lorsque la situation de la plaie fait prévoir cette lésion, il faut s'en assurer par le toucher digital, et enlever, le cas échéant, les esquilles libres.

On pourra utiliser avec avantage la perforation osseuse pour le passage d'un drain de part en part, en cas d'infection de la plaie.

Les *fractures du col de l'humérus* sont fréquentes, *celles de la tête* le sont moins. Les premières sont souvent extra-articulaires, les secondes n'existent qu'avec

ouverture de l'articulation. Les plaies qui les compliquent
sont parfois de simples perforations.

Au col, la fracture à trait simple n'est pas rare. On
voit aussi se propager jusqu'au col les esquilles longues

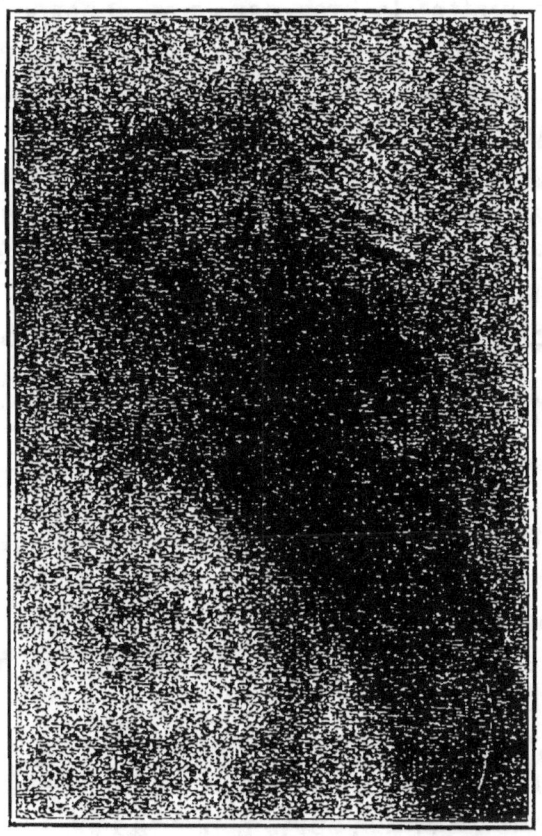

Fig. 51. — Fracture à petites esquilles de l'épiphyse supérieure
de l'humérus.

appartenant à une fracture du segment supérieur de la
diaphyse. D'autres fois, les esquilles sont petites, multiples et nées sur place.

La tête est quelquefois éclatée en un grand nombre

de fragments, qui sont fatalement voués à la nécrose
(fig. 51), ou bien elle est simplement séparée de l'épiphyse et destinée tout aussi sûrement à se mortifier.

Le traitement de ces fractures est simple. Il n'y a en
général aucun déplacement important, et l'on peut se
contenter de mettre le bras dans une écharpe. Pendant
les pansements, il faut éviter d'imprimer au membre des
mouvements étendus. Si le déplacement était notable,
il faudrait faire l'extension continue.

Lorsque la plaie ne s'infecte pas et qu'il n'y a pas formation de séquestres, la guérison se fait dans un délai
normal, sans qu'il y ait à prendre aucune mesure spéciale pour la plaie articulaire éventuelle.

Mais dès que l'infection apparaît, les conditions seront
très différentes d'après que l'articulation est ouverte ou
non. Lorsque la plaie est extra-articulaire, il faudra la
soigner comme une fracture diaphysaire infectée. Mais
quand il y a arthrite purulente, une thérapeutique plus
active est nécessaire. On ne doit pas s'attarder à l'arthrotomie, mais faire la résection de la tête humérale,
qu'on trouvera entière, et transformée en un vaste séquestre, ou divisée en un grand nombre d'esquilles mortifiées
et baignant dans le pus.

Ce n'est qu'après disparition de la tête que la cavité
articulaire pourra être drainée efficacement, et elle devra
l'être par plusieurs côtés, surtout par sa face postérieure.

C'est encore la résection qu'il faudrait faire si un éclatement ou un détachement de la tête aboutissait sans
infection grave, à la formation d'une fistule. On trouverait, comme dans le cas précédent, la cavité articulaire
remplie de séquestres, dont l'ablation tarirait rapidement
le trajet fistuleux.

Ces interventions doivent être pratiquées d'après les

règles ordinaires. Il faut se souvenir du trajet du nerf

Fig. 52. — Double fracture de l'humérus, la supérieure très oblique, l'inférieure transversale (supra-condylienne). Eclatement de l'olé-crane (éclat d'obus contre le cubitus).

circonflexe, et préférer l'incision longitudinale antérieure, le long du bord du deltoïde.

La pseudarthrose résultant de la résection peut rendre d'excellents services, à condition qu'on institue un trai-

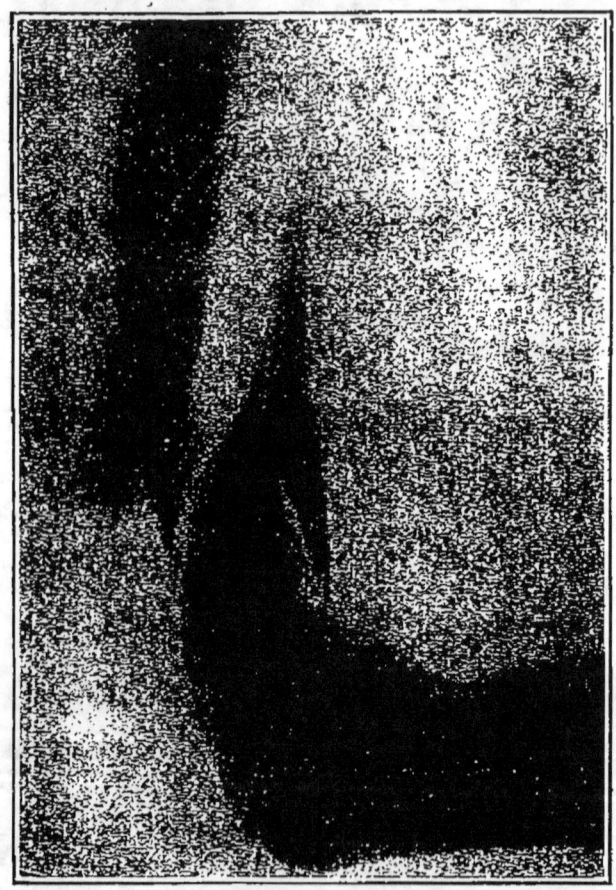

Fig. 53. — Fracture de l'humérus à grande esquille longue.

tement consécutif contre l'atrophie du deltoïde, qui est fatale et très rapide.

Plaies du bras. — Fractures. —Les *fractures de la diaphyse humérale*, extraordinairement fréquentes, réa-

lisent tous les types que nous avons distingués dans les
fractures des os longs. Nous rencontrerons ici, avec une
très grande netteté, la variété à trait unique, transversal
ou oblique, quelquefois d'une obliquité presque verti-

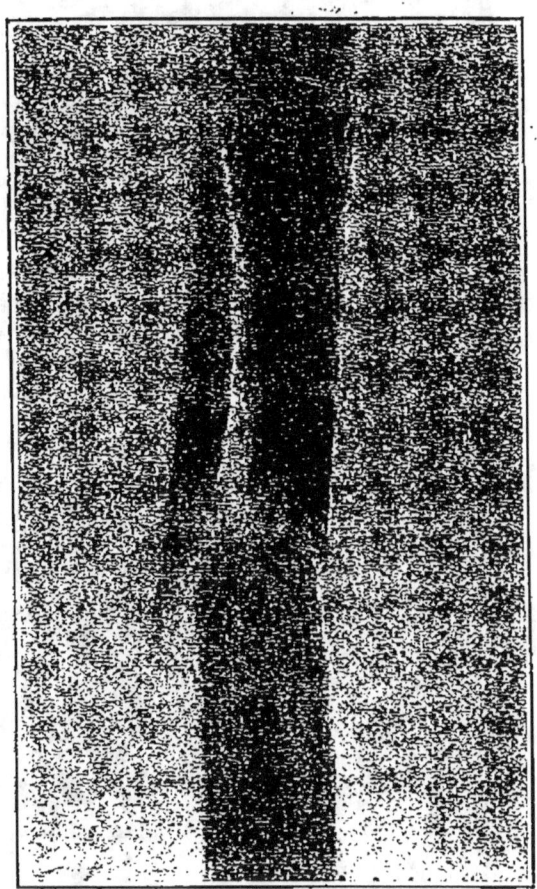

Fig. 54. — Fracture de l'humérus à grande esquille longue.

cale (fig. 52), la variété à grande esquille longue, unique ou double (fig. 53, 54, 55), rarement la variété à
grande esquille courte, très fréquemment la variété à
petites esquilles multiples.

C'est aussi pour les fractures de l'humérus que l'on
constate le plus nettement, dans un grand nombre de

Fig. 55. — Cal de fracture de l'humérus.
Grande esquille longue incorporée dans le cal.

cas, l'absence presque complète de déplacement initial,
notamment dans les types esquilleux. Aussi était-ce spécialement à cet os que nous appliquions autrefois le placer

principe de l'immobilisation simple. Quelques déplacements tardifs, quelques incurvations angulaires nous ont déterminé maintenant à adopter presque systématiquement l'extension continue pour les fractures de l'humérus.

Nous la réalisons très simplement en fixant un étrier au moyen d'emplâtres sur la portion inférieure du bras et sur l'avant-bras, et en faisant passer la corde sur une poulie fixée à une certaine distance du bord latéral du lit.

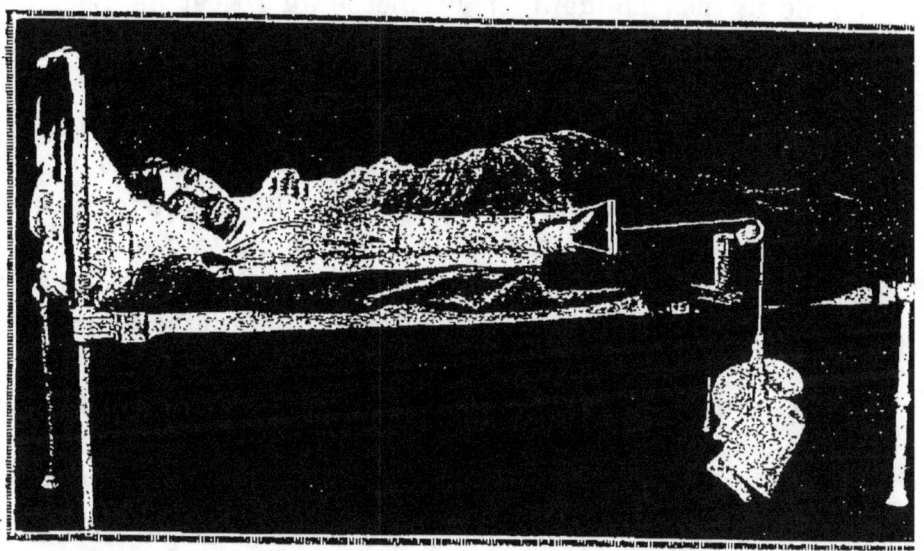

Fig. 56. — Appareil à extension pour fracture ouverte de l'humérus.

Le bras est étendu ainsi en abduction. Un poids de plusieurs kilos est utilisé. La contre-extension est inutile (fig. 56).

Cet appareil n'est pas seulement bien supporté, mais soulage immédiatement le blessé. Petit à petit tous les déplacements se corrigent, les fragments se mettent au contact et les grandes esquilles adhérentes viennent se le long de la diaphyse. Pendant ce temps, la plaie peut être soignée avec la plus grande facilité, le membre pouvant être soulevé et retourné sans éveiller aucune douleur.

La raideur consécutive du coude est généralement minime et cède très rapidement au massage et à la mobilisation.

L'appareil de Delbet, réalisant l'extension au moyen d'un ressort, est également très recommandable. Il a même sur nos appareils à extension continue l'avantage de ne pas condamner le blessé au lit, et de permettre mieux la mobilisation de l'épaule et du coude. Mais il a certainement une action moins puissante sur les fragments et réalise moins bien la réduction parfaite. Nous ne l'employons que pour les cas à déplacement faible.

Pour le traitement de la plaie, nous renvoyons à ce que nous avons dit dans le chapitre traitant des fractures en général. Les fractures de l'humérus se prêtent bien à la réunion immédiate. Elle nous a pleinement réussi.

Tout ce que nous avons dit au sujet du traitement des fractures infectées s'applique à l'humérus, de même que les indications générales de l'amputation.

Amputation immédiate.—S'il ne faut jamais être pressé de couper un membre, c'est surtout quand il s'agit du bras qu'il faut pousser la conservation jusqu'à ses dernières limites. Malgré les progrès réalisés, notamment en Amérique, il n'existe encore aucun appareil prothétique qui puisse remplacer le membre supérieur dans ses multiples fonctions. Nous devons donc faire l'impossible pour éviter l'*amputation immédiate* et nous serons aidés dans notre tâche par le pouvoir de réparation extraordinaire que possèdent ses tissus. Des arrachements d'une bonne partie de la musculature, d'un segment osseux, n'exigent pas toujours l'amputation primitive, et il ne faut la pratiquer que lorsque les vaisseaux et les nerfs sont détruits en même temps que les muscles. On sera souvent étonné de voir se réparer des lésions qu'on croyait irréparables (fig. 57).

Fig. 57. — Arrachement partiel du bras au tiers supérieur. Le membre ne tenait plus que par le paquet vasculo-nerveux et quelques lambeaux de muscles et de peau. Conservation des mouvements de l'épaule et du coude dans une grande étendue.

Amputation secondaire. — Il en est de même en cas d'infections graves. Ici encore, il ne faut amputer que lorsque la vie du malade est menacée à bref délai. Des bras qu'on croyait perdus ont pu être conservés par des débridements larges et répétés et par les autres moyens que nous avons préconisés pour combattre l'infection.

Si l'on se trouve acculé à l'amputation, il faut la faire aussi bas que possible, parce que l'utilité du moignon dépendra beaucoup de sa longueur. Quelques centimètres gagnés ont ici une énorme importance. Au besoin, l'amputation sera faite en tissus déchirés ou infectés,

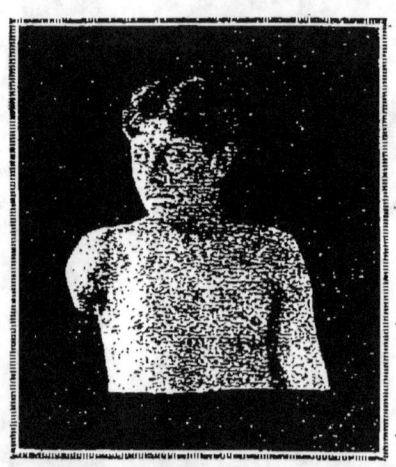

Fig. 58. — Amputation haute de l'humérus.
Conservation du moignon de l'épaule.

plutôt que de remonter plus haut, pour opérer en tissus sains.

Il faudra, en particulier, préférer à la désarticulation l'amputation haute du bras, même s'il ne reste que la tête humérale. La conservation du moignon de l'épaule n'a pas seulement une importance esthétique, mais est très utile pour le port des appareils et des fardeaux fixés par des bretelles (fig. 58, 59, 60).

Vaisseaux. — *L'artère et la veine humérales* sont fréquemment atteintes, et la ligature de ces vaisseaux est

Fig. 59. — Amputation haute de l'humérus.
Conservation du moignon de l'épaule.

une intervention d'urgence qu'on sera maintes fois obligé
de pratiquer. Ils se prêteraient assez bien, par leurs
dimensions et leur position superficielle, à la suture.

Les *anévrismes* artériels et artério-veineux du bras
ne sont pas rares. Leur traitement ne comporte aucune
règle spéciale. Les rapports de la région se prêtent très
bien à la double ou à la quadruple ligature, et aussi, le

cas échéant, à l'extirpation complète du sac et à la suture des vaisseaux.

Fig. 60. — Même cas que fig. 59. Vue de dos.

NERFS. — Quant aux *lésions nerveuses,* c'est celle du
radial qu'on observe d'habitude. Elle accompagne très
fréquemment les fractures de l'humérus, nous avons vu
pour quelles raisons de voisinage. Nous n'avons pas à
revenir sur les indications opératoires, sur le moment où
il convient d'opérer ni sur la technique à suivre. Disons
seulement qu'on rencontre assez rarement ici la section

complète, que le plus souvent il s'agit de compression.
Il est rare que cette compression dépende des parties

Fig. 61. — Fracture en T de l'épiphyse inférieure de l'humérus.

molles. Dans l'immense majorité des cas, c'est une fracture qui est en cause. Tantôt il s'agit d'une inclusion
dans le cal, tantôt d'un accolement du nerf à la surface
de l'os.

Les opérations pour paralysies du radial sont donc de
celles qui conduisent sur les lésions les plus réparables,

et de celles qui peuvent donner les meilleures espérances.
Le nerf médian et le nerf cubital sont lésés beaucoup

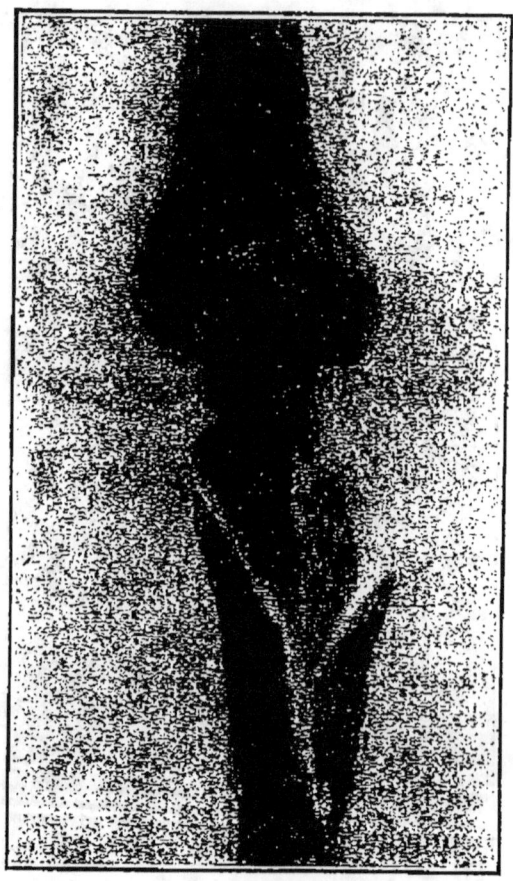

Fig. 62. — Éclatement du segment supérieur du cubitus et du radius

plus rarement. Le cas échéant, ils pourraient servir à la
greffe du bout périphérique du radial, si la réunion directe de ce nerf était impossible.

Plaies du coude. — Parmi les lésions du coude, les
fractures avec ou sans *plaies articulaires* doivent seules

nous arrêter. Les blessures des parties molles de cette région ne prêtent à aucune considération particulière.

FRACTURES. *Variétés*. — Les *fractures de l'épiphyse humérale* doivent être distinguées en fractures extra- et intra-articulaires.

Les fractures extra-articulaires sont représentées par des fractures supracondyliennes transversales simples ou par des fractures esquilleuses du type à grande esquille longue et du type à petites esquilles multiples. Dans ce dernier cas, la plaie est souvent large et anfractueuse.

Les fractures intra-articulaires comprennent la fracture en T (fig. 61) la fracture unicondylienne à trait oblique, et la fracture à petites esquilles, qui peut avoir pulvérisé toute l'épiphyse.

Les *fractures de l'épiphyse cubitale* consistent surtout en fractures de l'olécrane, soit du type simple, c'est-à-dire ayant déterminé le détachement de l'apophyse entière avec ou sans luxation de l'humérus en arrière, soit du type à esquilles multiples, c'est-à-dire ayant produit l'éclatement de l'extrémité osseuse (fig. 62).

Les *fractures de l'épiphyse radiale* ne s'observent pour ainsi dire pas à titre isolé.

Mais fréquemment plusieurs de ces épiphyses sont lésées en même temps par le projectile, et l'articulation est alors largement ouverte.

Traitement des fractures du coude. — Le principe qui doit guider dans le traitement des lésions du squelette du coude, est d'éviter l'ankylose. L'ankylose du coude est un pis-aller, et il faut s'efforcer par tous les moyens d'obtenir une articulation mobile ou une pseudarthrose suffisamment serrée. C'est qu'au membre supérieur, tout est affaire d'adresse, de mobilité et d'agilité, tandis qu'au membre inférieur, la solidité importe surtout.

Que la fracture soit à trait unique, ou du type esquilleux, qu'elle atteigne une seule ou plusieurs épiphyses, c'est toujours de la même manière qu'il faut procéder : ouvrir le foyer, le débarrasser de tous les corps étrangers et des esquilles, exciser les tissus altérés, fermer la plaie et faire commencer immédiatement des mouvements d'extension et de flexion aussi étendus que possible.

Le résultat que l'on obtiendra dépendra du degré de conservation des surfaces articulaires, plus que de l'étendue des lésions. Tant qu'il y a sur les trois épiphyses assez de cartilage en regard, la mobilité sera facile à conserver. Mais lorsqu'une grande partie du cartilage articulaire a disparu, la mobilisation est beaucoup moins efficace. Elle se heurte aux inégalités de surface qui bloquent si facilement un interligne aussi compliqué et aussi serré que celui du coude.

Aussi le résultat du traitement des fractures multiples est-il loin d'être toujours satisfaisant, et le blessé peut-il garder de son accident une ankylose au moins partielle. Rappelons que si l'ankylose paraît inévitable, il faut tâcher de l'obtenir dans la position la plus utile, c'est-à-dire en flexion dépassant un peu l'angle droit, et le pouce en haut. Le traitement mécanothérapique consécutif pourra améliorer les choses dans une certaine mesure, mais dans beaucoup de cas, le déchet fonctionnel sera important.

Résection primitive. — A plus forte raison, ne doit-on attendre rien de bon de la conservation, lorsqu'on se trouve en présence d'un broiement complet des trois os, devant un amas de fragments, les uns détachés, les autres écrasés. Sans doute, il n'est pas impossible d'obtenir la cicatrisation de pareilles lésions, mais ce sera toujours au prix d'une ankylose complète. Nous pensons que ces traumatismes graves du squelette justifient

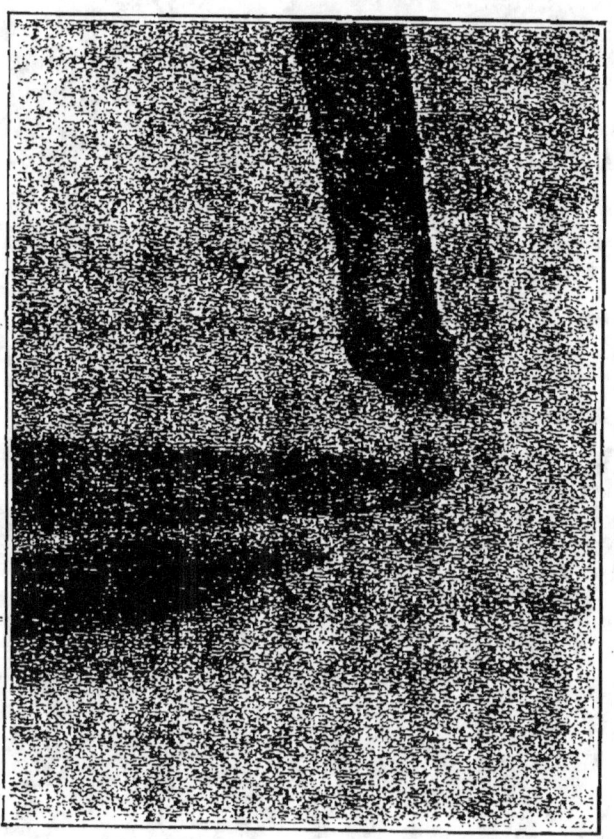

Fig. 63. — Résection primitive du coude pour fracas des trois os.

la *résection immédiate*, et nous l'avons pratiquée avec d'excellents résultats.

On pénètre dans la plaie, agrandie au besoin, on enlève un à un les fragments, on égalise, si c'est nécessaire, les extrémités osseuses trop inégales, on s'arrange

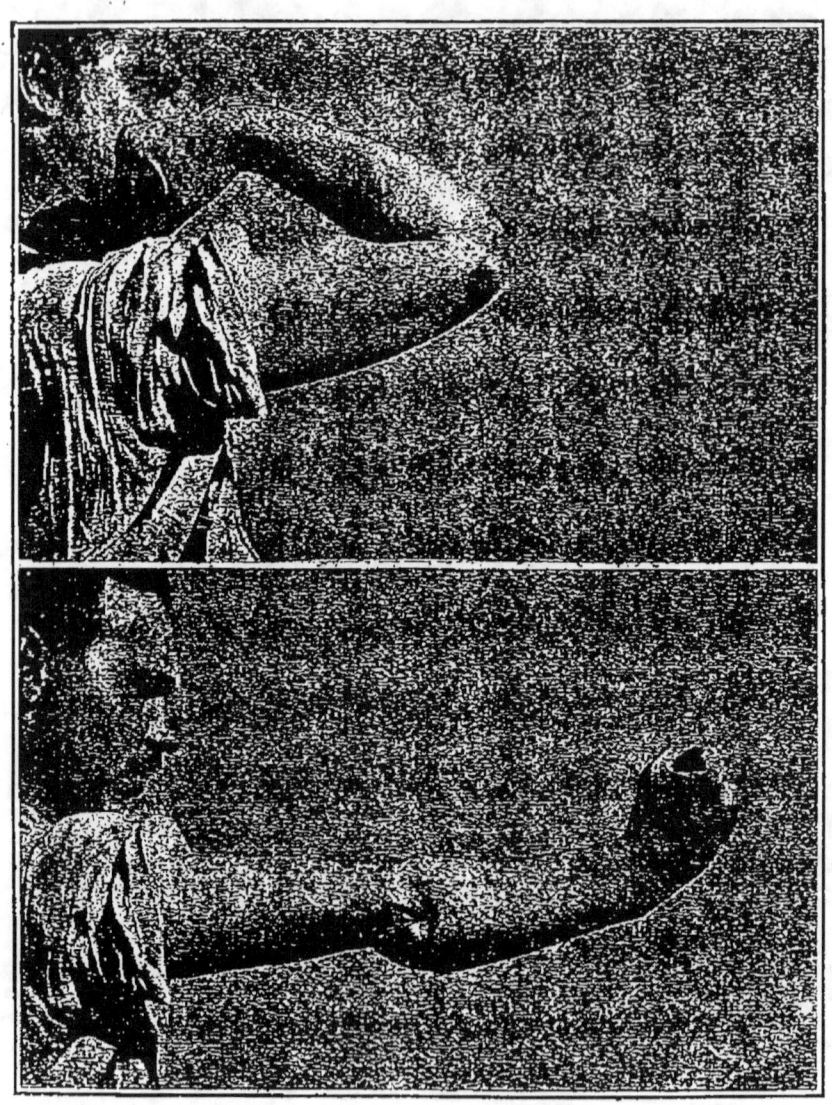

Fig. 64. — Même cas que fig. 63.
Flexion et extension actives complètes.Musculature en excellent état.

surtout pour que les deux os de l'avant-bras soient à peu près de niveau, et on ferme. Le membre est placé successivement dans l'extension et dans la flexion. La guérison est habituellement rapide et la pseudarthrose, quelquefois un peu lâche, constitue néanmoins une terminaison infiniment supérieure à l'ankylose (fig. 63 et 64).

Résection secondaire. — C'est à cette même résection complète qu'il convient, d'après nous, d'avoir recours en cas d'arthrite grave, qu'on n'observe du reste jamais sans fractures. L'articulation du coude est trop serrée, sa synoviale trop peu étendue pour se prêter à des traversées simples. Quand un projectile passe à travers le coude, il n'atteint pas seulement la synoviale. mais aussi un des os au moins, qu'il perfore, ou qu'il fait plutôt éclater.

Si la lésion s'infecte, il faut commencer par prolonger l'incision articulaire et faire entamer ou continuer des mouvements actifs, qui vident très bien la synoviale. Mais dès que les symptômes deviennent graves, il faut réséquer l'articulation, et cela dans un double but : pour obtenir un drainage convenable, et pour éviter la terminaison par ankylose.

Dans certaines fractures condyliennes, la suppuration est entretenue par la nécrose du fragment détaché. En pareille circonstance, il suffit d'enlever le séquestre pour tarir la suppuration. Mais il résultera souvent de là des incurvations du coude et du déchet dans les mouvements, qui feront regretter plus tard que l'opération n'ait pas été plus radicale.

En résumé, l'idée qui doit dominer dans le traitement des fractures du coude, c'est de conserver la mobilité. On y arrivera par la fermeture et la mobilisation immédiates pour les lésions limitées, par la résection immédiate pour les fracas osseux des trois os, par l'arthrotomie avec mouvements actifs, ou par la résection tardive pour les arthrites graves.

Plaies de l'avant-bras. — Fréquence. — Les blessures de l'avant-bras sont sensiblement moins fréquentes que celles du bras, sans qu'on puisse expliquer ce fait d'une manière satisfaisante. Les grosses lésions, qui posent la question de l'amputation, sont plutôt rares.

Ce qu'on observe, ce sont des fractures, des traversées des parties molles, et des lésions vasculaires et nerveuses.

Fractures. — Les *fractures* offrent tous les types. On retrouve ici la fracture à trait simple avec ou sans déplacement et les fractures compliquées, aussi bien à grande esquille (fig. 65), qu'à esquilles multiples (fig. 66 et 67). Les lésions peuvent aller de la simple fissure (fig. 69) jusqu'à la pulvérisation d'un segment important de la diaphyse (fig. 68).

Un des os est souvent atteint isolément. Quand le radius et le cubitus sont pris en même temps, la blessure acquiert une gravité plus grande du fait que le maintien en place des fragments est difficile et que la synostose totale est à craindre.

Les plaies qui accompagnent les fractures peuvent être très petites, même quand il y a éclatement osseux. Maintes fois, par contre, les parties molles montrent des effets explosifs, et l'orifice de sortie se présente sous forme d'une vaste plaie anfractueuse et à bords éversés. Assez fréquemment même, il existe deux larges plaies, l'une à la face palmaire, l'autre à la face dorsale, et comme

l'épaisseur du membre n'est pas très grande, les fragments osseux peuvent être à découvert et même faire
saillie à l'extérieur.

Les fractures doivent être soignées d'après les prin-

Fig. 65. — Fracture du radius à grande esquille longue.

cipes développés plus haut. Pour les fractures d'un seul
os, l'immobilisation par une simple attelle est suffisante.
Mais pour les fractures des deux os, il faut ordinairement

s'adresser aux appareils plâtrés à anses, parce que la
correction des déplacements est nécessaire et que le

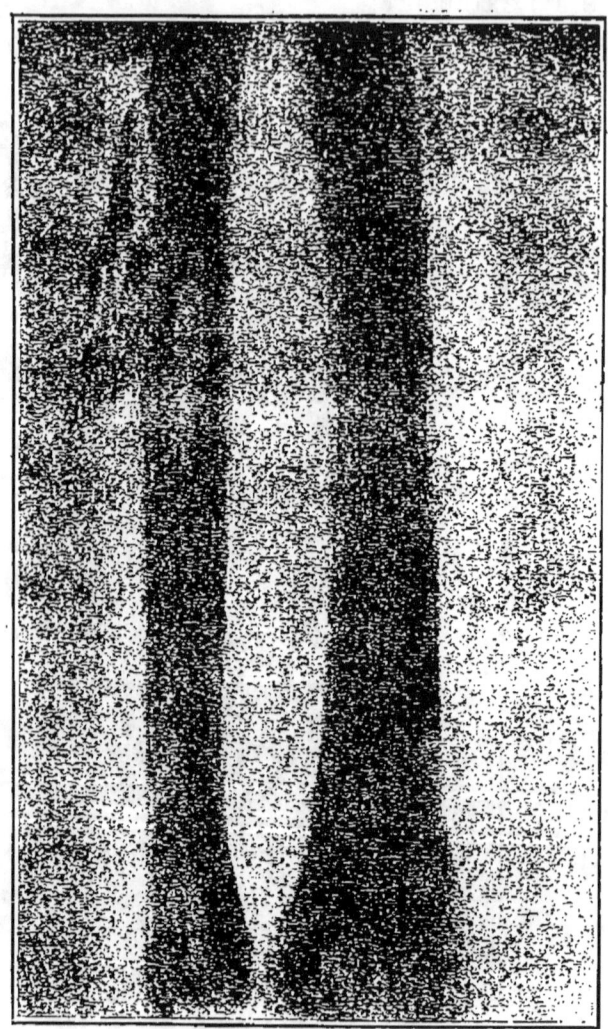

Fig. 66. — Éclatement du cubitus.

maintien de cette correction exige l'immobisation
absolue.

On recommande généralement de placer l'avant-bras

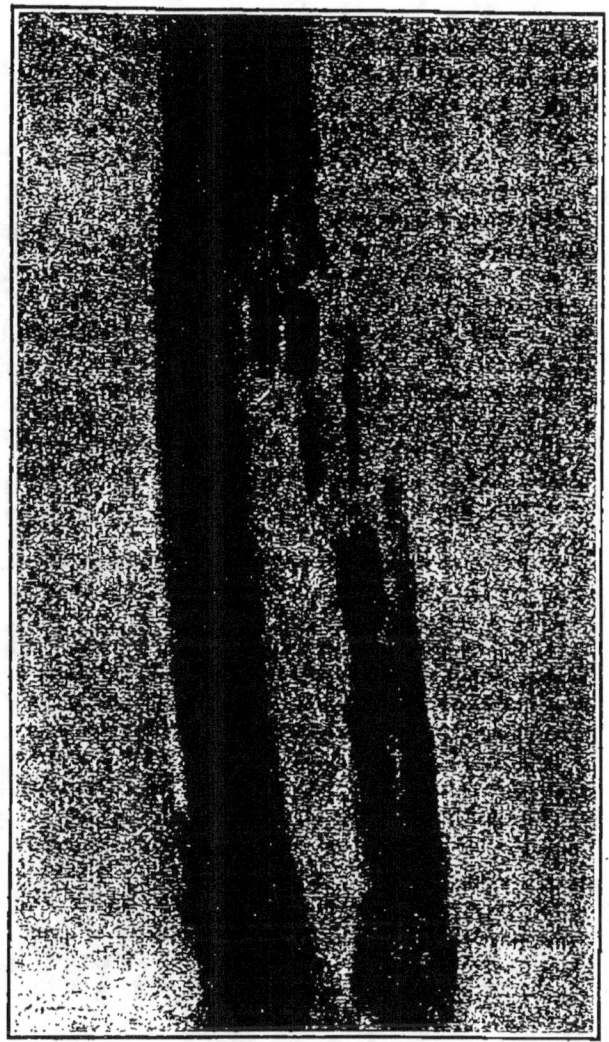

Fig. 67. — Éclatement étendu du cubitus.

fracturé en extension et en supination, parce que c'est dans cette attitude que les os seraient parallèles et que

l'espace interosseux serait le plus large. Cette règle serait
surtout importante pour la fracture des deux os, où il

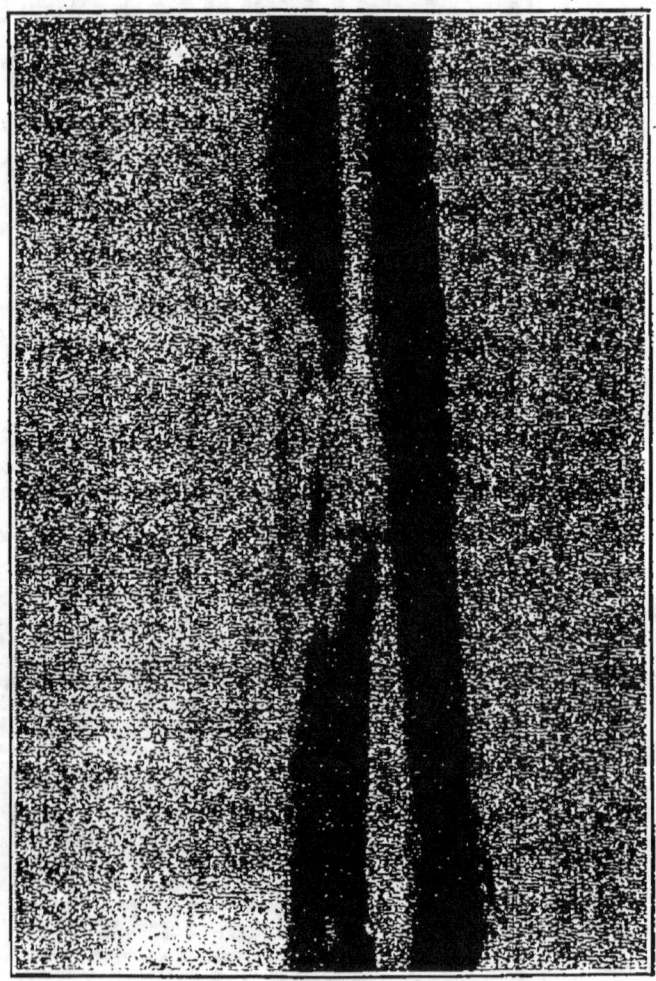

Fig. 68. — Éclatement du radius.

faut redouter la suppression des mouvements de rotation
qui résulterait de la synostose.

Des faits nombreux nous ont démontré que cette règle est loin d'être absolue et que, dans bien des cas, c'est au contraire en pronation ou en position intermédiaire que la réduction est la meilleure. A défaut d'une plaie étendue qui permet de contrôler directement par la vue la position des fragments, il faut donc recourir à la radios-

Fig. 69. — Fissure verticale intra-articulaire de l'épiphyse inférieure du radius.

copie pour déterminer dans chaque cas particulier la position à donner au membre.

Les fractures à petites esquilles doivent être débarrassées des fragments libres, mais il faut soigneusement éviter de toucher à la moindre esquille adhérente. Les fractures de l'avant-bras exposent à la pseudarthrose, pour peu qu'il y ait perte de substance, quand un seul os est atteint, parce qu'il devient difficile de rapprocher les fragments. Il faut donc conserver soigneusement le moindre fragment osseux qui pourrait concourir à la formation du cal.

En cas de synostose, la fonction est tellement enrayée qu'une ostéotomie peut devenir nécessaire. La pseudarthrose, qui enlève toute force au membre, peut aussi exiger l'intervention sanglante par un des procédés habituels.

PARTIES MOLLES. — Les *plaies des parties molles* consistent en perforations diverses, en traversées de l'espace interosseux, parfois sans qu'aucun organe important soit lésé. D'autres fois, ce sont des plaies étendues, ou des arrachements de masses musculaires volumineuses.

VAISSEAUX. — Nous n'avons pas à nous étendre longuement sur les *blessures des vaisseaux* de l'avant-bras. Les artères radiale et cubitale sont coupées assez fréquemment, et doivent être liées, car ces vaisseaux ne sont pas d'un calibre qui permette d'essayer la suture. La ligature des deux bouts est indispensable. Nous n'avons jamais rencontré l'anévrisme à l'avant-bras.

NERFS. — Les *blessures nerveuses* n'atteignent plus ici des troncs nerveux d'origine, et ne donnent plus lieu à la paralysie en masse du membre. Lorsque le médian ou le cubital sont lésés, il est nécessaire d'intervenir d'après les règles ordinaires. On rencontre en particulier pour ces nerfs la compression tardive dans des cicatrices musculaires ou tendineuses, dont il faut les dégager.

Nous avons observé et réparé une lésion par compression portant sur la branche antérieure de bifurcation du radial, comprimé dans une gangue cicatricielle à la suite d'une traversée par balle du segment supérieur de l'avant-bras.

Plaies de la main. — Les blessures de la main sont, avec les plaies articulaires, les blessures de guerre qui ressemblent le plus aux blessures observées dans la vie civile, spécialement aux plaies produites par les accidents du travail Elles sont fréquentes, mais assez souvent légères, de sorte qu'on ne les observe pas en grand nombre dans les hôpitaux du front.

Fractures. — Les *fractures* atteignent tous les os, ceux du carpe, du métacarpe et des phalanges. Ce sont les métacarpiens qui sont atteints de préférence, dans les coups de feu qui traversent la paume de la main. Un seul ou plusieurs os peuvent être lésés. Ils peuvent offrir toutes les variétés de fractures, mais ce sont les variétés à petites esquilles qu'on y rencontre de préférence (fig. 70). Leur traitement se confond avec celui de la plaie qui les accompagne toujours.

Parties molles. — Les *plaies des parties molles* sont des plus diverses. On observe des perforations et des arrachements partiels de la paume, et des lésions très variées des doigts, depuis les plaies superficielles jusqu'à l'écrasement et à l'arrachement complet. Souvent plusieurs doigts sont atteints à la fois.

Amputation. — Le principe de la conservation doit primer dans la chirurgie de guerre de la main, comme

dans celle des accidents du travail. Il ne faut donc amputer que lorsque les lésions sont manifestement impropres
à toute restauration. Ce principe doit être absolu pour

Fig. 70. — Éclatement complet de la base du 2ᵉ métacarpien.
Éclatement partiel de la base du 3ᵉ métacarpien.

la région palmaire où l'amputation sacrifierait un segment
important du membre.

Peut-être y a-t-il lieu de s'y tenir moins strictement
quand il s'agit de l'extrémité des doigts.

La conservation à outrance de bouts de doigt écrasés ou partiellement arrachés, aboutit souvent à des cicatrices irrégulières, difformes, douloureuses, à des déviations ou des ankyloses tellement gênantes, que le blessé finit par réclamer l'amputation. Sans doute est-il sage de commencer par conserver quand même, quitte à amputer plus tard, si le doigt devient encombrant. Mais dans certains cas, le mauvais résultat fonctionnel peut être prévu, et il est préférable alors, à notre avis, d'amputer de prime abord, afin de raccourcir le traitement et d'éviter bien des déboires au blessé. Il faut au demeurant que chacun s'en réfère à ses propres impressions, quand il s'agit de décider ces amputations primitives.

TENDONS. — Les seules plaies des parties molles qui méritent d'être signalées spécialement sont celles qui s'accompagnent de section des tendons. A moins que la destruction du tendon soit étendue, que la contusion soit très forte, ou que la plaie soit très souillée, il faut pratiquer la réunion par suture immédiate. Si elle échoue, on n'aura rien perdu à l'avoir tentée, et souvent on la réussira dans des conditions qui paraissaient peu favorables.

VAISSEAUX. — Les *plaies des vaisseaux* peuvent exiger la ligature.

INFECTION DES GAINES. — Les *infections* les plus graves sont celles qui atteignent les gaines synoviales, parce qu'elles aboutissent à la nécrose du tendon. On sait que les plus redoutables sont celles du pouce et du petit doigt, parce que la gaine du pouce communique avec la synoviale radiale et la gaine du petit doigt, avec la synoviale cubitale, tandis que les gaines des trois doigts du milieu sont séparées des synoviales carpiennes.

Toutes les collections de la main doivent être débridées hâtivement et à fond par de petites incisions multiples, afin d'exposer le moins possible les tendons. Chaque incision est drainée.

Œdèmes éléphantiasiques. — On a signalé l'apparition à la main, à la suite de lésions parfois minimes, d'*œdèmes éléphantiasiques* progressant vers la racine du membre. Cette curieuse complication dont la pathogénie est encore mal connue, peut être consécutive à des lésions suppuratives ou à des plaies qui se sont fermées sans infection. Nous avons rencontré des faits semblables à la suite d'accidents du travail.

Déviations et raideurs des doigts. — La cicatrisation des plaies de la main pent laisser des *rétractions cicatricielles*, des *déviations* pour lesquelles une intervention secondaire peut devenir nécessaire. Fréquemment aussi, la *raideur des articulations digitales* donnera lieu à une gêne considérable. Le meilleur moyen de les éviter est de ne jamais immobiliser les doigts pendant le traitement. Il en va de ces petites articulations comme des grandes. Dès le premier moment, le blessé doit faire jouer ses doigts, s'il veut, au moment de la cicatrisation, avoir conservé toute leur mobilité.

Cependant des *adhérences tendineuses* peuvent se produire, qu'il est indiqué de supprimer par une intervention. Pour reconstituer les gaines disparues, on a essayé avec succès d'entourer le tendon libéré d'une lame de caoutchouc, d'une membrane amniotique, etc. Il y a là d'ingénieuses ressources qui peuvent, le cas échéant, être mises à profit.

CHAPITRE XVII

PLAIES DU MEMBRE INFÉRIEUR

Le membre inférieur est beaucoup plus rarement atteint que le membre supérieur, ce qui tient sans doute aux conditions actuelles des combats. De ses divers segments, c'est la cuisse dont nous observons le plus grand nombre de lésions dans les hôpitaux du front.

Plaies de la hanche. — ARTICULATION COXO-FÉMORALE. — Comme nous avons étudié à part les blessures du bassin, nous n'avons à nous occuper ici que des plaies de l'articulation coxo-fémorale.

Elles sont rares. Nous ne parlons pas, bien entendu, des écrasements de la partie supérieure de la cuisse, qui peuvent remonter jusqu'à la hanche, et pour lesquels se pose la question de la désarticulation immédiate. Ces lésions sont tellement graves que, si elles ne tuent pas l'homme avant qu'on ait le temps d'intervenir, il succombe d'ordinaire au shock après l'opération.

Abstraction faite de ces cas extrêmes, où la blessure de la hanche ne constitue qu'une partie d'énormes délabrements, nous n'avons pas observé l'ouverture large de l'articulation. Il s'est agi, dans les cas que nous avons eu l'occasion de voir, de simples perforations de la capsule, avec fracture du col.

Parties molles. — Nous avons cependant rencontré quelques exemples de *plaies perforantes de la région de la hanche*, à propos desquelles on se demande comment

Fig. 71. — Fracture du col du fémur.
Raccourcissement apparent du col.

l'articulation et les vaisseaux fémoraux ont pu échapper. Ces lésions s'accompagnent ordinairement d'un héma-tome énorme qui rend la région globuleuse et qui peut comprimer à ce point les tissus, que des phlyctènes ap-paraissent à la peau.

FRACTURES. — La *fracture du col* est habituellement
une fracture à trait simple, ressemblant point pour point
aux fractures de la vie civile (fig. 71). Elle peut occuper
toutes les hauteurs du col, mais le plus souvent, elle est

Fig. 72. — Fracture intra-trochantérienne du fémur. Coxa vara.
Détachement du petit trochanter.

basse, et ne comporte aucune fissure. L'ouverture de la
capsule ne se marque par aucun symptôme.

Le blessé présente les signes ordinaires de la fracture
du col, dont les meilleurs sont la rotation du pied en

dehors, et l'impossibilité de détacher le talon du plan du
lit. La radiographie ne fait pas toujours voir le trait de
fracture, mais elle montre le col raccourci ou même quasi
disparu, qu'il s'agisse d'un engrènement, ou d'un chevauchement.

L'immobilisation pure et simple n'est guère suffisante
parce qu'elle ne corrige pas le raccourcissement. Il est
bien préférable de recourir à l'extension continue, appliquée comme nous l'indiquerons à propos des fractures
diaphysaires du fémur, et souvent il y aura avantage à
la faire en abduction, à 45°, ainsi que nous le verrons
plus loin. Des examens radiographiques répétés montreront, d'après la forme et la longueur du col, si l'extension est suffisante. Il faut souvent dépasser 12 kilos
pour obtenir la réduction.

Les *fractures de la tête fémorale* sont rares comme
lésion isolée, sans doute parce qu'elle est bien protégée
par le rebord cotyloïdien. Il en est de même des *fractures du grand trochanter*, qui peut cependant être traversé ou abattu par un projectile (fig. 72). L'épiphyse du
fémur est aussi quelquefois le siège de lésions propagées
de la diaphyse, sous forme de fissures ou d'esquilles.

Plaies de la cuisse. — Elles sont les plus fréquentes
de toutes les plaies du membre inférieur.

PARTIES MOLLES. — C'est à la cuisse surtout que nous
rencontrons le plus nettement les diverses variétés de
plaies des parties molles : les perforations simples à
deux petits orifices, les perforations avec plaie de sortie
énorme et muscles déchirés et herniés, les plaies uniques
avec ou sans rétention du projectile, souvent extrêmement anfractueuses, ayant transformé en bouillie une

partie de la musculature. Le propre de toutes ces plaies est de recéler fréquemment des corps étrangers divers et surtout des débris de vêtements, et d'être par conséquent très sujettes à l'infection. C'est par l'inclusion de corps étrangers et les lésions musculaires étendues, qu'il faut sans doute expliquer la prédisposition à la gangrène gazeuse des plaies de cette région. Le danger est porté au maximum quand il y a en même temps fracas osseux.

Nous n'avons pas à revenir sur l'impérieuse nécessité des débridements précoces de telles plaies et sur les autres mesures à mettre en œuvre pour éviter les complications infectieuses graves. La suture secondaire trouve à la cuisse d'utiles applications.

FRACTURES. — Les *fractures du fémur* sont, après celles de l'humérus, les plus fréquentes de toutes les fractures d'os longs. Aucun os ne montre mieux les divers types que nous avons distingués.

Il n'est pas du tout exceptionnel de rencontrer la fracture à trait simple, qui s'accompagne toujours d'un déplacement et d'un chevauchement important. Le trait est quelquefois exactement transversal ; d'autres fois il est oblique et l'obliquité peut être extrême. Cette forme peut être accompagnée de fissures et même de petites esquilles, mais le fait n'est nullement constant. Elle ressemble absolument à la fracture de la vie civile. Pour aucun autre os, la ressemblance n'est aussi frappante.

Le fémur montre aussi avec une netteté qu'on ne trouve guère ailleurs, la fracture à grande esquille longue (fig. 73), plus rarement la fracture à grande esquille courte, enfin la fracture à petites esquilles multiples ou le fracas osseux (fig. 74 et 75).

Il ne faudrait pas croire que les caractères de la plaie des parties molles soient toujours en rapport avec les caractères de la fracture. Sans doute, à la fracture à un seul trait peuvent correspondre des orifices d'entrée et

Fig. 73. — Fracture du fémur à double grande esquille longue.

même des orifices de sortie peu larges, et les fractures esquilleuses s'accompagnent en règle générale de vastes plaies de sortie. Mais on voit aussi des plaies énormes

coexister avec des fractures simples, et d'étroites perforations musculaires avec des fractures très esquilleuses.

Traitement. — Le traitement pourra être différent
d'après la variété à laquelle on a affaire. S'agit-il d'une

Fig. 74. — Éclatement du fémur.

fracture à esquilles, et par conséquent à déplacement
presque nul, l'immobilisation pourra suffire.

Immobilisation. — Elle peut se faire par l'un ou l'autre
des nombreux appareils qui ont été proposés. Nous

estimons que, l'un des meilleurs est le plâtre à anses,
appliqué sous chloroforme, des aides faisant l'extension
et la contre-extension. Il permet fort bien de donner
à la plaie les soins nécessaires, et nous savons que ces

Fig. 75. — Éclatement du fémur.

soins sont d'importance capitale. Il peut rester appliqué
jusqu'à consolidation et guérison de la plaie.

Extension continue. — Dans ces derniers temps, nous
avons cependant renoncé presque complètement à l'ap-

pareil à anses pour la fracture du fémur, parce que nous avons dans l'extension continue une ressource dont nous usons de plus en plus volontiers. Comme nous l'avons dit plus haut, nous ne la réservons plus uniquement aux fractures à trait simple, et par conséquent avec chevauchement, où elle est seule capable d'assurer la réduction, mais même là où le déplacement est minime ou absent.

L'extension s'applique de la façon habituelle, en atta-

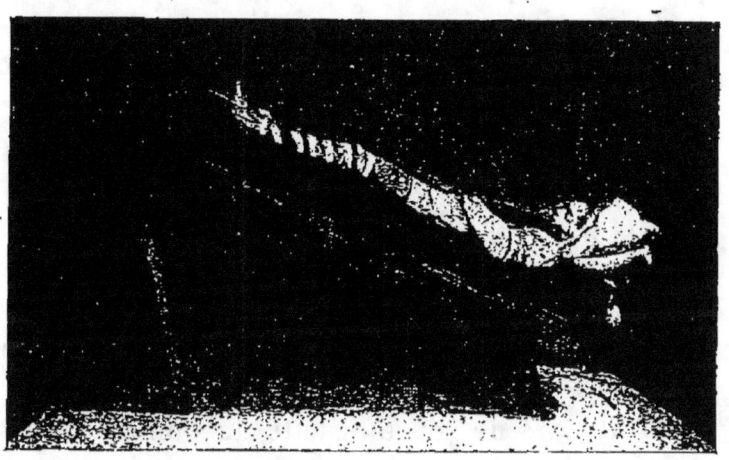

Fig. 76. — Extension continue pour fracture du fémur, contre-extension par élévation du pied du lit.

chant des poids à un étrier fixé sur la jambe au moyen d'emplâtres adhésifs : la corde qui porte les poids passe sur une poulie placée au pied du lit.

Quant à la contre-extension, nous l'obtenons très simplement par le poids du corps, en inclinant le lit en arrière. Ce procédé n'a pas les inconvénients de la contre-extension par des lacs passant dans le pli inguino-fessier, où ils produisent très facilement des escharres, et ne sont plus supportés dès qu'on dépasse une certaine force

d'extension. Avec la contre-extension par le plan incliné, le degré de force qu'on emploie n'a plus d'importance, et n'a d'autres limites que l'obtention de la réduction. Il faut généralement élever le pied du lit d'au
moins 50 centimètres et appliquer au moins 10 kilos de
poids, pour obtenir la coaptation, ce dont on s'assurera
par la radiographie (fig. 76).

Il faudra combiner l'extension avec l'inclinaison du lit
de telle manière que l'équilibre du malade soit parfait,
que la traction ne l'entraîne pas en avant, et que le
poids du corps ne le fasse pas glisser en arrière. Nous
nous servons, pour graduer l'élévation, de chevalets de
55, 65 et 75 centimètres de hauteur. Les malades préfèrent la suspension du pied du lit au moyen de cordes et
de chaînes, parce qu'ils échappent ainsi aux trépidations
du plancher.

Au premier abord, la position déclive permanente
semble incommode. Il n'en est rien cependant, et cette
attitude est en réalité très bien supportée, après quelques
difficultés pour manger que le malade éprouve dans les
premiers jours.

En dehors de son efficacité au point de vue de la réduction, la méthode a le très grand avantage de laisser
la plaie et ses environs entièrement libres, et de permettre les pansements sans qu'il faille même enlever les
poids. Elle procure assez d'immobilité pour éviter toute
douleur pendant les pansements.

Elle a cependant un inconvénient. Les lanières d'em-
plâtre qui fixent l'étrier sur la jambe, glissent si elles
ne collent pas fortement, ou irritent l'épiderme qu'elles
peuvent même arracher, si elles sont très adhésives. De
là l'obligation d'interrompre de temps en temps l'extension.

Extension sur vis. — Nous avons tourné cette difficulté en faisant agir la traction, non plus sur des emplâtres, mais sur des vis fixées dans les condyles fémoraux. Ces vis, qui ont 3 millimètres de diamètre et
5 centimètres de longueur de pas de vis, sont munies
d'une mèche, et terminées à l'autre extrémité par un
anneau ou un crochet (fig. 77). On en introduit une dans

Fig. 77. — Vis à chaînette pour extension.

chacun des condyles, à une profondeur de 2 à 3 centimètres. La traction se fait sur une chaînette fixée à l'anneau et prolongée par une corde [1] (fig. 78).

Ce procédé a l'avantage d'appliquer l'extension directement sur le fragment inférieur de la fracture, et de laisser

1. Ces vis ne sont qu'une simplification de la tige que Steinmann
fait passer d'outre en outre à travers les condyles.

toute liberté à la jambe et au genou. Toute la force employée produit des effets utiles, et on arrive au but avec
un minimum de poids [1].

Les vis sont très bien supportées. Au bout d'un certain
temps, elles deviennent mobiles par suite de l'ostéite raré-

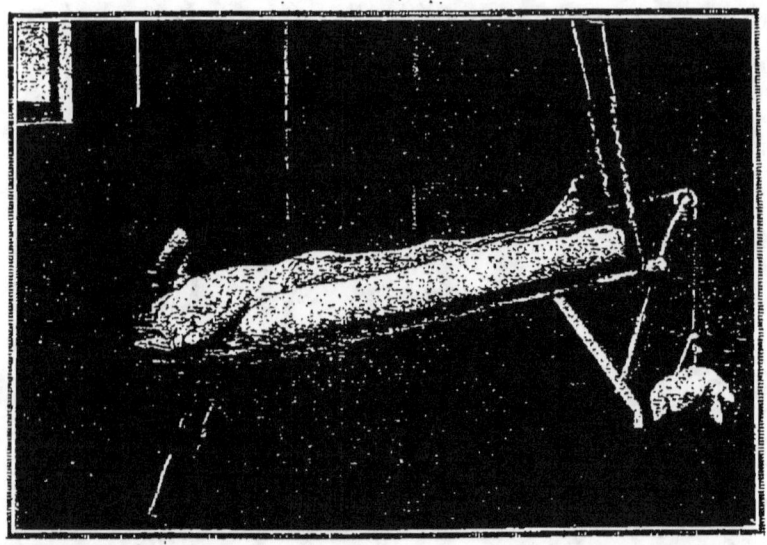

Fig. 78. — Fracture du fémur. — Extension continue sur vis.
Contre-extension par suspension en élévation du pied du lit.

fiante à laquelle elles donnent lieu. Il suffit de les enfoncer
un peu pour y remédier. La traction fait descendre insensiblement l'extrémité extérieure des vis, ce qui transforme
le trou circulaire de la peau en une petite boutonnière
verticale, mais dont la partie supérieure se cicatrise à
mesure de la descente. Il est rare que le pansement qui

1. Notre méthode est supérieure à celle de Finochietto, qui fait
l'extension sur un étrier embrassant la face supérieure du calcanéum
entre le tendon d'Achille et le squelette. Nos vis tirent directement
sur le fragment inférieur de la fracture.

recouvre les vis doive être enlevé avant la consolidation (fig. 78 et 79).

Extension |en abduction. — Il nous est arrivé de modifier un peu l'appareil pour les fractures hautes du

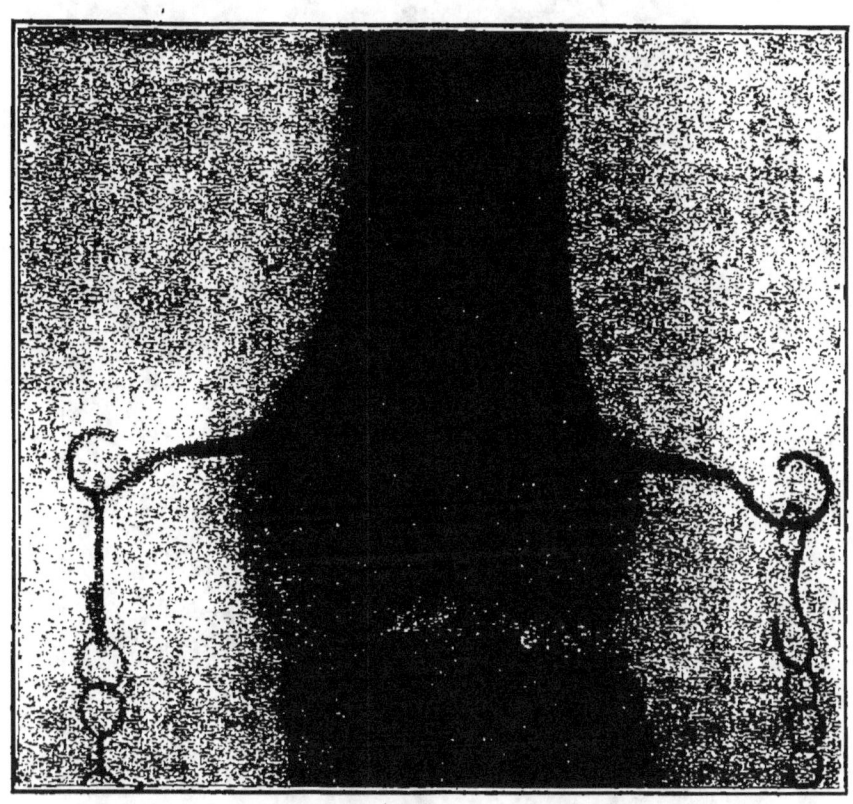

Fig. 79. — Vis pour extension placées dans les condyles fémoraux.

fémur, telle la fracture sous-trochantérienne. Dans ce cas, le fragment supérieur bascule en dehors, le col tend à devenir horizontal, et le fragment inférieur remonte. L'axe du col et l'axe de la diaphyse tendent à se couper à angle droit, constituant ainsi une variété de coxa vara (fig. 80). Or on sait que la coxa vara donne lieu à une claudication comparable à celle de la coxalgie.

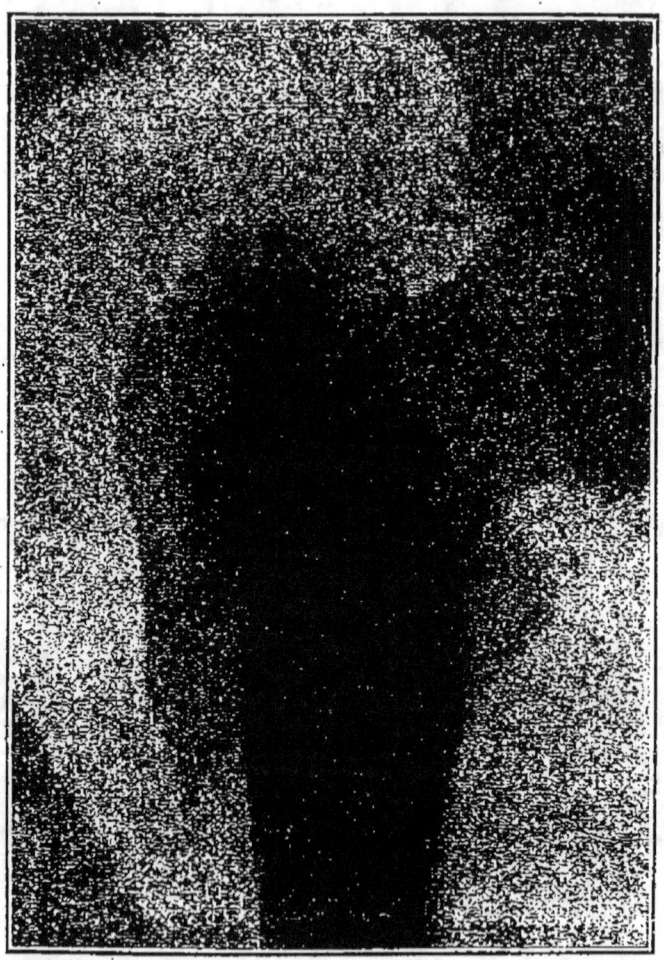

Fig. 80. — Fracture sous-trochantérienne du fémur. Avant réduction. Coxa vara. (L'axe du col fait avec l'axe de la diaphyse un angle presque droit.

Nous avons craint que la traction dans l'axe du corps n'ait pas beaucoup d'effet sur le fragment supérieur, sur lequel il est presque impossible d'agir directement. Nous appliquions en pareil cas la traction en abduction à **45** degrés, de manière que l'axe du fragment inférieur allât rejoindre l'axe du fragment supérieur et se plaçât dans son prolongement.

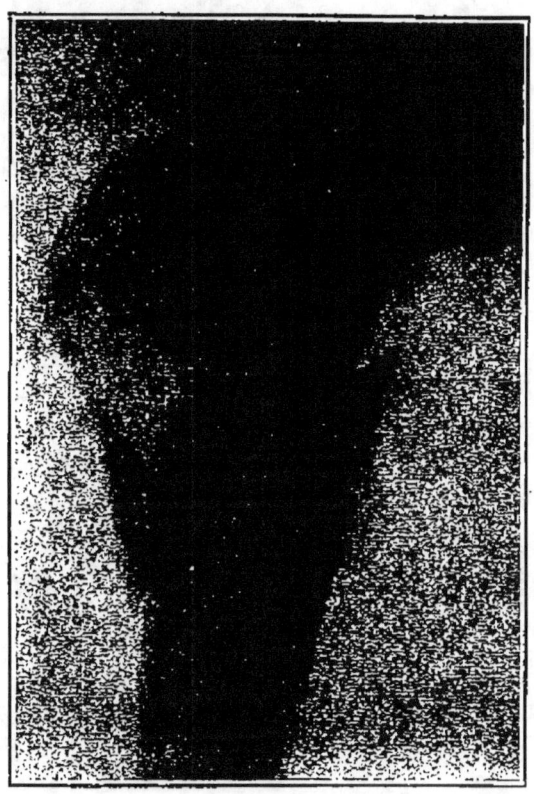

Fig. 81. — Même cas que fig. 80. — Réduction par extension continue
(Le col a repris sa direction normale.)

La traction en abduction est aussi bien supportée que la traction directe, mais il semble résulter de nos dernières observations qu'elle est plus difficile à maintenir avec l'écartement voulu, et qu'elle n'est d'ailleurs pas indis-

pensable. La traction directe semble agir tout aussi bien
(fig. 80, 81, 82).

Pendant ce temps, la plaie sera soignée comme de

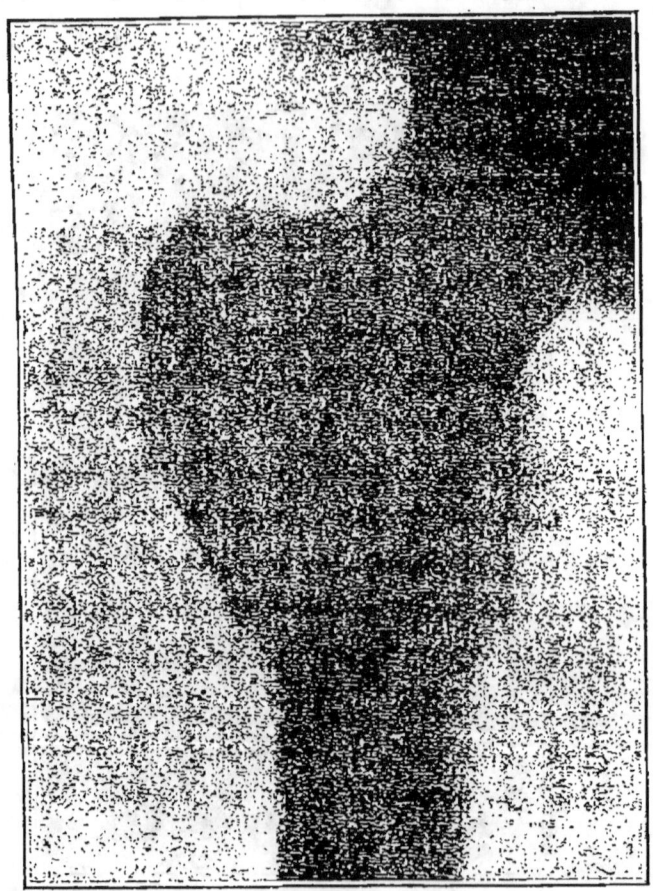

Fig. 82. — Même cas que fig. 80 et 81. — Consolidation
en réduction parfaite.

coutume. Nous n'avons pas encore essayé la fermeture
immédiate après résection des parties molles et esquillec-
tomie. Nous employons le Carrel ou le Wright.

La suture secondaire réussit souvent pour les fractures de cuisse, et concourt à abréger notablement le traitement.

Evolution. — Il est bon de rappeler encore une fois que les fractures ouvertes, même non infectées, mettent beaucoup plus de temps à se consolider que les fractures fermées, et que le cal reste malléable pendant longtemps. Il faut donc maintenir au lit les fracturés de cuisse pendant plusieurs semaines après l'enlèvement de l'appareil et ne les laisser s'appuyer sur le membre, que lorsque le cal commence à se résorber. Cette période peut être utilisée avantageusement pour achever de mobiliser le genou.

Résultats. — Lorsque le traitement a été bien conduit, les fractures du fémur guérissent sans raccourcissement et par conséquent sans claudication. Nous estimons qu'un tel résultat n'est pas négligeable, et ne sommes pas de ceux qui se déclarent satisfaits quand une fracture de cuisse est guérie avec un raccourcissement de 3 à 4 centimètres. Sauf en cas de perte de substance de l'os, un raccourcissement doit toujours être considéré comme une mauvaise terminaison.

Nous disons : sauf en cas de perte de substance. Celle-ci peut résulter, soit de la disparition immédiate d'un fragment, soit de l'élimination ultérieure de séquestres. En effet, une esquille primitivement adhérente et respectée par conséquent lors de la toilette de la plaie, — sur laquelle nous ne revenons pas — peut se nécroser tardivement. D'autre part, l'infection, lorsqu'elle n'a pu être évitée, donne lieu à de la nécrose secondaire, et l'on observe des cals creux recélant parfois de multiples séquestres. Des esquilles volumineuses, comprenant même toute la circonférence de l'os, peuvent être éliminées. Il est évident qu'en pareil cas, le raccourcissement est fatal.

La greffe osseuse pourrait avantageusement être essayée en pareil cas. Le cas échéant, le transplant serait pris de préférence sur le péroné.

Consolidations vicieuses. — Mais supposons qu'un traitement mal appliqué ait conduit à la consolidation avec chevauchement ou coudure angulaire. Comme le résultat sera mauvais au point de vue fonctionnel, il y a lieu de pratiquer la réduction opératoire.

De telles interventions ne doivent pas être pratiquées avant la fermeture de la plaie, abstraction faite de l'épidermisation qui est souvent très lente. Après mise à nu du cal, on sépare les fragments si la réunion est encore fibreuse ; on fait l'ostéotomie du cal, s'il est déjà osseux et on applique un appareil à extension. Pour une coudure angulaire elle-même, l'extension est préférable à l'appareil plâtré appliqué en abduction. Ces opérations secondaires donnent des résultats très satisfaisants.

Fractures incomplètes. — Tout ce qui précède se rapporte aux fractures complètes. Mais le fémur, os volumineux et très solide, présente aussi des fractures incomplètes, des fissures sans détachement d'esquilles, et des inclusions de projectiles (fig. 45). Lorsque la radiographie aura révélé l'une de ces lésions, il faudra manier le membre avec les plus grandes précautions, afin d'éviter de compléter la fracture, notamment en procédant à l'extraction des projectiles.

VAISSEAUX. — L'artère fémorale est l'artère du corps qui donne le plus grand nombre d'*anévrismes*. Cette fréquence semble avoir été plus grande encore pendant la guerre des Balkans que pendant la campagne actuelle, et il est difficile d'en donner la raison. Nous trouvons ici l'anévrisme artériel avec ses différentes variétés et l'anévrisme artério-veineux.

Toutes les méthodes de traitement de l'anévrisme s'appliquent à la fémorale mieux qu'à n'importe quelle autre artère. C'est dire qu'on pourra s'adresser, d'après les cas, à la ligature simple, aux ligatures multiples, à l'extirpation du sac, à la suture des vaisseaux.

En cas d'*hémorragie* par les vaisseaux fémoraux, la ligature est le procédé le plus simple, mais elle doit être placée sur les deux bouts. Elle donne lieu assez souvent à la gangrène. Aussi serait-il recommandable, quand le cas s'y prête, de tenter la suture artérielle, étant donné que l'artère est large, assez superficielle et qu'elle peut être mise à découvert dans toute l'étendue nécessaire.

NERFS. — Nous avons, à propos des plaies des nerfs, indiqué la fréquence relative de l'atteinte du *nerf sciatique*. Cette atteinte peut être directe et due au projectile lui-même, au moment de son passage. Elle peut aussi être indirecte, et produite par un fragment du fémur fracturé. Elle peut être enfin tardive, et résulter de l'englobement dans une cicatrice profonde.

Les lésions qu'on découvrira à l'opération sont donc très variables. Ou bien ce sera une section complète, et l'on n'aura que la ressource de l'avivement et de la suture, aucun nerf n'existant dans le voisinage, qui permettrait de tenter la greffe. Ou bien ce sera une section incomplète, que favorise la grosseur du nerf, et dans ce cas, il faudra bien se garder de compléter la division, mais suturer l'encoche. Ou bien encore, ce sera la com-

pression dans du tissu cicatriciel appartenant plus souvent aux parties molles qu'à l'os, et alors il y aura à
libérer le nerf d'après les procédés décrits plus haut.
Quant à sa protection, elle sera réalisée le mieux par en-
fouissement dans un lambeau emprunté à l'un des volumineux muscles de la région.

Les améliorations, qui sont fréquentes, sont plus lentes à se produire après les opérations décompressives
du sciatique qu'après celles du radial.

Plaies du genou. — GANGRÈNE SOUS-CUTANÉE. — Nous
avons observé au genou deux cas de *gangrène sous-cutanée*. La région, à la suite d'une contusion, présentait
les apparences du phlegmon, mais à l'incision, nous ne
trouvâmes presque pas de pus, tandis que le tissu cellulaire sous-cutané était gangréné en masse dans une étendue considérable. Après excision de toute la masse gan-
grénée, la guérison fut obtenue sans encombres.

PARTIES MOLLES. VAISSEAUX. — Les *plaies des parties
molles* n'ont d'importance qu'au niveau du creux poplité,
où les gros vaisseaux sont fort exposés. Leur blessure
exige la ligature immédiate, car l'hémorragie est profuse
et si la plaie est petite, l'infiltration sanguine désorganise
rapidement les tissus, et crée à l'opération de sérieuses
difficultés. La poplitée est assez volumineuse pour qu'on
puisse éventuellement suturer la plaie vasculaire, d'autant
plus que la ligature de cette artère est souvent suivie de
gangrène du pied et même de la jambe.

ARTICULATION. — Les *lésions articulaires* et *épiphysaires* sont très importantes.

Le genou est, de toutes les articulations, celle qui est
la plus exposée aux plaies pénétrantes sans atteinte des

os. Le fait s'explique par sa situation superficielle, par les grandes dimensions et la simplicité de forme de l'interligne, et surtout par l'étendue des culs-de-sac synoviaux. Les plaies pénétrantes sont de deux espèces : des perforations simples ou de part en part, et des ouvertures larges de l'articulation. Toutes peuvent intéresser l'articulation au niveau de l'interligne, c'est-à-dire au-dessous de la rotule, ou au niveau du cul-de-sac tricipital, donc au-dessus de cet os.

Dans les perforations complètes, les deux orifices sont petits, presque égaux. Elles ne peuvent évidemment être produites que par des projectiles de petit calibre, ordinairement des balles. Les éclats d'obus volumineux procèdent en quelque sorte par incision. Nous avons vu plusieurs fois le genou ouvert transversalement, et le membre ne tenant plus que par les parties molles du creux poplité.

C'est au genou, nous l'avons dit, que le traitement sans immobilisation s'applique le mieux. Dès les premiers moments, le blessé, muni d'un simple pansement, est tenu d'exécuter pendant une bonne partie de la journée, des mouvements de flexion et d'extension. Il arrive graduellement à des excursions de plus en plus étendues, sans éprouver aucune douleur. En peu de jours, il est capable de marcher sans appui, souvent même avant que la plaie soit fermée. Ce n'est guère que si le ligament rotulien est sectionné, que les mouvements actifs sont impossibles, mais on y supplée provisoirement par des mouvements passifs qu'on répète plusieurs fois par jour. A part ce seul cas, les plaies articulaires les plus larges doivent, comme les plus petites, être soignées sans aucune immobilisation.

Nous faisons de plus en plus systématiquement, pour

les plaies articulaires du genou, la résection primitive du trajet, l'enlèvement des corps étrangers et la fermeture complète, suivie de la mobilisation immédiate. Le genou est, de toutes les articulations, celle qui se prête le mieux à cette méthode.

Quel que soit le traitement institué, l'infection peut survenir malgré tout. Elle est plus ou moins grave. Après la fermeture primitive, elle affecte souvent une forme atténuée.

Arthrotomie. — Le meilleur traitement consiste alors à rouvrir largement l'article, tout en faisant continuer la mobilisation active et même la marche. L'articulation se vidant très complètement par les mouvements, on voit souvent les phénomènes infectieux céder rapidement, et tout rentrer dans l'ordre.

Mais l'infection peut prendre dès l'abord une allure grave qui oblige à des mesures plus radicales. On peut bien essayer encore de sauver l'articulation par l'arthrotomie bilatérale, mais il est rare qu'on réussisse, et il faut ordinairement la transformer sans plus tarder en arthrotomie en fer à cheval, pour mettre toute la synoviale à découvert.

Résection. — Cependant cette exposition de toute la surface articulaire par relèvement d'un lambeau comprenant la rotule, aidée du drainage postérieur, peut être elle-même insuffisante. Les fusées purulentes peuvent s'étendre, les cartilages et les os s'entreprendre, l'état général s'aggraver rapidement. Il ne faut pas hésiter alors à pratiquer la résection articulaire complète et large.

La résection du genou pour les lésions chroniques, en particulier pour la tuberculose, est aujourd'hui réhabilitée.

Elle procure un membre très solide et une excellente fonction.

Pratiquée pour l'arthrite purulente, l'opération est simple et rapide. Comme l'articulation est déjà largement ouverte, il n'y a qu'à sectionner les ligaments qui tiennent encore, et à scier les deux épiphyses en passant en tissu sain. Il faut ensuite reconnaître et débrider toutes les collections et tous les trajets insuffisamment ouverts. On fait un tamponnement sous le lambeau qui reste flottant et dont on a enlevé la rotule, et on applique un appareil plâtré à anses, en prenant soin que des aides maintiennent les surfaces osseuses en contact. Il ne faut jamais les fixer ni par des clous, ni par des vis, ni par aucun autre moyen.

Si le lendemain la fièvre n'est pas tombée, on remplace le pansement sec par le Carrel ou le Wright.

Dans les cas heureux, l'opération est suivie de la chute immédiate de la température et de l'arrêt des phénomènes infectieux locaux. La cicatrisation peut être encore interrompue par l'apparition de quelque collection purulente péri-articulaire, mais sans réaction grave, et le malade guérit plus vite que ne l'eût fait prévoir son état précaire.

Amputation. — La résection, pratiquée de cette manière, sauve un certain nombre de membres voués sans cela à l'amputation. Mais, comme nous l'avons dit, elle constitue une ressource dont il faut savoir se servir au moment opportun : ni trop tôt, tant que l'arthrotomie simple peut suffire, ni trop tard, quand l'état général est devenu manifestement trop mauvais et que l'amputation seule peut encore sauver le blessé.

C'est aussi à l'amputation qu'il faudrait se résoudre en fin de compte si la résection n'arrêtait pas la marche de l'infection, et, encore une fois, il ne faudrait pas attendre pour la pratiquer que le blessé n'ait même plus la force de résistance nécessaire pour la supporter.

L'amputation sera faite d'après la technique rapide que nous avons déjà indiquée à plusieurs reprises. Elle consistera à sectionner simplement les parties molles du creux poplité, les seules par lesquelles la jambe tienne encore. Il est évident que la plaie sera laissée largement ouverte. Ce sera la tâche des jours suivants de débrider les collections qui peuvent se former encore dans le moignon, jusqu'à ce que la réparation commence.

FRACTURES. — Toutes les variétés de *fractures épiphysaires* peuvent se rencontrer au genou, mais elles n'y sont pas toutes également fréquentes. Nous avons déjà signalé la perforation simple des épiphyses, et particulièrement des condyles fémoraux, et nous avons montré combien ces perforations sont des lésions minimes, et combien leur pronostic est bénin. Nous avons dit aussi qu'en cas de plaie unique, avec rétention du projectile, il n'y a pas lieu de procéder à son extraction immédiate, puisqu'il est souvent bien toléré, à condition qu'il soit entièrement extra-articulaire.

Les fractures à trait simple sont surtout représentées par des fractures supra-condyliennes, qui rentrent en réalité dans le groupe des fractures diaphysaires, mais que nous classons ici parce qu'elles peuvent être en T, c'est-à-dire intra-articulaires, et qu'elles confinent aussi aux fractures uni-condyliennes. Dans ces deux derniers cas, elles se compliquent toujours d'ouverture de l'articulation.

La fracture supra-condylienne est à trait plus ou moins régulier, et se caractérise par l'importance du déplacement. Le fragment supérieur chevauche en avant ou sur le côté, et si la réduction laisse à désirer, les mouvements du genou seront entravés notablement (fig. 83). Or, une réduction suffisante ne peut être obtenue et maintenue que par l'extension continue. Elle sera appli-

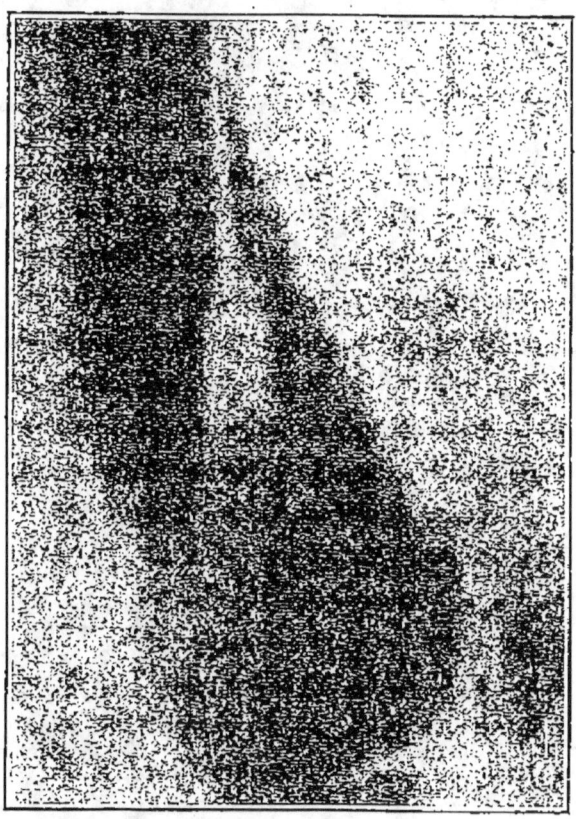

Fig. 83. — Fracture supra-condylienne du fémur à trait oblique.
Fort déplacement en arrière du fragment supérieur.

quée comme pour les fractures diaphysaires ordinaires (fig. 76 et 78).

Quant aux fractures uni-condyliennes, qu'on observe au fémur et au tibia, leur traitement se confond avec celui de la lésion articulaire toujours concomitante. Mais

Fig. 84. — Fracture supra-condylienne en T du fémur.
Éclatement des deux condyles.

elles constituent, une complication fâcheuse de la plaie

articulaire, parce qu'elles rendent le traitement plus dif-.
ficile, sans compter que la coexistence des deux lésions
élève au maximum le danger d'infection. Ce danger nous
a semblé plus grand pour les fractures du plateau tibial
que pour celles des condyles fémoraux.

Les fractures très esquilleuses sont assez rares au genou.
Nous n'avons pas observé la propagation jusqu'à l'épi-.
physe inférieure, des fractures à grandes esquilles, et l'on
n'y trouve pas souvent la variété à petites esquilles nombreuses. Tout au plus verra-t-on de temps en temps le
condyle divisé en quelques fragments, au lieu d'être
séparé en bloc de son congénère (fig. 84). Dans certains
écrasements du genou, il peut y avoir fracas complet
des deux os.

Le traitement de ces lésions complexes doit s'inspi-
rer des mêmes principes que celui des plaies purement
articulaires. C'est dire que la réunion primitive, après
avivement des tissus et extraction de tous les corps
étrangers, sera faite systématiquement, et que si l'infection survient néanmoins, il faudra recourir, selon la gravité du cas, à l'arthrotomie, à la résection ou à l'amputation.

C'est dire aussi qu'infectées ou non, ces lésions demandent la mobilisation active immédiate, dans la mesure où elle est anatomiquement praticable. Il est clair
que la destruction d'une grande partie des épiphyses
équivaudrait à la suppression de l'articulation, et qu'en
pareil cas, la mobilisation n'aurait plus de raison d'être.
Mais aussi longtemps qu'il persiste une partie des surfaces cartilagineuses en contact, la mobilisation active
conserve ses droits, et la possibilité de l'appliquer avec
succès à des destructions osseuses extrêmes est vraiment étonnante.

Il en serait encore de même en cas d'infection des lésions, et nous verrons ici, comme dans les arthrites purulentes sans fracture, les mouvements actifs vider l'articulation après l'arthrotomie, beaucoup plus complètement que ne le ferait le drainage le mieux combiné.

ROTULE. — La *rotule* peut être intéressée dans les lésions complexes du genou, mais aussi être fracturée isolément. Ce sont ordinairement des écrasements ou des éclatements en fragments multiples. La coexistence d'une plaie infectée ne permet guère de compter sur le cerclage, qui serait le seul moyen de réunion applicable à des fractures aussi compliquées. D'ailleurs l'écartement est généralement faible. Il vaut donc mieux soigner tout simplement la plaie, bien entendu sans immobiliser le genou et, si la suppuration envahit le foyer, l'extirpation complète de la rotule sera le parti le plus sage. Lorsque la mobilité articulaire a été bien entretenue, la disparition de cet os n'entravera pas la fonction dans une mesure importante.

Plaies de la jambe. — Les blessures de la jambe sont plus rares que celles de la cuisse, aussi bien en ce qui concerne les os, que pour les parties molles.

PARTIES MOLLES. — Outre les plaies ordinaires avec déchirures musculaires, qui ne méritent pas de mention spéciale, nous avons observé l'enlèvement complet du mollet depuis le tendon d'Achille jusqu'au creux poplité. L'énorme plaie qui en était résultée mit plusieurs mois à se cicatriser.

Les traversées des parties molles de la jambe, spécialement par de petits projectiles, donnent souvent lieu à des hémorragies considérables, et notamment à des hématomes énormes. On peut voir toute la jambe et le pied infiltrés de sang à ce point que le membre en est devenu globuleux, et la peau cyanosée, tendue et luisante, peut même se couvrir de phlyctènes.

Fig. 85. — Fracture du tibia à grande esquille longue.
Fracture à trait simple du péroné.

Ces infiltrations passent en règle générale à la résolution — très lentement il est vrai, — et la formation d'*anévrismes* est rare.

NERFS. — Rares aussi sont les *lésions nerveuses* des gros troncs, sauf dans les délabrements étendus qui conduisent à l'amputation. Ce sont alors des écrasements ou des arrachements partiels ou complets de la jambe, qui s'observent cependant plus rarement que les lésions similaires de la cuisse et du bras.

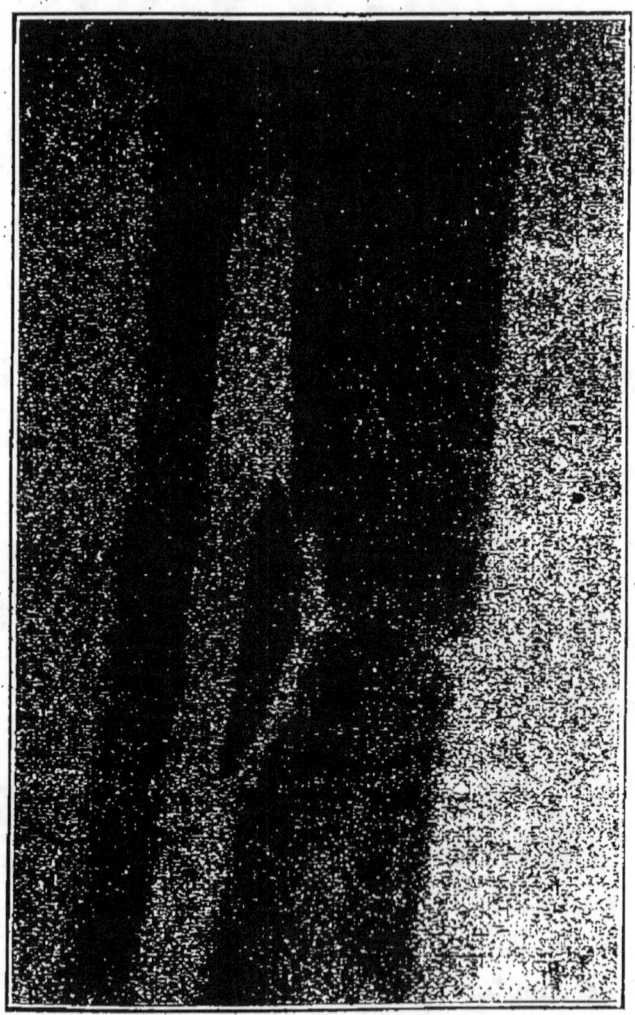

Fig. 86. — Fracture du tibia à grande esquille courte.

FRACTURES. — Les *fractures* de la jambe ne sont pas

exceptionnelles, bien que sensiblement moins fréquentes que celles du fémur. Elles peuvent atteindre les deux os ou l'un d'eux seulement.

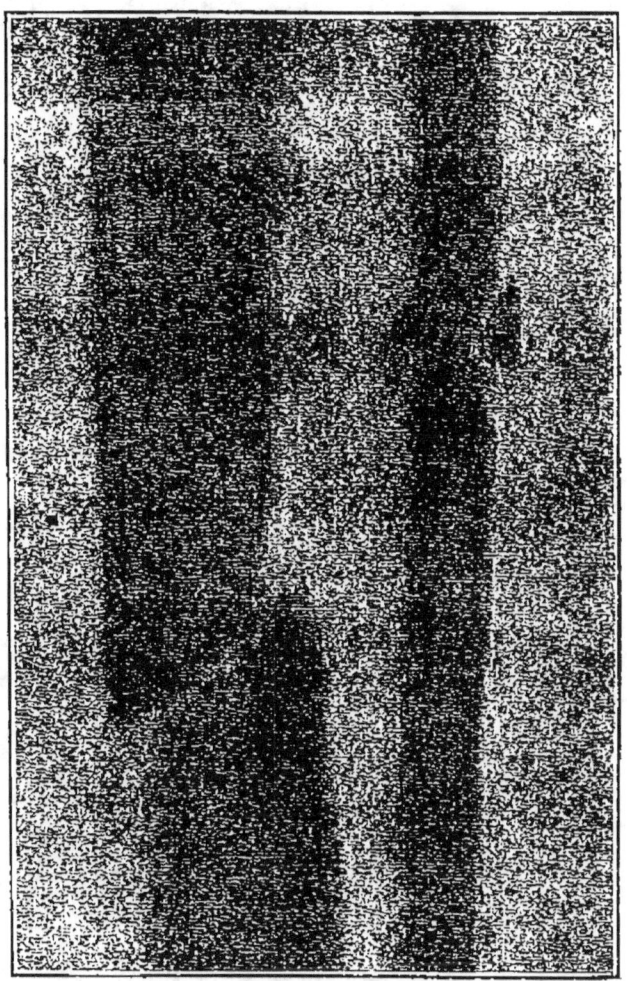

Fig. 87. — Fracture à trait simple du tibia.
Fracture à deux esquilles courtes du péroné.

Toutes les variétés de fracture s'observent au tibia et même au péroné, malgré sa minceur. La fracture à trait

simple rappelle ici, comme ailleurs, la fracture du temps
de paix (fig. 87), mais on la rencontre moins que les
fissures (fig. 88) et les fractures esquilleuses, dont on

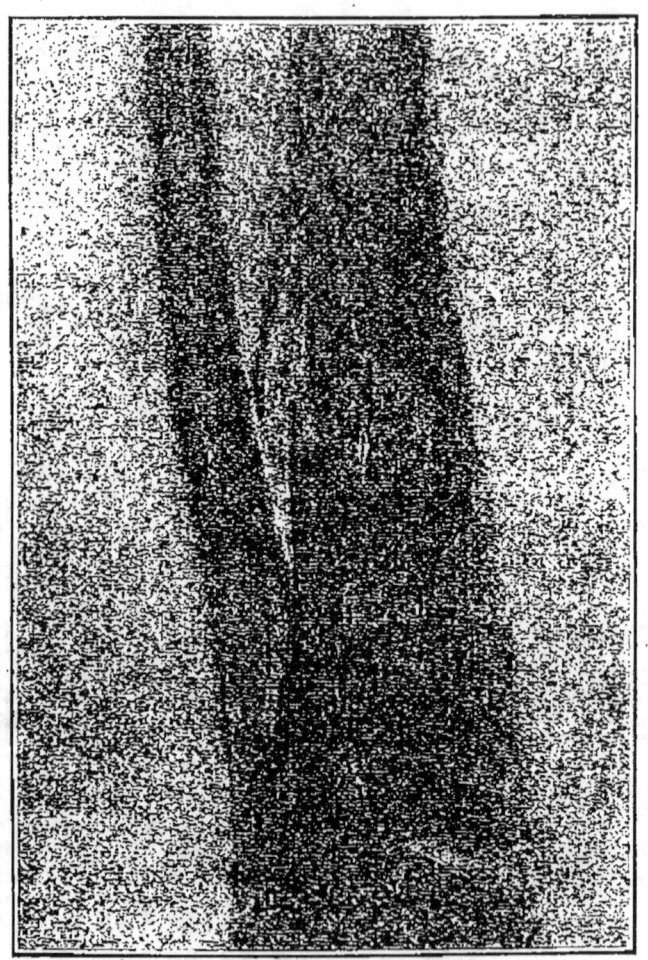

Fig. 88. — Fracture incomplète du tibia. Fissures multiples.

observe tous les types. La fracture à longue esquille ne
se montre pas seulement au tibia (fig. 85), mais aussi
très nettement au péroné. Le type à grande esquille

courte est plus net au tibia que partout ailleurs (fig. 86).
Il se montre aussi au péroné (fig. 87). Enfin les fractures à petites esquilles s'observent comme partout.

Un caractère des fractures du tibia par projectiles de
guerre, est d'avoir souvent leur foyer largement exposé.
L'os étant en partie sous-cutané, la plaie, pour peu
qu'elle soit large, découvre le siège de la fracture et les
esquilles sont en quelque sorte à fleur de peau. De là
une grande disposition à l'infection et à la formation de
séquestres aux dépens d'esquilles primitivement adhérentes. Il en résulte des pertes de substance étendues qui
se terminent par réunion fibreuse. Lorsque le péroné ne
supplée pas à la disparition du segment tibial, par une
hypertrophie suffisante, on pourrait être amené à tenter
la greffe osseuse pour combler la brèche.

Le traitement des fractures de la jambe ne demande
pas de longs développements. Quand il y a déplacement,
il est en général beaucoup plus facile à réduire que celui
de la fracture du fémur, et l'appareil d'immobilisation
suffira d'ordinaire. Pour les fractures largement ouvertes
avec foyer osseux compliqué, les soins de la plaie seront
surtout faciles si l'on applique l'appareil plâtré à anses.

Quant à la fracture oblique en bec de flûte, l'extension sur des vis implantées dans la base des malléoles
sera le meilleur moyen d'obtenir la réduction.

Bien que l'infection soit assez difficile à éviter dans
les fractures de la jambe, et qu'elle y prenne assez souvent le caractère gangréneux simple, la gangrène gazeuse
y est infiniment plus rare que dans les lésions analogues
de la cuisse.

Plaies du pied. — Les blessures du pied sont rares
dans les hôpitaux, nous entendons les blessures par pro-

jectiles, et faisons naturellement abstraction des excoriations et des phlyctènes occasionnées par les chaussures
et par la marche.

Les lésions de l'articulation tibio-tarsienne, avec ou
sans fractures, demandent le même traitement que les
lésions similaires du genou. La réunion primitive après
préparation du foyer, et la mobilisation active immédiate s'appliquent très bien au cou-de-pied. C'est encore
la mobilisation qui donnera les meilleurs résultats en
cas d'infection, après arthrotomie large. Ici encore, les
mouvements vident l'articulation beaucoup mieux que
ne peut le faire le drainage.

Le pied peut être perforé de part en part par des projectiles sans qu'aucun os soit touché, mais ordinairement
le squelette est atteint, et l'on observe des fractures des
métatarsiens, ordinairement par éclatement, plus rarement des phalanges, assez rarement aussi des os du tarse.

Des éclats d'obus peuvent écraser ou arracher tout le
pied, ou n'en emporter qu'une partie : les orteils, un des
bords. Ou bien, ils produisent dans le pied une brèche
centrale, parfois énorme. Ils écrasent aussi la voûte plantaire, en fracturant le tarse et tous les métatarsiens. D'autres fois, ce sont des arrachements de la peau et des tendons, qui découvrent le squelette sur une grande étendue.

Les plaies avec écrasement du tarse sont avantageusement traitées par une large *tarsectomie*, si l'apophyse
postérieure du calcanéum peut être conservée. Le pied
gros, court et un peu aplati que laisse cette intervention, conserve une excellente fonction. Mais il faut que
la résection dépasse largement les lésions.

Amputations. — La plupart des lésions du pied demandent beaucoup de temps pour se réparer, et laissent sou-

vent des déformations et des douleurs à la marche. Aussi la question de *l'amputation* peut-elle se poser dès le début de certaines de ces lésions.

Le pied n'a pas, au point de vue fonctionnel, une importance comparable à celle de la main. Et, au lieu de conserver des orteils devenus ballants par la disparition des métatarsiens, au lieu de chercher à obtenir péniblement la cicatrisation de plaies profondes et anfractueuses, au lieu de conserver un tarse déformé, il vaudra souvent mieux se décider de bonne heure à une amputation partielle, qui laissera un moignon régulier et bien utilisable.

L'histoire des amputations partielles du pied sera sans doute révisée par cette guerre, et telle méthode qui était disqualifiée depuis la période préantiseptique, sera réhabilitée par l'expérience actuelle ; telle autre qui avait conservé des partisans, sera définitivement rejetée.

Nous n'avons pas observé assez de cas de l'espèce pour émettre un jugement motivé sur la valeur de toutes les amputations partielles du pied. Ce que nous pouvons affirmer, c'est que le discrédit où était tombée la désarticulation médio-tarsienne de Chopart n'est pas justifié, et que lorsqu'on y ajoute la section du tendon d'Achille et la suture des tendons extenseurs à l'aponévrose plantaire, la bascule du moignon ne se produit pas. D'autre part, la longueur du membre restant normale, l'amputé n'a pas besoin d'appareil prothétique et peut marcher avec une bottine ordinaire dont le devant est rembourré. C'est là un avantage considérable sur toutes les amputations qui portent plus haut, y compris celle de Pirogoff, et qui toutes raccourcissent la jambe.

Pied des tranchées. — On réunit, sous cette appellation, des lésions très diverses, allant de simples troubles circulatoires avec œdème, jusqu'à la gangrène des orteils et même du pied. .

Il ne s'agit pas de vraies gelures, comme on l'a cru. La pathogénie des lésions est sans doute complexe, et il est probable que la station debout prolongée, spécialement dans l'eau, les chaussures qui se resserrent après avoir été mouillées, et les bandes molletières jouent un rôle, et qu'il s'agit donc à la fois d'un ralentissement de la circulation et de troubles par constriction.

Les moyens préventifs les plus utiles contre ces lésions, qui ont été très fréquentes à certains moments de la campagne, semblent être de diminuer la durée du séjour dans les tranchées, de supprimer toute cause de compression, et peut-être de faire porter aux hommes des sabots. Comme moyens curatifs, on recommande dans les cas légers, les bains chauds, les frictions, le massage, l'électricité. Dans les cas graves, il faut attendre que la gangrène soit confirmée, favoriser l'élimination des escharres ou amputer aussitôt que le sillon de démarcation apparaît. Mais pour certaines gangrènes à forme humide et à caractère septique, il faudra se résoudre à amputer de bonne heure, avant toute délimitation [1].

---

1. On a isolé dans les lésions une moisissure qui pénétrerait dans les tissus par des excoriations et provoquerait une névrite périphérique.

Le traitement devrait comprendre la désinfection des pieds à l'aide de savon et de solutions alcalines ou boratées.

CHAPITRE XVIII

INDICATIONS ET TECHNIQUE DES AMPUTATIONS

Dans les chapitres précédents, nous avons, à différentes reprises, signalé les circonstances dans lesquelles il faut savoir se résoudre à l'amputation, et nous avons donné quelques indications sur la manière dont cette intervention doit être pratiquée. On trouvera ces renseignements dans les chapitres relatifs au traitement des plaies, aux fractures des os longs, et dans ceux consacrés aux divers segments des membres.

Mais il paraît utile de grouper dans une vue d'ensemble les principales données relatives aux *indications* et à la *technique* des amputations, afin de mettre mieux en lumière certaines règles générales qu'il convient de suivre.

Classification. — Nous distinguerons trois genres d'amputations, d'après le moment où elles doivent être pratiquées.

1° Les *amputations immédiates* ou *primitives*, c'est-à-dire celles qui sont faites sans délai après la blessure.

2° Les *amputations secondaires* ou *tardives*, c'est-à-dire celles qui sont faites un certain temps après la blessure, alors qu'un autre traitement a été institué d'abord.

3° Les *réamputations*, c'est-à-dire celles qui sont destinées à corriger des moignons défectueux résultant d'amputations primitives ou secondaires.

I. — Amputations immédiates ou primitives

A. INDICATIONS. — Les écrasements des membres ayant déterminé la destruction de tous les tissus, les arrachements presque complets où seuls quelques lambeaux de peau et de muscles tiennent encore, exigent évidemment l'amputation immédiate.

L'indication est moins formelle et l'hésitation devient possible lorsque les lésions sont moins extrêmes, lorsque, par exemple, à un fracas osseux s'ajoute une destruction *partielle* des parties molles. Ici la *qualité* des tissus détruits importe plus que leur *quantité*.

1° *Cuisse*. — Nous sommes d'avis que la section de l'artère fémorale, lorsqu'elle complique un grand fracas osseux, est justiciable de l'amputation primitive. En pareil cas, les troubles circulatoires dans les parties molles déchirées, arrachées, infiltrées sont tels que la circulation collatérale aura bien peu de chances de s'établir. Et cette chance minime ne compense pas le risque que la conservation ferait courir au blessé.

2° *Bras*. — Il y a lieu, semble-t-il, de ne pas agir exactement de même pour le bras. Nous avons dit déjà combien, en raison de la complexité plus grande de ses fonctions, et de l'impossibilité de le remplacer par une prothèse parfaite, la perte du bras est autrement pénible que celle de la jambe. On remplace très bien une jambe, on ne remplace pas un bras.

D'autre part, il est d'observation que des destructions très étendues des parties molles du bras, même avec section de l'humérale, peuvent se prêter à la conservation. Le pouvoir de réparation semble plus grand au bras qu'à la cuisse. Nous en avons observé des exemples remarquables.

Nous hésiterons donc à amputer en présence d'une fracture comminutive de l'humérus avec déchirure vasculaire. Et la temporisation aura d'autant moins d'inconvénient que la gangrène gazeuse, si fréquente à la cuisse, est rare au bras.

Au demeurant, il y a là une question de doigté, qui demande une certaine expérience.

3° *Avant-bras et jambe.* — Il en va autrement pour l'avant-bras et pour la jambe. Segments de membre à artères doubles, à réseau collatéral très développé, ils peuvent être le siège de délabrements très étendus, accompagnés de lésions vasculaires, sans que la gangrène soit à craindre. La conservation pourra donc y être poussée beaucoup plus loin qu'à la cuisse et au bras.

4° *Main et pied.* — A plus forte raison, les fractures avec lésions vasculaires de la main et du pied ne compromettent-elles nullement la vitalité et ne faut-il pas songer à l'amputation dans la crainte de la gangrène. Mais d'autres facteurs peuvent entrer ici en ligne de compte.

Nous avons dit que le principe de la conservation doit dominer le traitement quand il s'agit de la main.

Il y a néanmoins une petite réserve à faire pour les écrasements ou les arrachements partiels des doigts, où, dans certains cas, il sera préférable, comme nous l'avons dit, d'amputer immédiatement, plutôt que d'exposer le blessé, après un long traitement, à devoir réclamer quand même l'amputation secondaire. Un bout de doigt déformé, ankylosé en mauvaise direction ou couvert de cicatrices douloureuses, peut devenir de ce fait impropre au travail, voire gênant pour le travail des doigts voisins.

Les conditions sont encore différentes pour le pied, où la conservation poussée à l'extrême serait peu justifiée par l'importance fonctionnelle du membre, de sorte que les amputations partielles et totales y sont à conseiller dès qu'on prévoit le risque, pour le traitement conservateur, de laisser des conditions défavorables à la marche (déformations, déviations, cicatrices vicieuses ou douloureuses, etc.).

Il ne faut cependant pas perdre de vue que lorsque le métatarse est intact, des lésions même étendues du tarse peuvent être avantageusement traitées par une tarsectomie large. L'enlèvement au besoin de tous les os du tarse, sauf le segment postérieur du calcanéum, laisse un pied raccourci, élargi, épaissi, mais capable d'une excellente fonction, et relié à la jambe par une pseudarthrose suffisamment mobile.

Lésions articulaires. — A part l'écrasement complet, les lésions du genou et du coude ne doivent guère conduire à l'amputation immédiate. La résection constitue pour ces articulations une ressource précieuse qu'il faudrait toujours utiliser, au moins comme mesure provisoire. Pour le coude en particulier, la résection primitive donne des résultats fonctionnels tout à fait remarquables.

B. Technique. — L'amputation ne sera pas toujours pratiquée de la même manière, quel que soit l'état du membre, et quel que soit l'état du blessé.

Au point de vue de la technique à suivre, il y a lieu de distinguer des *cas très graves* et des *cas moins graves*.

1° *Cas très graves*. — Lorsque le membre est arraché ou complètement écrasé, l'état général du blessé est toujours très précaire. Même quand l'hémorragie a été minime, — et il n'est pas rare qu'il en soit ainsi, — il y a un shock intense. Le blessé est pâle, froid, sans pouls ou à peu près, en proie à une forte angoisse. Lui faire dans ces conditions une amputation régulière, c'est-à-dire une intervention relativement longue, et qui exige l'anesthésie générale, c'est presque sûrement l'envoyer à la mort.

D'un autre côté, essayer de gagner du temps, de relever d'abord l'état général, dans le but d'opérer dans de meilleures conditions quelques heures plus tard, c'est exposer le blessé à succomber à la continuation du suintement sanguin, ou à l'infection gazeuse.

Il faut donc opérer immédiatement, mais rapidement, et mettre *en même temps* en œuvre les moyens destinés à remonter le blessé.

Le chloroforme doit être banni. Il faut s'adresser à l'éther, ou mieux à l'anesthésie locale ou régionale. Doses massives d'huile camphrée et sérum intraveineux.

L'opération doit se borner, d'après le cas, à sectionner le pont de parties molles encore existant, ou à trancher d'un coup le membre, au niveau du fracas osseux. Le *garrot est indispensable*, car la perte de sang la plus minime peut être fatale.

Les vaisseaux sont saisis rapidement. A ce moment il est utile de lever le garrot et de pousser, au moyen d'une large canule, une injection de sérum physiologique dans la veine principale. La pénétration *rapide* qu'on obtient ainsi est beaucoup plus efficace que l'injection forcément

plus lente dans une veine sous-cutanée, de calibre beaucoup moindre.

Sans chercher à égaliser les parties molles, sans toucher aux os, on ferme ensuite le moignon par quelques
points cutanés, non pas pour obtenir la première intention,
mais pour éviter tout suintement sanguin consécutif. Car
rien n'achève plus sûrement un blessé de cette catégorie, que la continuation d'une hémorragie même minime.

Après une telle intervention, on observe souvent des
suites très simples : la plaie se réunit *per primam* et
l'os paraît suffisamment recouvert par les muscles. Si
bien qu'on pourrait être tenté de considérer le résultat
acquis comme définitif. Mais insensiblement on voit l'extrémité osseuse pointer sous la peau, l'ulcérer, et le moignon devenir conique.

Toutes les amputations de cette catégorie sont donc
des amputations provisoires et doivent être suivies d'une
réamputation pratiquée dans les conditions que nous étudierons plus loin.

2° *Cas moins graves.* — Lorsqu'au lieu d'un écrasement complet, nous avons affaire à une fracture esquilleuse avec lésions vasculaires, l'état général sera infiniment moins grave. L'hémorragie n'aura guère laissé
de trace et le shock sera minime ou absent.

Dans de telles conditions, la technique classique de
l'amputation reprend ses droits.

Toutes choses égales, et sauf des cas spéciaux où la prothèse future commande d'agir autrement, l'amputation
sera pratiquée aussi bas que possible, immédiatement
au-dessus de la plaie, et l'on prendra la peau et les muscles là où il s'en trouve. En règle générale, on sera

amené ainsi à choisir la méthode circulaire, quelquefois la méthode à un lambeau.

Le garrot est nécessaire. Pour remonter les muscles avant la suture de l'os, un rétracteur métallique en pla-.teau est très utile. A l'exemple des Américains, nous supprimons une colerette de périoste de quelques millimètres à l'extrémité de l'os, ainsi que la moelle dans une étendue analogue, ceci pour éviter la production d'ostéophytes. Nous sectionnons les nerfs plus haut que les autres tissus et suturons les muscles par-dessus l'os. La peau est fermée complètement. Tout au plus une petite mèche est-elle placée pendant vingt-quatre ou quarante-huit heures.

Nous n'avons plus besoin d'insister sur la nécessité de bien matelasser le moignon, de recouvrir l'extrémité osseuse d'un coussin musculaire suffisant. Cette nécessité pourra, d'après le segment de membre en cause, influencer le choix de la méthode. Ainsi, pour le bras et la cuisse, une manchette circulaire sera suffisante. Mais à la jambe, le lambeau postérieur permettra de recouvrir beaucoup mieux le tibia. Nous verrons plus loin dans quelle mesure il y a lieu de tenir compte de l'emplacement qu'occupera la cicatrice.

II. — Amputations secondaires ou tardives

A. INDICATIONS. — On peut être amené à pratiquer une amputation secondaire ou tardive dans des cas très différents, mais qui rentrent tous dans trois catégories : des *gangrènes, des hémorragies récidivantes* et des *infections.*

1° *Gangrènes*. — Un membre que l'on a tenté de conserver montre au bout de quelques jours des signes évidents de mortification. L'amputation s'impose.

Après une ligature d'un gros vaisseau pratiquée pour plaie artérielle ou pour anévrisme, la circulation collatérale ne s'établit pas. L'amputation s'impose encore.

Ces gangrènes ischémiques peuvent être *limitées*, soit qu'elles n'atteignent que l'extrémité toute terminale du membre, par exemple une partie du pied après oblitération de la fémorale, soit qu'elles se montrent sous forme d'escharre. D'autres fois, la gangrène est *massive* et étendue à un vaste segment du membre atteint.

Lorsque l'état général reste assez bon, il convient d'attendre, pour amputer, que la démarcation soit faite. Mais dans la forme massive, la fièvre peut prendre le caractère de la septicité, sans doute par suite de phénomènes de résorption, et les symptômes généraux peuvent être tellement graves que l'amputation devient urgente, même avant toute délimitation.

2° *Hémorragies récidivantes*. — Nous avons rencontré quelques cas où des hémorragies survenant dans de vastes plaies anfractueuses et qui avaient été arrêtées par la ligature, s'étaient reproduites plusieurs fois, et, malgré de nouvelles ligatures, avaient conduit le blessé au dernier degré de l'épuisement.

Dans de telles conditions, où une nouvelle perte de sang, si minime qu'elle fût, devait à coup sûr emporter le malade, nous avons pratiqué l'amputation pour le mettre définitivement à l'abri de l'hémorragie, obéissant ainsi à une véritable indication vitale.

3° *Infections*. — a) *Gangrène gazeuse*. — Nous avons vu que dans certaines formes de gangrène gazeuse, l'amputation peut être le traitement de choix. Non qu'il faille, comme d'aucuns le faisaient au début de la campagne, amputer dès que quelques bulles de gaz apparaissent dans la plaie. Nous savons maintenant que les débridements larges, l'ablation des corps étrangers, les incisions cutanés et l'exposition à l'air ont souvent raison de l'infection gazeuse.

Mais il est pourtant des formes contre lesquelles ce traitement reste impuissant. Il est vrai qu'en pareil cas, la marche envahissante et l'altération rapide de l'état général ne permettent guère de recourir à aucun autre moyen, pas même à l'amputation. Quelquefois cependant, lorsque l'infection n'a pas encore atteint le tronc et que la résistance du malade paraît suffisante, on doit tenter l'amputation comme dernière ressource.

En ce qui nous concerne, nous amputons de moins en moins pour gangrène gazeuse et il en sera sans doute ainsi pour tous ceux qui sauront appliquer avec rigueur les principes du traitement conservateur.

b) *Suppurations prolongées.* — Nous avons vu que la suppuration de certaines plaies de guerre peut être interminable, spécialement lorsqu'il s'agit de foyers osseux (fractures esquilleuses, articulations réséquées pour arthrite purulente). La destruction progressive des tissus, la fièvre hectique et la cachexie qui l'accompagne, peuvent, dans certains cas — heureusement exceptionnels — résister à tous les moyens mis en œuvre. On doit alors se résoudre au sacrifice du membre comme ultime ressource, avant que le malade ait épuisé toutes ses réserves. Saisir ce moment est question de coup d'œil.

B. Technique. — Comme pour les amputations immédiates, la technique des amputations secondaires doit varier d'après la gravité du cas.

1° *Cas très graves*. — Lorsqu'on ampute pour gangrène gazeuse ou pour suppuration persistante, l'amputation doit être faite en *coup de hache*, c'est-à-dire que tous les tissus, peau, muscles et os, doivent être sectionnés d'un trait au même niveau. La section portera dans la plaie.

Il faut se tenir strictement à cette règle. Sous aucun prétexte, il ne faut ébaucher une manchette ou un lambeau, comme on a quelquefois une tendance à le faire.

Fig. 89. — Amputation de cuisse à section plane. Moignon conique.

Car la valeur du procédé à section plane n'est pas seulement dans la rapidité de son exécution. Elle est surtout dans ce fait qu'elle donne un *moignon conique parfait*, dans lequel la rétraction découvre largement l'extrémité osseuse, étale toute la couche musculaire et retire fortement la peau en arrière (fig. 89).

Si tous les tissus ne sont pas sectionnés au même niveau, la conicité du moignon sera moins parfaite, il se

produira des inégalités de surface, des excavations. Dans
ces petites anfractuosités, les sécrétions peuvent s'accu-
muler et entretenir la fièvre, tandis que sur la surface
égale du cône parfait, aucune rétention n'est possible.

Il va sans dire que la plaie doit être laissée entièrement ouverte. On la soumet dans les premiers jours au
traitement à ciel ouvert.

A mesure de la cicatrisation, la saillie osseuse se pro-
nonce, tandis que les versants du cône bourgeonnent et
se ferment. Il reste en fin de compte un bout d'os terminé par un bourgeon médullaire, ou transformé en séquestre.

2° *Cas moins graves.* — Lorsque l'amputation est
faite pour gangrène simple ou pour hémorragies répétées,
elle doit l'être d'après les règles ordinaires et en tissus
sains. Elle comporte, comme nous l'avons dit plus haut,
la taille d'une manchette ou d'un lambeau, l'enlèvement
d'une bandelette périostique, l'évidement de l'extrémité
du canal médullaire, la suture des muscles et de la peau.
Nous ne revenons pas sur les détails de cette technique.

III. — Réamputations

A. INDICATIONS. — 1° *Moignons coniques.* — La réamputation est indispensable pour tout moignon conique.
Il arrive, en particulier quand l'extrémité osseuse saillante tombe par nécrose, que le moignon se cicatrise,
complètement, et l'on pourrait être tenté alors de s'abstenir d'une réamputation.

Ce serait une erreur. Le moignon conique, même fermé,
porte une *cicatrice adhérente à l'os*, disposition qui est
une source de douleurs à la moindre pression.

Il ne faut pas faire la réamputation trop tôt. Le moment est venu lorsque la base du cône est bien couverte de tissu cicatriciel et que le sommet seul bourgeonne encore. A ce moment l'examen de frottis montre que la plaie est stérile.

2° *Moignons douloureux*. — Il faudra aussi réamputer les moignons qui, sans être coniques, restent douloureux, soit parce que l'extrémité osseuse est insuffisamment matelassée de muscles, soit parce qu'il existe une cicatrice largement adhérente. Dans de tels cas, il ne faut cependant pas être pressé d'intervenir à nouveau, car les douleurs peuvent disparaître au bout d'un certain temps. Le massage, la mécanothérapie, les bains d'air chaud y aident puissamment.

3° *Moignons infectés*. — Un moignon dont les parties molles sont creusées de trajets fistuleux et de décollements, qu'il y ait ostéite ou ostéomyélite, doit quelquefois être réamputé, mais seulement après que tous les autres traitements seront restés sans résultat.

Enfin, on pourrait être amené à proposer la réamputation dans certains cas où le moignon aurait été mal calculé pour la prothèse.

Mais ces dernières indications sont exceptionnelles et c'est généralement pour conicité résultant d'une amputation à section plane, que la réamputation sera pratiquée.

B. Technique. — Une double préoccupation doit guider dans la réamputation pour moignon conique : éviter de réinfecter la plaie par la surface bourgeonnante, et matelasser suffisamment l'extrémité osseuse.

Pour éviter de réinfecter la plaie, on commence par

circonscrire la zone cicatricielle par une incision circu-

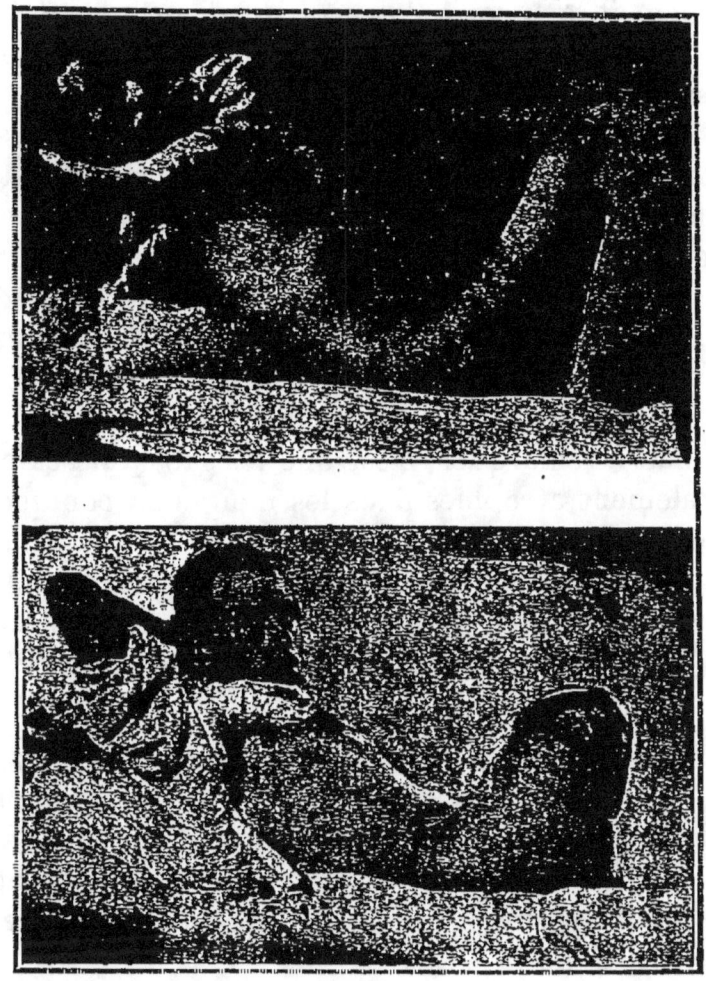

Amputation de la cuisse à section plane
Fig. 90. — Moignon conique.
Fig. 91. — Moignon corrigé par réamputation.

laire comprenant une petite colerette de peau saine. On

laisse le disque ainsi délimité adhérent à l'os, et on l'enveloppe d'une compresse qu'on n'enlève plus.

Dans le but d'obtenir un bon coussinage du nouveau moignon, il faut scier l'os assez haut, en tenant compte néanmoins de la nécessité de conserver une longueur suffisante pour la prothèse (fig. 90 et 91).

Afin d'allonger les parties molles et de réduire au minimum la longueur d'os à sacrifier, il est fort utile de soumettre le moignon à l'extension continue pendant quelque temps avant la réamputation.

La section des muscles, l'enlèvement de la bande périostique et de l'extrémité de la moelle, ainsi que la suture des muscles par-dessus l'os, se font comme il est dit plus haut.

Un fait à remarquer, c'est que les gros vaisseaux sont généralement atrophiés dans les moignons coniques. Le garrot est donc inutile.

La technique est la même pour les moignons pathologiques autres que le moignon conique, avec cette différence que le segment osseux à réséquer est moins étendu.

Qualités exigées du moignon en vue de la prothèse. — On est loin d'être d'accord sur les conditions que doit remplir le moignon en vue d'une bonne prothèse. On discute, pour chaque segment de membre, la meilleure longueur à donner au moignon, et le meilleur emplacement de la cicatrice.

a) *Longueur du moignon.* — Toutes choses égales, le moignon doit être aussi long que possible, afin que son action de levier sur le membre artificiel soit aussi puissante que possible. Un amputé de cuisse dont le moignon a moins de 15 centimètres, aura bien de la peine à mouvoir sa jambe. Il en est de même d'un amputé de jambe dont le moignon mesurerait moins de 10 centimètres. Ce sont là des minimums qu'il faut s'efforcer d'obtenir.

Mais faut-il pousser les choses beaucoup plus loin et amputer coûte que coûte beaucoup plus bas, même au prix d'un mauvais coussinage ? Nous pensons qu'au delà de la longueur minima exigée, il vaut mieux avoir un moignon un peu court, mais bien matelassé, qu'un moignon plus long, qui serait mal étoffé.

On discute beaucoup la valeur de la désarticulation du coude et du genou ainsi que des amputations intracondyliennes de l'humérus et du fémur.

On leur reproche surtout de laisser trop peu de place dans le membre artificiel pour intercaler une articulation au bon endroit. Nous leur reprochons surtout de ne se prêter à aucun matelassage de la large surface osseuse qu'elles laissent, et que la peau est seule à recouvrir.

b) *Emplacement de la cicatrice.* — Nous estimons que les qualités propres de la cicatrice sont plus importantes à considérer que la place qu'on lui donne.

Quand la cicatrice est linéaire, souple et non adhérente, — comme elle l'est après la réunion par première intention — elle devient absolument indolore au bout d'un certain temps et est en état de supporter toutes les pressions des appareils. Cela est surtout vrai quand ces pressions, au lieu d'être localisées comme dans l'appui direct que réalisent les appareils anciens, sont divisées et réparties également sur toute la surface du moignon. Tel est le cas pour la jambe américaine, — la plus employée maintenant, — et qui est composée d'un cône creux en bois dans lequel le moignon s'emboîte exactement.

Mais lorsque la cicatrice est large, épaisse, adhérente, elle gênera et provoquera des douleurs, quel que soit s on emplacement.

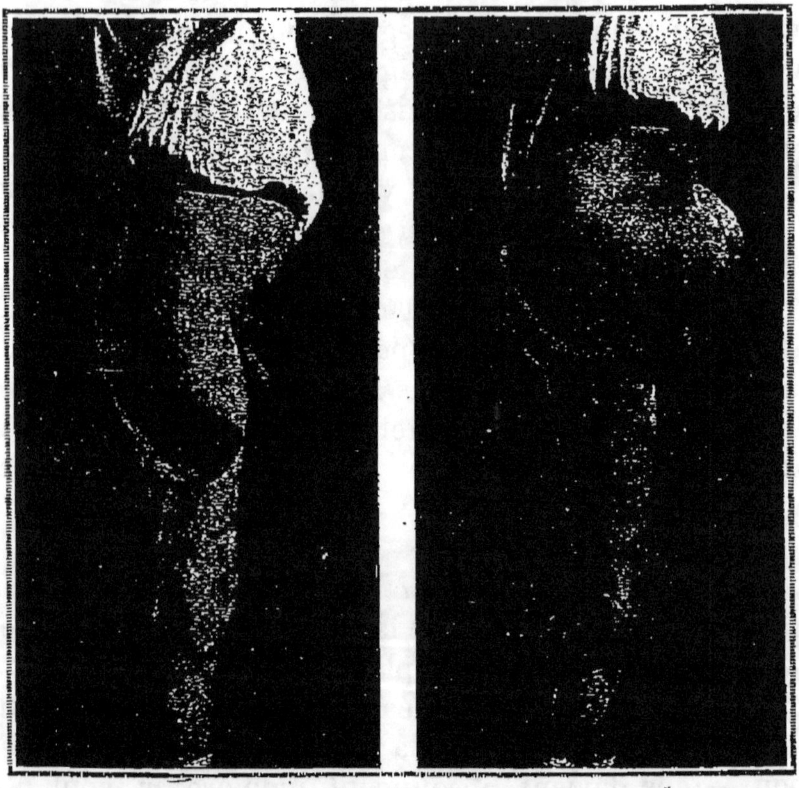

Fig. 92. — Amputation de la cuisse. Moignon assez long.
Etendue de l'extension et de la flexion.

Il faut donc tâcher d'obtenir de *bonnes* cicatrices, et ne pas s'occuper beaucoup de l'endroit où elles seront placées. Il ne faudrait surtout pas sectionner l'os beaucoup plus haut que les lésions n'y obligent strictement,

dans le seul but, par exemple, de tailler un lambeau et
d'avoir une cicatrice latérale. Si la nécessité du coussinage peut justifier dans certains cas un sacrifice osseux,
la préoccupation du siège de la cicatrice ne le justifierait
en aucune manière.

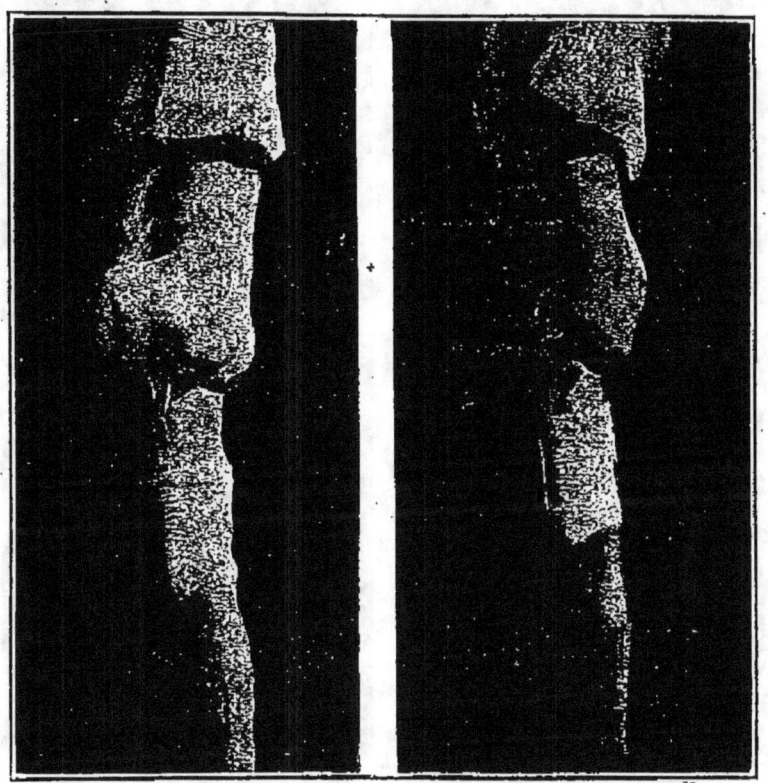

Fig. 93. — Amputation de la cuisse. Moignon court.
Etendue de l'extension et de la flexion.

C'est donc uniquement sur la disposition des lésions
qu'il convient de se régler pour adopter la méthode circulaire ou la méthode à lambeau, et la circulaire devra
être choisie dans le plus grand nombre de cas.

Raccourcir l'os le moins possible tout en disposant d'un matelas musculaire suffisant, et *éviter à tout prix la suppuration*, telles sont les préoccupations capitales qui doivent nous guider dans les amputations.

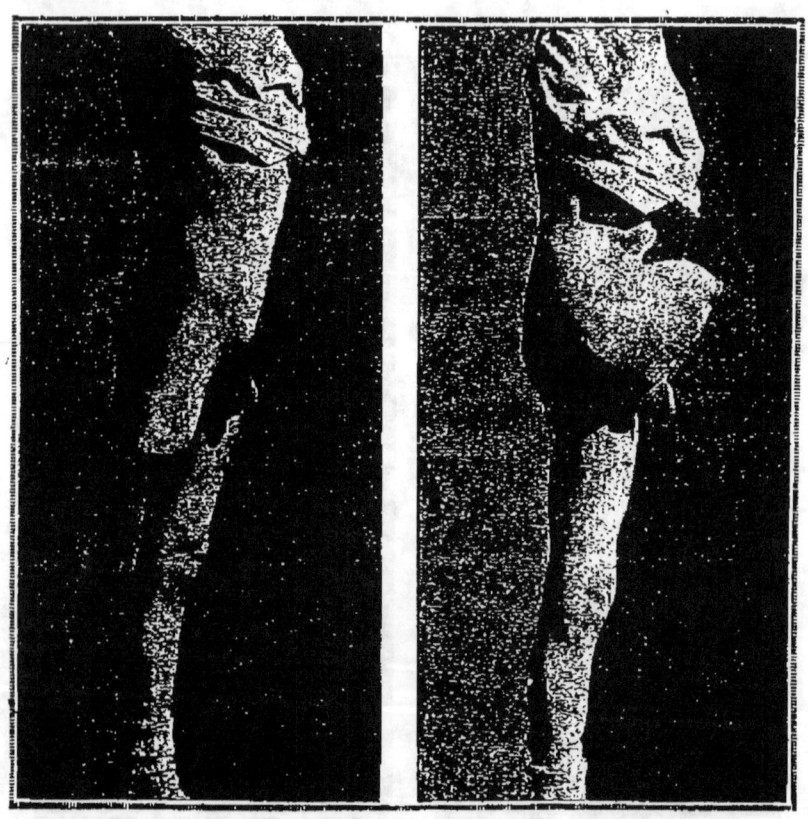

Fig. 94. — Amputation de la cuisse. Moignon court.
Etendue de l'extension et de la flexion.

Tout ceci s'applique avant tout au membre inférieur, mais aussi, dans une certaine mesure, au membre supérieur, avec cette restriction que le bras artificiel — qu'il s'agisse du bras ouvrier, du bras de parade, du bras

articulé Cauet ou du bras automatique américain de
Carnes — n'exerce que des pressions relativement faibles sur le moignon. Le matelassage de ce dernier est
accessoire, sa longueur est primordiale.

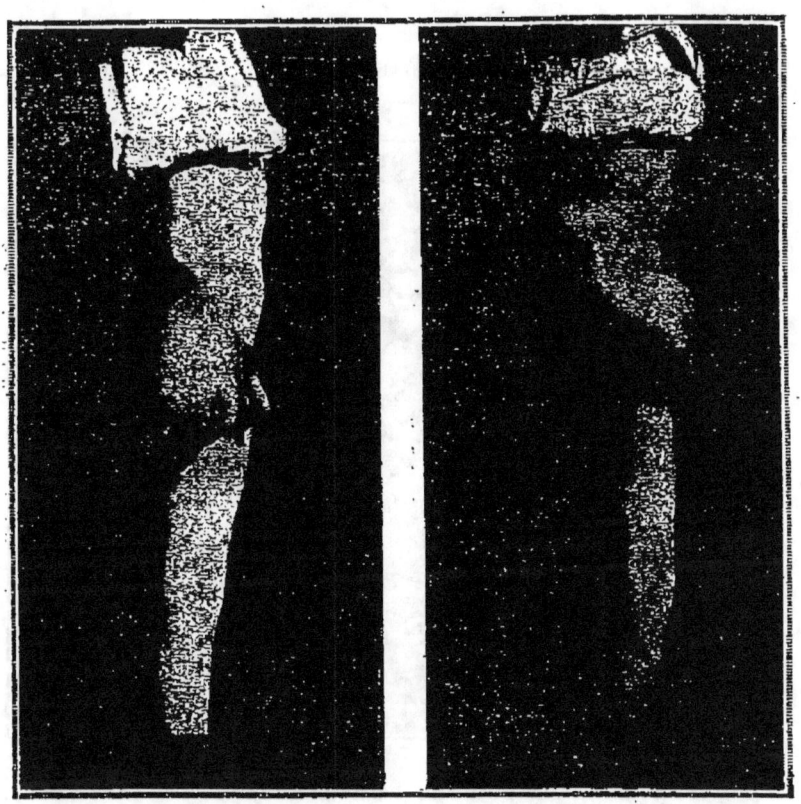

Fig. 95. — Amputation de la cuisse. Moignon très court.
Etendue de l'extension et de la flexion.

Nous avons vu qu'il faut toujours préférer à la désarticulation de l'épaule l'amputation même très haute du
bras, et nous avons dit les raisons esthétiques et fonctionnelles de cette règle.

Soins à donner au moignon. — Un moignon, pour être utile, doit avoir une articulation bien mobile et des muscles vigoureux, deux conditions qu'on réalise très facilement en le soumettant à la mobilisation active dès le premier jour.

Le pansement doit être fait de manière à ne pas gêner

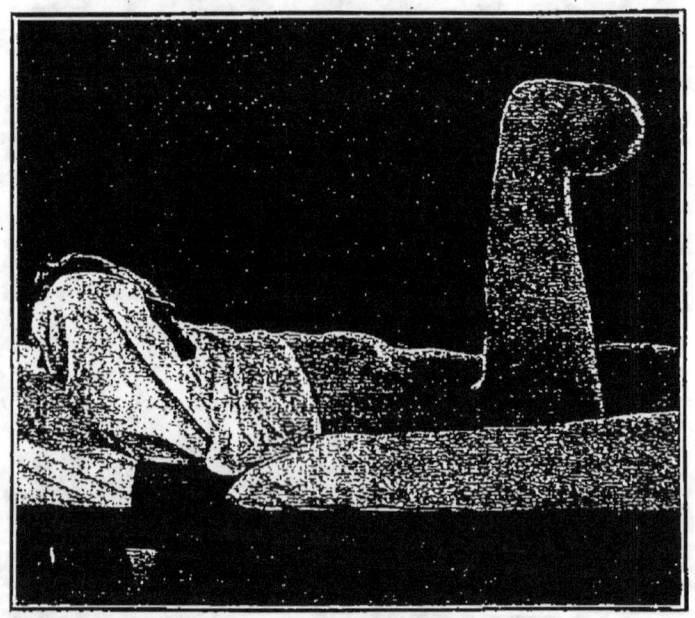

Fig. 96. — Amputation haute de la jambe. Moignon court, mais très bien matelassé par les muscles postérieurs.

les mouvements actifs, auxquels l'amputé doit être astreint sans relâche. A ce prix, le jour où la cicatrisation sera achevée, le moignon sera en état d'exécuter intégralement tous les mouvements utiles, et aucun traitement physiothérapique ne sera plus nécessaire. Le blessé sera prêt pour l'appareillage. A ce prix aussi, des moignons même courts pourront encore être appareillés utilement, parce que la faible longueur du bras de levier sera

Fig. 97. — Même cas que fig. 96. Vue de face.

compensée par sa mobilité et sa puissance musculaire
(fig. 92, 93. 94, 95, 96, 97).

CHAPITRE XIX

EXTRACTION DES PROJECTILES DE GUERRE

Indications. — Avant la campagne actuelle, la doctrine généralement admise en matière d'extraction des projectiles, se résumait en une formule simple. Il était recommandé de n'enlever que ceux qui étaient mal tolérés, soit parce qu'ils gênaient certaines fonctions, — tels les projectiles intra-articulaires, — soit parce qu'ils provoquaient des douleurs, soit parce qu'ils donnaient lieu à l'infection.

Depuis lors, l'expérience nous a prouvé que les indications opératoires doivent être beaucoup étendues.

Eclats de projectiles et balle de shrapnell. — Une première règle que nous avons déjà formulée, mais sur laquelle il est nécessaire de revenir, c'est qu'il faut enlever primitivement *tous les projectiles autres que les balles de fusil,* sauf certains cas exceptionnels que nous allons indiquer.

Nous rappelons que l'éclat d'obus, de bombe, de grenade, la balle de shrapnell, sont toujours infectés. De plus, leur forme et souvent l'inégalité de leur surface font qu'ils entraînent ou poussent devant eux des corps étrangers divers, parmi lesquels les plus dangereux sont les débris d'étoffes enlevés aux vêtements. De tels corps étrangers provoquent presque à coup sûr l'infection des tissus dans lesquels ils s'arrêtent. Au lieu d'attendre que cette infection soit produite et de s'exposer à des accidents graves qu'on n'est pas certain de pouvoir enrayer, il est bien plus prudent de supprimer le corps étranger avant qu'il ait eu le temps de nuire.

Dans certaines conditions, cette extraction est particulièrement urgente, notamment quand l'éclat est arrêté au milieu d'un fracas osseux ou d'un foyer de déchirure musculaire, et tout spécialement quand il s'agit de la cuisse et de la fesse. Nous avons vu à quel point ces lésions exposent à la gangrène gazeuse. L'extirpation du projectile et des moindres débris qui l'accompagnent doit être faite sans aucun retard, dans l'hôpital le plus rapproché, parce que l'éclosion de l'infection gazeuse est souvent une question d'heures.

La règle souffre cependant quelques rares exceptions. Nous avons dit que les projectiles intracraniens, quels qu'ils soient, ne doivent jamais être recherchés, à moins qu'ils ne se présentent en quelque sorte d'eux-mêmes, au voisinage immédiat de la plaie ou qu'on ait un électro-aimant à sa disposition. Les dégâts auxquels exposerait leur recherche, rendent l'abstention obligatoire. Cependant, l'extraction tardive, pour des phénomènes d'irritation cérébrale (douleurs, convulsions), peut être formellement indiquée.

En règle générale, les projectiles intra-abdominaux ne doivent pas être enlevés. Le plus souvent, ils sont bien tolérés et l'épiploon s'arrange pour les isoler de la cavité séreuse. Quelquefois cependant ils peuvent gêner par leur volume ou les aspérités de leur surface. Comme nous l'avons dit plus haut, nous avons dû enlever une balle de shrapnell déformée, qui était arrêtée sous le péritoine pariétal, à travers lequel elle avait enfoncé une pointe qui piquait l'intestin et donnait lieu à de violentes douleurs.

Nous avons vu, à propos des lésions thoraciques, dans quelles circonstances il y a lieu d'aller à la recherche des projectiles intrapulmonaires.

BALLE DE FUSIL. — Quant à la *balle de fusil*, qui peut être considérée comme stérile, elle ne doit pas être enlevée d'une manière systématique. La conduite à tenir dépendra ici des circonstances.

Elle devra être enlevée chaque fois que sa présence constitue un danger ou provoque une gêne fonctionnelle.

Ainsi une balle logée dans le cœur ou dans le péricarde doit être extraite sans retard, si l'on veut éviter des accidents graves d'hémorragie ou des troubles fonctionnels mortels.

Une balle entrée dans la trachée ou qui comprime ce conduit ne doit évidemment pas être laissée en place. Ici encore les troubles fonctionnels graves obligent à une intervention immédiate.

Une balle arrêtée à proximité de vaisseaux et de nerfs importants doit être éloignée, même si elle ne provoque pas de symptômes immédiats. Elle fait courir un danger sérieux à ces organes en les frôlant. Les régions les plus dangereuses sous ce rapport sont la région antéro-latérale du cou, la région axillaire, le pli du coude, le triangle de Scarpa, la région postérieure de la cuisse (nerf sciatique), le creux poplité.

Une balle logée dans le canal vertébral ou à proximité, doit toujours être enlevée, qu'il y ait ou non des symptômes médullaires. Quand ils existent, l'indication opératoire ne souffre pas de discussion. Mais même en l'absence de tout trouble fonctionnel, il ne faut pas abandonner en place une balle qui avoisine la moelle épinière, parce qu'elle est exposée à être lésée par un déplacement du projectile.

Une balle logée dans une cavité naturelle — autre que le crâne, le thorax ou l'abdomen, — doit toujours en être éloignée, en raison des douleurs, des troubles fonctionnels, des dangers d'infection dont elle peut devenir responsable.

Il en est ainsi, comme nous l'avons vu, de toute balle incluse dans une articulation. Une balle intra-articulaire abolit la fonction de la jointure, provoque des douleurs et expose à l'arthrite.

Il en serait de même d'une balle qui occuperait la vessie ou l'urètre. Sans compter les troubles fonctionnels auxquels elle donnerait lieu, elle deviendrait à coup sûr le noyau d'un calcul, même si elle était incluse dans la paroi et ne faisait que partiellement saillie dans la cavité. Sans doute, on a vu de ces balles être expulsées spontanément, soit par les voies naturelles, soit après fistulisation, mais c'est là une terminaison exceptionnelle sur laquelle on ne peut guère compter.

Il en serait encore de même d'une balle qui occuperait un des sinus de la face, en particulier le sinus maxillaire, et qui deviendrait presque sûrement la cause d'accidents infectieux ou de fistules.

Dans d'autres cas, l'indication n'est plus absolue, mais conditionnelle.

D'une manière générale, les balles de fusil encastrées dans les os ne doivent pas être enlevées. Le tissu osseux les tolère bien. Mais quand il y a en même temps fracture, surtout de la variété esquilleuse, l'ablation immédiate du projectile peut être nécessaire, pour permettre le nettoyage du foyer. Secondairement les balles fixées dans les os donnent lieu quelquefois à des douleurs tenaces, ou bien entretiennent la suppuration en agissant comme corps étranger. Dans les deux cas, leur extirpation est justifiée.

Les balles incluses dans les parties molles y passent inaperçues pendant de longues années et n'appellent l'attention sur leur présence que très tard, lorsque leur migration les a rendues superficielles ou les a conduites dans le voisinage d'un nerf. Elles peuvent cependant être mal tolérées dès l'origine, soit en gênant certains mouvements, — nous avons vu les mouvements de la mâchoire entravés par une balle placée derrière le col de l'os, les mouvements du genou limités par une balle logée profondément dans le creux poplité, — soit en provoquant des douleurs à caractère névralgique, soit encore en créant autour d'elles des indurations parfois douloureuses, ou même en donnant lieu à la formation d'un abcès. Dans ces divers cas, l'ablation s'impose. Mais c'est là une exception, et dans l'immense majorité des cas, les balles gênent si peu dans les parties molles, qu'elles n'y sont généralement découvertes que par hasard.

Il va sans dire qu'une balle de fusil qui aurait infecté les tissus, devrait être éloignée sans retard, avec les corps étrangers qu'elle aurait pu entraîner.

Enfin une balle arrêtée sous la peau n'y doit être laissée sous aucun prétexte.

Diagnostic. — L'existence d'un projectile peut parfois être reconnue directement par l'exploration de la plaie, quand elle est assez large. Cette recherche fait partie notamment du nettoyage à fond que doit subir dès l'abord toute plaie par éclat d'obus. Le débridement de rigueur facilite encore la découverte, en permettant au doigt et même à l'œil d'explorer tous les recoins de la plaie, ce qu'il faut surtout ne jamais négliger de faire pour les foyers de fracture.

Plus tard, le toucher pourra faire reconnaître un projectile dans une cavité suppurante ou au fond d'un trajet fistuleux.

Mais les petits projectiles échappent à cette recherche, qui est du reste impossible quand la plaie n'est représentée que par un petit orifice ou par une simple perforation.

Dans tous ces cas, — et ils sont la grande majorité, — il faut recourir aux rayons X, soit à l'examen *radioscopique*, pour déduire d'images obtenues sur l'écran l'existence du corps étranger, soit au document *radiographique*, à l'image fixée sur la plaque.

Il y faut recourir dès que la moindre présomption existe, même quand la présence du projectile est peu probable, et les résultats montreront la nécessité d'agir de la sorte.

L'examen radiologique ne doit jamais être négligé sous prétexte qu'il existe un orifice de sortie, ou que la balle a été retrouvée, ou qu'il y a d'autres raisons de croire à l'absence du projectile. Celui-ci peut s'être fragmenté en traversant les tissus, y avoir abandonné des parcelles, et nous trouvons tous les jours des projectiles là où les affirmations les plus catégoriques prétendaient nous faire croire à leur absence.

Enfin, il faut recourir à la radiographie chaque fois qu'une plaie tarde à se fermer ou s'est fistulisée, sans que la cause en soit clairement établie.

Localisation. — La présence du corps étranger étant établie, il s'agit, en vue de l'extraction, d'en déterminer le *siège* et la *profondeur* par rapport à la surface du corps.

Tel est le but des opérations de *localisation*. Elles comprennent des *procédés radioscopiques* et des *procédés radiographiques*.

a) PROCÉDÉS RADIOSCOPIQUES. — Il est parfois possible de reconnaître assez exactement par la radioscopie la position d'un projectile par rapport à un os ou à un muscle, en faisant exécuter des mouvements actifs ou en imprimant des mouvements passifs au membre : le corps étranger se meut avec le muscle qui se contracte ou avec l'os qui se déplace. On aura des renseignements plus précis sur les rapports du projectile avec les organes voisins en se servant d'un écran stéréoscopique.

Un procédé radioscopique simple, qui n'exige aucun instrument ni appareil spécial, consiste à déterminer la position du projectile en diaphragmant, de façon à faire passer le rayon normal par le projectile et en même temps à travers l'ouverture de deux petits anneaux métalliques placés, l'un sur la face antérieure du sujet, l'autre sur la face postérieure. Les trois objets se trouvent sur la même ligne droite. On opère ensuite de la même façon perpendiculairement, et on obtient une deuxième ligne qui coupe à angle droit la première ; on indique la position des anneaux sur la peau au moyen du crayon dermographique ou du crayon de nitrate d'argent, ou mieux encore au moyen de pointes de tatouage à l'encre de Chine. On peut reporter les points obtenus sur le papier et le point de croisement des deux lignes donne la position du corps étranger dans les tissus.

C'est ce procédé que nous appliquons pour la localisation des projectiles dans les membres et le cou. En dehors de ces régions, nous n'utilisons pas les procédés radioscopiques, parce qu'ils ne découvrent pas toujours

le projectile, surtout quand il est petit, parce que les procédés simples manquent de précision et parce qu'ils sont,
malgré tout, dangereux pour l'opérateur.

Un grand nombre d'appareils très ingénieux font passer une ligne droite par le projectile et donnent la profondeur de ce dernier par rapport à l'un des deux points
où cette ligne aboutit à la peau.

Parmi ces appareils, nous signalerons le radioprofun-
domètre de Réchou, le repéreur de Menuet, le repéreur
de Le Maréchal et Morin, le radioscopimètre de Mary
Mercier, l'écran spécial de Guyenot, le trusquin repéreur de Massiot, l'appareil de Gargain de Moncetz, le
repéreur de Le Faguays, etc. Tous ont donné de bons
résultats.

b) Procédés radiographiques. — Nous utilisons en
général — et toujours quand il s'agit du tronc, — les
procédés radiographiques, qui ont le grand avantage de
permettre au chirurgien de se rendre compte par lui-
même, et aussi souvent qu'il le désire au cours d'une
opération, de la position du projectile et de ses rapports
avec les parties voisines.

Le procédé le plus simple, mais qui ne donne que des
indications approximatives, et qui n'est applicable qu'aux
membres, à la tête et au cou, consiste à faire deux radiographies suivant deux directions perpendiculaires. La
radiographie stéréoscopique avec repères à la peau est très
utile pour fixer les rapports du projectile avec le squelette ou certains organes voisins, en particulier pour déterminer s'il est intra-ou extra-osseux.

On a imaginé une foule de procédés radiographiques,
qui conduisent à des résultats très précis, mais qui
exigent des accessoires spéciaux. La plupart d'entre eux

consistent d'une part à déterminer, par la méthode des
deux épreuves sur une même plaque, la distance du projectile à cette plaque, et d'autre part, au moyen de repères métalliques placés sur la face antérieure et sur la
face postérieure du sujet, à marquer les points d'entrée
et de sortie du rayon normal passant par le projectile.

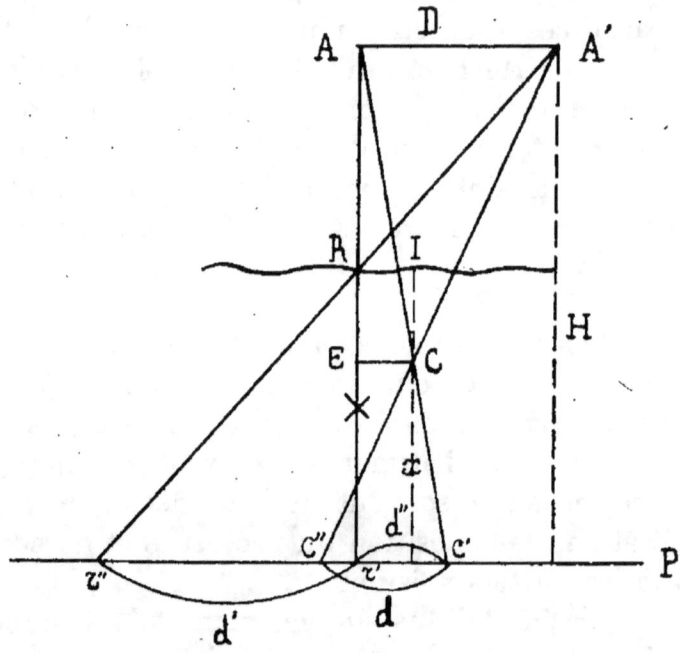

Fig. 98. — Localisation par le procédé de Henrard.

Parmi ces multiples procédés, nous signalerons celui
des croix graduées de Bertin-Sans et Leenhardt, celui de
Colardeau qui utilise une boîte porte-plaque spéciale,
celui de Morin qui emploie également un chassis spécial, et qui impressionne successivement les deux moitiés d'une plaque placées sur la même région.

Bien que le procédé à image double sur plaque unique
ait des inconvénients, — atténuation des ombres, manque

de netteté des os, etc., — nous lui donnons la préférence à cause de sa simplicité. Il n'exige aucun appareil spécial et fournit rapidement des indications suffisamment exactes. Nous adoptons le procédé de Henrard, de Bruxelles, qui calcule la distance de la plaque aux repères placés sur la peau, la distance de la plaque au corps étranger, et déduit de la différence entre ces deux distances la profondeur du projectile.

Procédé de Henrard. — Soit R un repère métallique placé à la surface de la peau (représentée par la ligne ondulée sur la figure 98. Soit C le corps étranger à l'intérieur des tissus.

Prenons une première épreuve, l'anticathode étant placée en A, de telle sorte que la perpendiculaire abaissée de A sur la plaque P passe par R ; l'image du repère se marquera sur la plaque en r', l'image de C en c'.

Faisons dévier l'ampoule d'une quantité D connue, dans un plan parallèle au plan de la plaque et faisons une deuxième épreuve sur la même plaque ; l'image de R se marquera en r'' et l'image de C en c''.

Nous recherchons la distance X, entre le repère et la plaque, et la distance x, entre le corps étranger et la plaque.

Pour la détermination de X, considérons les triangles semblables ARA' et $r''Rr'$, et nous pouvons écrire :

$$\frac{AA' \text{ ou } D}{r''r' \text{ ou } d'} = \frac{H - X}{X}$$

H étant la hauteur mesurée entre le plan des anticathodes et le plan de la plaque ; d' la distance mesurée sur la plaque entre les ombres du repère, d'où

$$X = H \frac{d'}{d' + D}$$

De même si nous considérons les triangles semblables ACA' et $c''Cc'$, nous pouvons écrire

$$x = \mathrm{H}\,\frac{d}{d + \mathrm{D}}$$

d étant la distance mesurée sur la plaque entre les deux ombres du corps étranger ; X — x égale la profondeur du corps étranger dans les tissus.

Pour déterminer le point d'incision, on élève une perpendiculaire du point C au plan de la surface antérieure du corps. L'incision devra évidemment se faire en I, mais on ne peut calculer RI. Menons donc CE parallèle à RI. RI = CE. Considérons les triangles semblables AEC et A$r'c'$.

Nous pouvons écrire :

$$\frac{\mathrm{EC}}{r'c' \text{ ou } d''} = \frac{\mathrm{H} - x}{\mathrm{H}}$$

d'où

$$\mathrm{EC} = d''\,\frac{\mathrm{H} - x}{\mathrm{H}}$$

proportion dans laquelle nous retrouvons H, la hauteur mesurée entre le plan de la plaque et le plan des anticathodes ; x la distance calculée plus haut et d'' ou $r'c'$, distance que nous pouvons mesurer sur la plaque entre l'ombre du repère r' et celle du corps étranger c', obtenues, l'anticathode étant en A, c'est-à-dire au sommet de la perpendiculaire abaissée sur le plan P et passant par R.

La connaissance de RI nous donnera l'endroit de l'incision dans le cas où celle-ci devra être postérieure ou antérieure. Mais dans le cas où, soit le siège du corps étranger, soit des raisons anatomiques obligent à faire une incision latérale, comment calcule-t-on la profondeur du corps étranger à partir de la face interne ou de la face externe ?

On fait une première double épreuve qui indique la valeur de x ; puis on met un repère métallique sur la face latérale à cette hauteur x, mesurée à partir du plan de la plaque.

Soit E l'endroit où l'on doit inciser ; la longueur que nous devons connaître EC est la base du triangle AEC.

Nous pouvons donc écrire comme plus haut

$$EC = d'' \frac{H - x}{H}$$

La figure 99 donne un exemple de localisation d'un éclat d'obus situé dans la région thoracique droite.

Le déplacement de c' en c'' est de 18 millimètres, celui de r' en r'' de 4 millimètres [1].

Donc, si dans la formule $x = H \dfrac{d}{d + D}$, nous remplaçons les lettres par leur valeur, nous trouvons :

$$x = 500 \; \frac{18}{18 + 100} = 76,5 \text{ millimètres}$$

---

[1] Ces mensurations ont été faites sur le cliché. La figure ci-contre a subi une réduction.

Et si nous faisons de même pour la formule :

$$X = H \frac{d'}{d' + D}$$

Fig. 99. — Localisation d'un éclat d'obus dans le thorax. *c'* ombré du projectile ; *c''* ombre du projectile après déplacement ; *r'* ombre du repère ; *r''* ombre du repère après déplacement.

nous aurons :

$$X = 500 \, \frac{4}{4 + 100} = 19,2 \text{ millimètres.}$$

Donc x — X, c'est-à-dire 76,5 mm. — 19,2 mm. = 57,3 mm., qui représentent la profondeur du projectile par rapport à la peau.

Technique. — Le plus souvent, l'incision sera faite à l'endroit indiqué par le repère radiographique, et poussée tout droit jusqu'à la profondeur fixée. Il va sans dire qu'il faut tenir compte de la présence éventuelle d'organes importants sur le trajet à parcourir, et s'arranger pour les éviter.

Dans certains cas, il y aura avantage à inciser, non à l'extrémité du trajet, mais sur son parcours. Ainsi un projectile occupant l'espace compris entre l'omoplate et la cage thoracique, et localisé par un repère antérieur et un repère postérieur, sera atteint plus facilement par une incision axillaire que par une incision pratiquée sur le repère dorsal.

Lorsqu'on est arrivé à la profondeur voulue, il peut arriver qu'on tombe directement sur le projectile, qu'on reconnaît à sa consistance, ou qu'on voit quelquefois en faisant éponger avec soin. Mais souvent on n'aboutit pas immédiatement. Il faut alors s'assurer à nouveau qu'on se trouve à la profondeur indiquée, palper les muscles environnants pour y percevoir éventuellement la dureté du corps étranger, reconnaître, le cas échéant, une ecchymose profonde qui dénote le voisinage du projectile.

Extraction sous radioscopie. — Un projectile de très petites dimensions peut échapper. Certains chirurgiens préconisent, pour éviter cet échec, l'extraction du corps étranger sous le contrôle de la radioscopie intermittente : les uns opérant à la lumière du jour ou à la lumière électrique, et guidés par le radiographe qui a la tête munie d'une bonnette avec écran radioscopique (procédé de Réchou, d'Ombrédanne et Ledoux-Lebard), les autres opérant dans une salle éclairée à la lumière rouge, le chirurgien contrôlant lui-même, par intervalles, sur l'écran, le siège du projectile (procédé de Bergonié).

Compas et repéreurs. — On a inventé aussi des *compas* ou *repéreurs*, qui sont destinés à guider le chirurgien vers le corps étranger. Ces appareils sont réglés avant l'opération d'après les données fournies par des radioscopies ou des radiographies localisatrices (compas de Hirtz, repéreur de Marion, compas de Guilloz et Stock, sectant radiologique de Loro, compas de Massiot, indicateur opératoire Aubourg.

Electro-vibreur. — L'électro-vibreur de Bergonié est un électro-aimant puissant actionné par du courant alternatif, qui décèle la présence des corps étrangers magnétiques en leur imprimant des vibrations indirectes. Ces vibrations sont transmises au doigt du chirurgien, qui les sent avec d'autant plus d'intensité qu'il se rapproche davantage du projectile.

Les balles de shrapnell et la balle française ne vibrant guère, l'électro-vibreur ne peut être utilisé que pour les éclats d'obus et les balles allemandes à enveloppe de ferro-nickel.

Cet appareil est surtout utile pour l'extraction des petits éclats perdus dans de grosses masses musculaires, conditions dans lesquelles les autres procédés échouent souvent.

En pareil cas, on pourrait utiliser aussi la sonde téléphonique de Graham Bell, reliée à un trocart introduit dans la plaie, et l'appareil de de la Baume.

Une fois le projectile reconnu, il n'est pas besoin d'instruments spéciaux pour le retirer. Des pinces, des daviers à os et des curettes suffisent presque toujours.

Il s'agit maintenant d'enlever tous les corps étrangers que le projectile peut avoir entraînés avec lui : éclats de bois, terre, et surtout morceaux d'étoffe. Une exploration minutieuse est nécessaire, si l'on ne veut être exposé à abandonner certains de ces débris, qui sont plus dangereux pour l'infection que le projectile lui-même.

La plaie doit, en général, être laissée entièrement ouverte, car il n'est jamais certain qu'aucune parcelle de corps étranger n'a échappé à la recherche, sans compter que l'exploration souvent laborieuse de la région peut avoir contusionné et déchiré les muscles, au point de rendre la réunion par première intention presque impossible.

Cependant, s'il s'agit d'une cavité naturelle et surtout d'une articulation, dont la surface lisse est plus facile à nettoyer et qu'il y aurait de grands inconvénients à laisser ouverte, la suture doit être pratiquée.

TABLE DES MATIÈRES

CHAPITRE XVIII. — **INDICATIONS ET TECHNIQUE DES AMPUTATIONS** 352

GRANDE LIBRAIRIE MÉDICALE

A. MALOINE et FILS, Éditeurs

27, RUE DE L'ÉCOLE-DE-MÉDECINE. — PARIS (VI°)

ENVOI FRANCO CONTRE MANDAT OU CHÈQUE

MÉDECINE ET CHIRURGIE DE GUERRE

MARION
Chirurgien de Lariboisière, Professeur agrégé.

Indications générales du Traitement des Plaies de Guerre

SUIVIES DE

Quelques médications à l'usage des blessés. — La localisation des corps étrangers. — La Technique des Appareils pour l'immobilisation des membres.

In-8, 1917. — Avec figures . . . . 5 fr. »

KOUINDJY
Chargé du service de Rééducation à la Salpêtrière.

La Kinésithérapie de Guerre

LA MOBILISATION MÉTHODIQUE
LA MÉCANOTHÉRAPIE ✤ ✤ ✤ ✤ ✤
LA MASSOTHÉRAPIE ✤ ✤ ✤ ✤ ✤
LA RÉÉDUCATION PHYSIQUE ✤

In-8, 1916. — 183 figures . . . . 6 fr. 50

MASSIOT et BIQUARD

LA RADIOLOGIE DE GUERRE
Manuel pratique du Manipulateur Radiologiste

In-8, 1917. — 111 figures . . . .   4 fr. 50

LEGROS

L'ÉLECTROTHÉRAPIE DE GUERRE

Notions essentielles
d'Électrothérapie

In-8, 1916. — 24 figures . . . .   1 fr. 50

GANDY

THÉRAPEUTIQUE DE GUERRE

PETIT GUIDE
FORMULAIRE DU MÉDECIN MOBILISÉ

In-8, 1916. . . . .   2 fr. »

PRIVAT

La Mécanothérapie de Guerre

In-8, 1915. — 30 figures . . . .   2 fr. »

CAZIN

LA CRANIOPLASTIE
Consécutive aux larges Trépanations

In-8, 1916. — 14 figures, 4 planches . . . . .   2 fr. 50

P. CALOT

L'ORTHOPÉDIE DE GUERRE

In-8, 1917. — Avec figures. . .   **8 fr.** »

CAZIN

Nouvelles Notes Cliniques et Thérapeutiques

DE

CHIRURGIE DE GUERRE

In-8, 1917. — Avec figures . . . . **4 fr.** »

La Gangrène gazeuse   MOIROUD et VIGNES

In-8, 1916. **1 fr.** 50 *et les Plaies Gangréneuses*

MOIROUD
et
VIGNES

LES PLAIES DE L'ABDOMEN

EN CHIRURGIE DE GUERRE

In-8, 1916 (*Index bibliographique*) . . **1 fr. 50**

CAYREL
et
VIGNES

L'ÉVOLUTION DES PLAIES DE GUERRE

DES PARTIES MOLLES

In-8, 1916 (*Index bibliographique*) . . **1 fr. 50**

BRODIER

CHIRURGIE DE GUERRE

LA TRÉPANATION

2 vol. in-8. — Avec figures et planches, chaque. .   **5 fr.** »

LIVRE D'OR DE LA GRANDE FAMILLE MÉDICALE

Tués, Décorés, Cités à l'Ordre du jour

In-8 illustré (1er fascicule) .   **2 fr.** — 2e fascicule. . .   **2 fr.**

GUILLOT, DEHELLY, MOREL

La Transfusion du Sang

Préface de M. le Professeur LEGUEU

In-8, 1917. — 49 figures, 12 planches . . . . . . **9 fr.** »

TABAKIAN

NOUVELLE ORIENTATION

DU

TRAITEMENT CURATIF DU TÉTANOS

In-8, 1916 . . . . **3 fr.** »

DESARNAULDS
Ancien interne

Les Plaies de Guerre
par Armes à Feu

In-8, 1917 . . . . **3 fr. 50**

DUPLESSIS de POUZILHAC

Les Mouettes aux Croix Rouges

CONTES MÉDICAUX DE GUERRE

In-8, 1917 . . . . **3 fr. 50**

COMMENT GUÉRIR?
BIBLIOTHÈQUE DES PRATICIENS

H. HUCHARD et Ch. FIESSINGER   *VOLUMES PARUS*

LA
THÉRAPEUTIQUE EN VINGT MÉDICAMENTS
LA THÉRAPEUTIQUE EN CLIENTÈLE
In-8, 1913. — Broché, **4 fr.** — Relié . . . . . . **6 fr.** »

FIESSINGER

Traitement des Maladies du Cœur et de l'Aorte
EN CLIENTÈLE
In-8, 1917. — Broché, **5 fr.** — Relié. . . . . . . **7 fr.** »

FIESSINGER

Vingt Régimes alimentaires
EN CLIENTÈLE
In-8, 1917. — Broché, **5 fr.** — Relié. . . . . . **7 fr.** »

H. GOUGEROT

LE TRAITEMENT DE LA SYPHILIS EN CLIENTÈLE
L'INDISPENSABLE EN SYPHILIGRAPHIE
In-8, 1917. — 73 figures noires en 40 planches et 22 figures
autochromes en 13 planches.
Broché. . . . . **14 fr.** — Relié. . . . . **16 fr. 50**

H. GOUGEROT
Professeur agrégé   *VIENT DE PARAITRE*

LA DERMATOLOGIE en CLIENTÈLE
L'Indispensable en Dermatologie
In-8. 1917. — 114 figures en noir en 52 planches
40 figures autochromes en 16 planches.
Broché. . . . . **15 fr.** — Relié. . . . . **17 fr. 50**

SERGENT
Ribadeau-Dumas
Lian, d'Heucqueville
Fecarotta
Stephen Chauvet
Pruvot, Hazard

Technique Clinique Médicale et Séméiologie élémentaires

In-8, 1916, 183 fig. 10 planches en couleurs
Broché. **14** francs. — Cartonné. **15** fr. **50**

Toutes les méthodes de diagnostic clinique se trouvent réunies dans ce volume, Ecrit spécialement pour l'étudiant, ce volume sera consulté avec intérêt par le praticien. Chaque chapitre a été rédigé par un spécialiste du sujet traité.

ZILGIEN
Professeur agrégé à la Faculté de Nancy.

Précis de Thérapeutique Clinique
ET DE PHARMACOLOGIE

In-8, 1914. — Cartonné. . . . . **10** fr. »

COSTE   # DU SYMPTOME A LA MALADIE
Guide pratique de Diagnostic clinique

In-18, 1915. — Relié maroquin souple . . . . **6** fr. »

Albert BALL   *Deuxième Édition*
Ancien Interne des Hôpitaux de Paris,
Assistant de la Consultation de l'Hôpital Trousseau.

L'Enfant et son Médecin
Guide pratique de l'Hygiène et des Maladies de l'Enfance de 0 à 15 ans.

In-8, 1914. — Cartonné. . . . . **6** fr. **50**

E. PILLET   *Troisième Édition*
Ancien Interne des Hôpitaux de Paris.

GUIDE CLINIQUE D'UROLOGIE
MÉDICO-CHIRURGICALE
A L'USAGE DES PRATICIENS

In-8, 1916. Cartonné. 41 planches hors texte, 170 fig.   **15** fr.

AIMES

La Pratique de l'Héliothérapie

In-8, 1914, 2ᵉ édition . . . . **4 fr.** »

R. HYVERT

VADE-MECUM DE POCHE

DU PRATICIEN & DU REMPLAÇANT

Guide de Thérapeutique clinique

In-8 cartonné, 5ᵉ édition, 1917 . . . . **6 fr.** »

H. HYVERT   # Pathologie interne

═══ ET DIAGNOSTIC ═══

In-18 cartonné, 1916 . . . . **6 fr.** »

Manuel pratique et simplifié

D'ANALYSES DES URINES   LIOTARD

& AUTRES SÉCRÉTIONS ORGANIQUES

In-12, avec figures dans le texte, 3ᵉ édition revue
et augmentée, 1908 . . . . **3 fr.** »

Ed. JOLTRAIN   *4ᵉ Édition*

Nouvelles Méthodes
de SÉRO-DIAGNOSTIC

Syphilis. — Mycoses. — Kyste hydatique. — Lèpre
❋ ❋ ❋ Fièvre typhoïde. — Grossesse, etc. ❋ ❋ ❋

In-8, 1916, cartonné, 5 planches en noir et couleurs.   **9 fr.** »

Nouveaux Éléments ✿
✿ d'Ophtalmologie

Par H. TRUC, Professeur de clinique ophtalmologique à la
Faculté de Montpellier. E. VALUDE, Médecin de la Clinique
ophtalmologique nationale des Quinze-Vingts. H. FRENKEL,
Professeur agrégé, chargé de cours de Clinique ophtalmologique à la Faculté de Toulouse. ✿ ✿ ✿ ✿ ✿ ✿ ✿ ✿ ✿

Fort volume grand in-8, 1908.	═══ *DEUXIÈME ÉDITION* ═══
Broché . . . . . **24 fr.**	complètement remaniée et considérablement
Relié toile . . . . **26 fr.**	augmentée avec 275 figures dans le texte
	et 15 planches en couleurs.

M. GARNIER et V. DELAMARRE

Dictionnaire des Termes

techniques de Médecine

— Indispensable —
pour
la Lecture
des
Périodiques Médicaux

Contenant : les Etymologies grecques et latines, les
noms des Maladies, des Opérations chirurgicales et
obstétricales, les Symptômes cliniques, les Lésions
anatomiques, les Termes de Laboratoires, les Mots
nouveaux, etc. ✦ ✦ ✦ ✦ ✦ ✦ ✦ ✦ ✦ ✦ ✦

PRÉFACE DU PROF. ROGER

Sixième Édition, 1916, relié peau souple . . . . . **6 fr. 50**

CLAOUÉ et VAN DEN BOSSHE

-- Chirurgie Oto-Rhino-Laryngologique --

In-8, 1917, cartonné . . . . **12 fr.** »

MARQUES

LA PHYSIQUE BIOLOGIQUE PRATIQUE

In-8, 1913, 140 figures, une planche . . . . . . **4 fr.** »

MAYENNE, IMPRIMERIE CHARLES COLIN

A. MALOINE ET FILS, ÉDITEURS

27, Rue de l'École-de-Médecine, 27 — PARIS

ENVOI FRANCO CONTRE MANDAT

MARION. — *Chirurgie de Guerre. Traitement général des plaies de Guerre*, in-8, 1917 . . . . . **5** fr. »

KOUINDJY. — *La Kinésithérapie de Guerre. Mobilisation. Massothérapie, Mécanothérapie. Rééducation*, in-8, 1916, 176 figures . . . . **6** fr. **50**

PRIVAT. — *La Mécanothérapie de Guerre*, in-8, 1915, 31 figures . . . . **2** fr. »

MASSIOT & BIGARD. — *Radiologie de Guerre. Manuel pratique du Manipulateur-Radiologiste*, in-8, 1917, 131 figures . . . . **4** fr. **50**

LEGROS. — *L'Électrothérapie de Guerre. Notions indispensables d'électrothérapie*, in-8, 1916 . . **1** fr. **50**

GANDY. — *Petit guide formulaire du Médecin mobilisé*, in-8, 1916. . . . . **2** fr. »

WILLEMS. — *Manuel de Chirurgie de Guerre*, in-8, 1917, 104 figures. . . . . **8** fr. »

GUILLOT, DEHELLY, MOREL. — *La Transfusion du sang*, in-8, 1917, 49 figures. . . . . . . **9** fr. »

CALOT. — *Orthopédie de guerre*, in-8, 1917 . **8** fr. »

BRODIER. — *La Trépanation*, 2 vol. avec figures et planches en noir et en couleurs, 1916-1917. . **10** fr. »

MAYENNE, IMPRIMERIE CHARLES COLIN

www.ingramcontent.com/pod-product-compliance
Lightning Source LLC
Chambersburg PA
CBHW070647050526
44396CB00005B/598